Monstres

Catalogage avant publication de Bibliothèque et Archives nationales du Québec et Bibliothèque et Archives Canada

Bonnel, JM, 1981-
Monstres
Sommaire: 3. Cyclope.
Pour les jeunes de 14 ans et plus.
ISBN 978-2-89585-053-3 (v. 3)
I. Titre. II. Titre: Cyclope.
PZ23.B66Mo 2010 j843'.92 C2009-942281-6

Image de couverture : Carl Pelletier, Polygone Studio

Les Éditeurs réunis bénéficient du soutien financier de la SODEC et du Programme de crédits d'impôt du gouvernement du Québec.

Nous remercions le Conseil des Arts du Canada de l'aide accordée à notre programme de publication.

Nous reconnaissons l'aide financière du gouvernement du Canada par l'entremise du Fonds du livre du Canada pour nos activités d'édition.

Suivez le blogue de l'auteure au www.jmbonnel.blogspot.com.

Édition :
LES ÉDITEURS RÉUNIS
www.lesediteursreunis.com

Distribution au Canada :
PROLOGUE
www.prologue.ca

Distribution en Europe :
DNM
www.librairieduquebec.fr

Suivez Les Éditeurs réunis sur Facebook.

Imprimé au Canada

Dépôt légal : 2011
Bibliothèque et Archives nationales du Québec
Bibliothèque nationale du Canada
Bibliothèque nationale de France

JM Bonnel

MONSTRES

3. Cyclope

Le regard est le reflet de l'âme.

Proverbe populaire

Prologue

Je suis seule, tapie dans une semi-obscurité, assise près de l'une des tables de la bibliothèque. Je fixe mon visage qui se reflète dans un carreau de la fenêtre.

Le temps a passé si vite. Même si cela a été plus long pour moi que pour les autres, je suis maintenant devenue ce que nous sommes tous voués à devenir : vieille !

J'ai eu la chance, ou la malchance peut-être, de pouvoir suivre de nombreux chemins dans ma vie. Mais pour chaque nouveau chemin, j'ai dû en quitter un ancien... J'ai vite compris et accepté qu'il y avait un prix à payer pour cette longue et incroyable vie.

Vivre aussi longtemps implique de gros sacrifices. Le plus grand fut de perdre les êtres que j'ai aimés le plus au monde : les membres de ma famille.

Et maintenant, je me retrouve seule. Il ne me reste rien d'autre que mes souvenirs, vestiges d'une vie presque passée dont personne ne se rappellera plus dans quelques années. Ces souvenirs me rappellent tout ce que j'ai perdu, mais aussi tout ce que j'ai gagné jour après jour.

Ma vie touchera très bientôt à sa fin, je le pressens... C'est dans l'ordre naturel des choses car je suis une vieille cyclope.

J'ai eu une vie bien remplie. Je partirai sans regret, ou presque, et laisserai ma place à la nouvelle génération.

Je suis arrachée subitement à mes pensées par un frisson. Je sens que je ne suis plus seule dans la pièce. Même si je ne distingue personne entre les ombres des allées, je sais qu'il est ici… Il est venu pour moi. Encore…

Je sens son regard posé sur ma nuque. Si, les autres fois, j'ai su lui tenir tête, je n'ignore pas qu'aujourd'hui je vais devoir céder. Je n'ai pas le choix, car lui et moi avons conclu un pacte.

Pas besoin de me retourner. Je sais qu'il est là, tout près. Lorsque ses mains glissent sur ma nuque, je me raidis un peu. J'ai tendance à oublier que ses mains sont parfois aussi froides que celles de la mort.

Il reste un instant immobile derrière moi, essayant visiblement de regarder par-dessus mon épaule. Puis il me contourne avant d'enrouler ses bras autour de mon cou et de me donner un rapide baiser sur la joue.

— Alors ? lance-t-il d'une voix qui trahit sa hâte à connaître ma réponse.

— Alors quoi ? demandé-je sur un ton faussement innocent en me dégageant de l'étreinte.

— Tu le sais très bien ! Je l'ai réussi ou pas, mon devoir ?

Je ne peux retenir mon envie de sourire lorsque je tourne la tête pour regarder son petit visage rayonnant d'espoir. Du haut de ses sept ans, le garçon qui me fait face trépigne d'impatience.

— Ce n'est pas si mal, tu t'en es plutôt bien tiré, dis-je en saisissant la feuille posée sur le coin de la table avant de la tendre à mon visiteur.

— Suffisamment bien pour avoir ma récompense ? questionne-t-il, les yeux brillants de joie, après avoir jeté à peine un coup d'œil sur le devoir en question.

Je hoche la tête. Un immense sourire apparaît aussitôt sur le visage du petit.

— Je peux l'avoir tout de suite ?

— Il se fait tard et...

— S'il te plaît, implore le garçon en humidifiant ses grands yeux noirs, sachant pertinemment que je ne pourrai résister.

Il me fait le même coup depuis des années maintenant. Je crois que cet enfant a su m'amadouer en battant des cils avant même de savoir parler ou marcher.

— Très bien, allons-y ! capitulé-je dans un tendre soupir. Laquelle veux-tu entendre ce soir ?

— Tu le sais très bien, proteste mon interlocuteur pour la forme.

— D'accord, d'accord ! Allez, viens un peu par là, dis-je en ouvrant les bras.

Fort de son succès, il ne se fait nullement prier et s'assoit doucement sur mes genoux.

— Peut-être qu'un jour tu en auras assez d'entendre cette fichue histoire.

— Jamais ! On ne se lasse pas des histoires de monstres et de héros, ça non alors !

Je souris intérieurement. Cet enfant-là ne cessera jamais de m'étonner.

Je crois qu'il est temps pour moi de lui raconter une histoire. Mon histoire, notre histoire…

CHAPITRE UN

Le sommet du monde

— Calista, repose ça immédiatement ! tonna Zeus en courant derrière la jeune cyclope.

Jetant un rapide coup d'œil par-dessus son épaule pour évaluer la distance qui la séparait du dieu, Calista gloussa de plaisir lorsqu'elle s'aperçut que ses jambes, plus jeunes et plus rapides, distançaient sans mal celles de son parrain.

— Ce n'est pas un jeu, fillette. Attends un peu que je t'attrape ! lança Zeus d'un ton faussement menaçant, avec un sourire espiègle sur les lèvres.

L'œil unique qu'arborait Calista au milieu de son front, rond et bien formé, brilla de malice lorsqu'elle comprit que son poursuivant prenait lui aussi plaisir à cette course dans le corridor extérieur.

L'éclair qu'elle venait de dérober à Zeus, pendant la sieste de celui-ci, était toujours bien serré dans sa petite main. Calista augmenta ses foulées. Portée par l'excitation du jeu et par l'euphorie du moment, la fillette se mit à rire aux éclats. Ses belles pommettes roses, sa longue chevelure blanche ondulée, son charmant sourire et sa grâce si naturelle lui donnaient l'air d'une véritable princesse même s'il n'en était rien. Depuis le jour de sa naissance, la cyclope avait toujours été gracieuse et avenante. Elle avait hérité ces qualités de sa mère, une humaine morte en couches, qui n'avait servi qu'à assurer la descendance des cyclopes.

Brontès, le père de Calista, avait toujours souhaité avoir un enfant ; c'était là son plus grand rêve. Mais son espèce ne comprenant aucune femelle, son vœu se voyait quelque peu compromis. Le cyclope et ses deux frères, Stéropès et Argès, étaient nés de l'union du chaos et des Titans. Ils étaient les cyclopes ouraniens, ceux de la première génération. Ils n'avaient jamais eu de famille autre que leur fratrie. Brontès était heureux d'avoir des frères, mais ce n'était tout de même pas comparable au fait d'avoir des parents ou des enfants… Ses enfants !

Il s'était alors mis en tête d'agrandir sa famille.

Brontès avait d'abord pensé aux créatures magiques telles que les nymphes et les fées pour l'aider dans son projet. Mais jamais une seule de ces âmes si délicates n'aurait réussi à mettre au monde l'enfant d'un cyclope. Il avait alors pensé aux femmes humaines qui vivaient au pied du mont Olympe. Si certaines d'entre elles étaient capables de donner naissance à des demi-dieux, l'une d'elles serait probablement assez forte pour l'aider à satisfaire son désir d'enfant.

Il avait donc passé des mois à chercher la femme parfaite, celle qui serait suffisamment résistante pour porter l'enfant qu'il désirait tant.

Brontès en avait choisi une aux hanches larges et bien faites, au corps fin mais robuste. Les traits délicats de son visage l'avaient tout de suite charmé. C'était une femme d'une beauté discrète et envoûtante.

Le choix du cyclope s'était avéré judicieux puisque la petite fille qui avait vu le jour était ravissante. Zeus lui-même était tombé sous le charme de cette délicieuse enfant et avait souhaité en devenir le parrain. Le bébé n'avait hérité que de peu d'attributs physiques de son père : son unique œil frontal et la couleur de ses cheveux, un blanc pur aux reflets argentés. Brontès avait nommée sa fille Calista, qui signifiait « la plus belle » – ce qu'elle était *à l'œil* de son père.

Le cyclope n'avait rien de gracieux ni de charmant. Il était haut et large, peu soigneux de sa personne. Mais il compensait son physique fort disgracieux par une intelligence et une débrouillardise sans faille. Calista avait reçu ces deux qualités, ce qui faisait la fierté de son père. Malgré son aspect parfois bourru, celui-ci se montrait toujours tendre et aimant envers sa fille qui menait une vie heureuse et épanouie parmi les siens.

— Viens un peu ici, petit monstre ! lança Zeus d'une grosse voix, en cherchant son second souffle pour rattraper la fillette qui courait aussi vite que le lui permettaient ses petites jambes.

— Tu n'as qu'à venir me chercher ! répliqua l'enfant taquine en se retournant pour tirer la langue à son parrain.

Ne regardant plus devant elle, Calista se prit les pieds dans sa longue toge rose et or, ce qui la fit dangereusement vaciller. Elle eut tout juste le réflexe de lever son pied pour éviter la chute que son second pied s'accrochait à son tour dans le tissu. Elle trébucha de nouveau, perdant ainsi l'équilibre, ce qui lui valut cette fois une chute des plus acrobatiques. Roulant d'abord sur elle-même, elle finit sa course allongée de tout son long sur le marbre qui recouvrait le sol. L'éclair qu'elle serrait si précieusement dans sa main lui échappa, glissa plus loin avant de basculer sur le côté et de sombrer parmi les nuages qui bordaient le long couloir. L'éclair déchira le ciel avant de s'abattre violemment sur la terre des hommes et de faire trembler le sol.

Toujours allongée sur le sol, Calista se mit à sangloter. Elle s'était égratigné la main droite et un léger filet de sang s'échappait de la petite plaie.

— Je suis désolée, pleurnicha-t-elle lorsque Zeus la souleva de terre pour la prendre dans ses bras.

— Je sais que tu es sincère, mais combien de fois t'ai-je dit que mes éclairs ne sont pas des jouets ? sermonna le dieu en essuyant les larmes de sa filleule.

La petite cyclope leva vers son parrain son grand regard bleu :

— Avec aujourd'hui, ça doit faire au moins un milliard de fois, lâcha-t-elle avec une moue boudeuse.

— Tu me vois ravi d'apprendre que tu tiens le compte à jour sur le sujet. Mais je préférerais que tu m'obéisses un peu plus au lieu de n'en faire qu'à ta tête.

— Je ferai de mon mieux pour être plus sage. Mais parfois j'ai l'impression que ma tête n'écoute rien de ce que je lui dis et qu'elle décide toute seule de ce que je ferai, se justifia Calista.

Zeus dissimula un sourire amusé derrière sa grosse barbe surplombée d'une épaisse moustache.

— Tu as mal ? demanda-t-il en prenant doucement la main de la petite cyclope qui grimaçait.

— Un peu, oui, ça pique, dit Calista en secouant la tête, ce qui fit rebondir ses bouclettes blanches.

— Je vais arranger ça ! gloussa le dieu en déposant un baiser sur la blessure.

La fillette avait souvent vu son parrain faire ce tour. Chaque fois, elle était émerveillée. Elle ne pouvait détacher son regard de sa main qui était à présent parfaitement guérie. Un air des plus sérieux apparut subitement sur son visage. Puis elle fixa Zeus.

— Comment est-ce que tu fais ça ? Et pourquoi n'es-tu jamais malade ou n'as-tu jamais mal ?

— Je peux faire ça parce que je suis le dieu des dieux, expliqua Zeus gentiment. Et je ne suis jamais malade ou blessé car rien ne peut me faire de mal. Je suis immortel.

— Ça veut dire que tu ne mourras jamais ? Et que tu deviendras encore plus vieux que maintenant ? demanda la cyclope en plissant le front comme si ça pouvait l'aider à mieux comprendre.

Elle glissa sa petite main dans la longue barbe blanche de son parrain et entortilla doucement celle-ci autour de ses doigts.

— Non, je ne deviendrai pas plus vieux. Je vais rester comme je suis pour le reste de ma vie.

— Alors moi, j'aurai six ans pour toujours ?

— Bien sûr que non ! gloussa Zeus. Toi, tu es une cyclope, tu vas continuer à grandir. Et un jour, tu seras aussi vieille que moi.

— Tu veux dire qu'un jour on aura le même âge en même temps ? C'est possible ?

— Bien sûr que oui, car tout est possible sur le mont Olympe. Mais, tu sais, cela n'arrivera pas avant très très longtemps. Rien ne presse, prends le temps de grandir. Tu es une cyclope et les cyclopes vivent longtemps.

— Papa aussi va vivre vieux ? demanda la fillette.

— Oui, presque aussi vieux que moi. Les cyclopes sont quasiment aussi forts que des demi-dieux.

Calista gloussa de plaisir :

— Nous sommes presque des dieux alors ?

— On peut dire ça, approuva Zeus avant de déposer un rapide baiser sur la joue de Calista, ce qui eut pour effet de faire ricaner l'enfant.

La jeune cyclope s'écria alors, en regardant la terre des hommes entre les nuages :

— Vous avez entendu ça, vous autres ? Nous, les cyclopes, sommes presque aussi forts que Zeus et nous sommes au sommet du monde !

— Ce sont les cyclopes et moi qui avons pratiquement bâti ce monde. Alors non, nous ne sommes pas au sommet du monde, nous sommes LE sommet du monde ! corrigea Zeus avant de faire sauter Calista dans ses bras pour la faire rire plus fort.

Calista savait qu'elle était issue de la famille des cyclopes ouraniens, les tout premiers géants qui avaient peuplé la terre. Ils étaient les plus puissants des cyclopes et les plus respectés. C'était Brontès, son père, et ses deux oncles, Stéropès et Argès, qui avaient aidé Zeus à délivrer et à développer l'humanité, en emprisonnant les Titans dans les entrailles de la terre. Lorsqu'il devint ensuite le dieu des dieux, Zeus prit Brontès et ses frères sous son aile et les invita à passer l'éternité avec lui sur le mont Olympe. Les trois cyclopes acceptèrent. C'est ainsi qu'elle, Calista, avait eu la chance de grandir parmi les dieux et les déesses de l'Olympe.

Les rayons du soleil se reflétaient sur le visage de la fillette. Un sentiment de paix envahit Calista. Malgré son jeune âge, elle était consciente de la chance qu'elle avait. Pourtant... Aussi idyllique que pouvait être sa vie, Calista trouvait bien souvent le temps long. Un jour calme et parfait succédait à un jour tout aussi calme et parfait, d'autant plus que sur l'Olympe le soleil ne se couchait qu'une seule fois par an et pour tout juste quelques minutes. Le crépuscule était le moment favori de Calista qui ne se lassait pas d'admirer les teintes pourpres, rosées et or qui venaient alors peindre le ciel quelques instants. Elle aimait sa famille et ses amis, mais sa curiosité la poussait à se demander comment pouvait être la vie en bas... Il semblait y avoir tellement de choses à faire et à découvrir sur la terre !

Elle jeta un regard curieux entre les nuages sur la terre des hommes. Celle-ci s'offrait à ses pieds et, pourtant, elle n'avait pas le droit de s'y rendre. En bas, il n'y avait rien pour elle. Son père, ses oncles et Zeus en personne le lui répétaient depuis toujours.

Sa place se trouvait sur le mont Olympe ; c'était ici qu'elle vivrait et mourrait...

Ici, elle était un don de la nature et l'héritière des cyclopes ouraniens. Ici, elle était *quelqu'un*...

En bas, elle ne serait personne ! Elle ne serait rien d'autre qu'un être difforme, un affreux et horrible monstre qui n'aurait jamais sa place parmi les humains. Calista n'avait aucune envie d'être considérée comme un monstre. Cela serait trop injuste ! Après tout, sans sa famille, les hommes n'auraient pour maison qu'un amas de ruines et de cendres, le tout reposant sur le chaos que faisaient régner les Titans. Sans Zeus et les cyclopes, l'humanité n'aurait jamais connu la prospérité. Malgré tout cela, Calista avait interdiction de quitter cette montagne.

Zeus l'appelait souvent son petit monstre, mais c'était un surnom affectueux qu'il prononçait avec tendresse. Dans la bouche d'un humain, ces mots n'avaient rien de plaisant ; Calista ne le savait que trop bien. Ce qui l'attirait sur la terre, c'était les paysages si nombreux, si variés, et non les humains qu'elle trouvait pour le moins étranges et méchants !

Elle avait souvent eu l'occasion d'observer les hommes. Certains pouvaient se montrer bons, mais beaucoup d'entre eux s'avéraient cupides et odieux. Calista détestait ces défauts, et plus d'une fois elle avait été tentée d'intervenir pour protéger les plus faibles. Mais elle n'en avait pas le droit, car la règle était : ce qui se passe chez les humains doit se régler entre humains.

La jeune cyclope soupira avant de détourner rapidement son regard de la terre des hommes. Finalement, à quoi bon savoir ce qui se passait en bas ? Cela n'avait pas la moindre importance. Elle était bien mieux ici, sur le sommet du monde… Elle n'avait rien à envier aux humains ; après tout, elle vivait parmi les dieux. Que pouvait-il y avoir de mieux ?

— C'est toi le vilain monstre ! ricana Calista en sautant subitement des bras de Zeus. Viens m'attraper, lança-t-elle avant de détaler à toute allure.

— Je suis le monstre mangeur de petites cyclopes ! cria Zeus en dressant ses bras devant lui, ce qui eut pour effet de changer ses membres en ailes.

— C'est de la triche ! hurla Calista en faisant semblant d'être terrorisée lorsque son parrain fonça dans sa direction à tire-d'aile.

Cela était plutôt drôle d'être poursuivie par un *monstre* et de vivre sur l'Olympe. Le sommet du monde était sa maison. Ici, elle était traitée comme une véritable petite princesse, ses moindres désirs étaient des ordres. Dans le fond, peu lui importait ce qui se passait ailleurs. Elle était heureuse et c'était tout ce qui comptait dans sa vie de petite fille. Oui, sa vie était tout simplement parfaite !

Chapitre Deux
Coup de foudre

La perfection n'a pas que du bon, elle rime bien souvent avec ennui…

Le mont Olympe est vraiment un endroit merveilleux. Mais alors que je viens d'avoir dix-sept ans, je crois que j'aspire à autre chose… À une autre vie.

Vivre ici, ce n'est pas vraiment vivre. C'est attendre que les jours passent, que la vie – ma vie – passe. Maintenant que je suis assez grande, je vais enfin pouvoir aller voir par moi-même la terre des hommes. Je ne me contenterai plus d'espionner entre les nuages comme je le faisais lorsque j'étais enfant.

Le jour de mes dix-sept ans, j'ai pu formuler un vœu. Il me sera accordé car cela est une tradition sur le mont Olympe. Mon père m'offrira donc dans quelques jours mon premier voyage parmi les humains. Je suis excitée à l'idée de vivre enfin une véritable aventure et de quitter cet endroit, même si ce n'est que pour peu de temps. Sur l'Olympe, les seules *aventures* que je vis concernent les querelles entre les dieux ; c'est même le divertissement principal ici. Intrigues et complots figurent parfois au menu pour pimenter un peu tout ça. Je ne peux retenir un soupir. Le lot quotidien des habitants du mont Olympe n'est guère palpitant.

Voir Aphrodite et Athéna se disputer l'attention de leur père est plutôt divertissant les premiers temps. Assister à un duel à l'épée entre Hadès et Artémis a également son charme. Mais lorsque l'on découvre que les dieux sont immortels, cela perd nettement de son intérêt. Entre deux intrigues qui visent à prendre la place de Zeus, j'apprends à connaître mon héritage, à être digne de mes ancêtres. Et plus important que tout, mon père m'apprend à contrôler mon don du troisième œil. Que serait un cyclope ouranien sans son *troisième œil* ? Seuls les cyclopes de la branche ouranienne possèdent ce don.

J'aime passer du temps avec mon père. Mais ce que je préfère, c'est faire de la magie et apprendre à maîtriser mon don. Je m'améliore chaque jour.

Je me souviens encore de ma réaction lorsque j'ai eu ma toute première vision étant enfant. J'étais effrayée, je ne comprenais pas ce qui m'arrivait. Je ne voulais rien savoir de l'avenir, car cela ne rendait pas les choses plus faciles pour moi de les connaître à l'avance. Certaines fois, des visages de gens qui m'étaient inconnus venaient hanter mes rêves et mes pensées. Le pire de tout était que ces fichues visions me donnaient mal à la tête, déclenchant des douleurs insupportables. À cause de cela, j'avais horreur d'être une cyclope.

Mais avec le temps, heureusement pour moi, mon mal de tête s'est atténué puis a disparu totalement. Et les migraines que provoquaient mes visions sont devenues de lointains souvenirs. J'ai compris que je n'avais pas le choix. J'étais la descendante directe de la lignée des cyclopes ouraniens, qui descendaient eux-mêmes des Titans. Le troisième œil faisait donc partie de mon héritage, de ce que j'étais et de qui je serais… De qui je suis !

Je me suis toujours demandé si notre sang décide vraiment de qui nous sommes et de ce que nous allons devenir. Est-ce que le sang dans nos veines fait une différence, qu'il nous vienne d'un roi, d'un mendiant ou d'un monstre ?

Je descends directement des Titans… Avec leur sang qui coule en moi, avec l'héritage que je porte, ai-je vraiment le choix de devenir une bonne ou une mauvaise personne ? Puis-je décider par moi-même qui je souhaite devenir, ou le sang dans mes veines a-t-il déjà fait ce choix pour moi ? Suis-je vraiment vouée à passer ma vie ici et à remplacer mon père auprès de Zeus, le moment venu, pour lui fournir la foudre des cyclopes ? Cette foudre, qui fait à présent la force du dieu des dieux, lui a permis d'emprisonner les Titans dans les entrailles de la terre. J'aime mon parrain, mais je voudrais vivre ma vie pour moi, faire ce qui me plaît, et non pas crouler sous mon héritage et les obligations. Mais aurai-je le choix ?

Je me pose beaucoup trop de questions, mais c'est plus fort que moi. Je viens d'avoir dix-sept ans et j'ai besoin de savoir qui je suis... J'ai besoin de savoir ce qui me vient de mon père et ce qui me vient de ma mère humaine, que je n'ai jamais connue. En définitive, qui suis-je vraiment ? Je ne saurais le dire.

Peut-être qu'après ma visite chez les hommes j'en saurai plus sur moi et sur la part humaine que je porte dans ma chair.

Je crois que tout le monde se cherche un jour ou l'autre. Chacun veut connaître son histoire et se remet en cause à un moment ou l'autre de sa vie, sauf peut-être les dieux... Je n'ai pas le souvenir d'avoir vu un jour l'un d'entre eux se poser ce genre de questions. J'imagine que lorsqu'on est un dieu, on n'a pas de telles préoccupations pour la simple et bonne raison que l'on connaît toutes les réponses.

Je jette un rapide coup d'œil sur les dieux autour de moi. Chacun vaque à ses petites affaires : Aphrodite brosse sa longue chevelure brune, Arès affûte son épée, Dionysos a entrepris la dégustation d'un tonneau entier de vin et Athéna s'amuse à faire courir une flamme le long de son bras. Aucun d'entre eux ne semble se préoccuper des autres ; malgré tout, une certaine harmonie se dégage de ce curieux tableau.

Habituellement, les douze divinités se trouvent toutes aux alentours à cette heure de la journée. J'ai beau chercher, je n'en compte que dix. Il manque Apollon et Zeus. Pourtant, la lyre d'Apollon est posée sur le nuage qu'il occupe la plupart du temps. Immédiatement, un frisson me parcourt. Apollon se sépare très rarement de sa lyre, il la traîne partout avec lui. L'instrument abandonné me donne à penser que quelque chose ne va pas.

Je me lève de mon nuage. Je suis sur le point de remonter le long couloir de marbre qui traverse tout le mont Olympe quand mon parrain fait son entrée. Je remarque immédiatement qu'il manque à sa ceinture l'un des trois éclairs qu'il y range toujours. J'ai assez souvent essayé de dérober des éclairs à Zeus pour relever ce détail.

— Comment as-tu osé faire ça ? hurle Apollon qui marche juste derrière Zeus.

— Oh, par pitié, cesse de geindre ! Tu as de nombreux enfants, fils, tout comme moi. Alors pourquoi pleurer la mort de celui-ci ? Je suis certain que tu ne connais pas tous les bâtards que tu as engendrés avec les femmes que tu fréquentes sur la terre, dit Zeus sans même se retourner avant de s'asseoir sur le nuage qui lui est ordinairement réservé.

— Parce qu'il était mon premier-né ! réplique Apollon, furieux, alors qu'il me bouscule au passage avant de se planter devant son père.

— Ton premier-né a défié l'ordre du monde, le cycle même de la vie ! tonne Zeus. Il s'est pris pour un dieu en redonnant la vie à des mortels. Il n'avait pas à interférer dans le travail d'Hadès : c'est lui qui décide de ce qu'il advient de l'âme des morts. Nous avons créé l'univers et ses lois. Lorsque le fil de la vie d'un mortel doit être coupé, nous le coupons ! Nous avions fait cadeau à ton fils du don de soigner. Ce n'était certainement pas pour que ce jeune arrogant se joue de nous et se croit au-dessus des lois de l'univers !

Aux premiers éclats de voix entre Zeus et Apollon, les autres dieux ont disparu instantanément de leur nuage. Ils savent bien que lorsque le roi des dieux règle ses comptes, il vaut mieux ne pas rester trop près du champ de bataille si l'on veut éviter de s'attirer les foudres de Zeus. Malheureusement, moi, je n'ai pas la chance de pouvoir disparaître d'un claquement de doigts ou de me rendre invisible comme eux.

Je me retrouve prise en otage dans cette dispute. Le ton monte encore d'un cran entre le père et le fils.

— Tu aurais simplement pu lui demander de cesser de se prendre pour un dieu et lui conseiller d'utiliser mieux son don. Asclépios n'était encore qu'un jeune homme. Avec le temps, il aurait compris que…

— Je l'ai prévenu, que crois-tu ? J'ai demandé à ce jeune imbécile d'arrêter de se prendre pour l'un des nôtres. Il m'a répondu que puisque son père – toi, Apollon – était un dieu, lui aussi pouvait agir comme tel. Il a ajouté que le don qu'on lui avait accordé à sa naissance en était la preuve. Que, grâce à cela, il était mon égal. Personne ne parle de cette façon au roi des dieux. Je ne le tolère pas de mes frères et sœurs ni de mes enfants, je n'allais certainement pas l'accepter de ton bâtard de fils ! Je n'ai pas pu faire autrement que de le foudroyer pour le stopper dans sa folie des grandeurs. Sans oublier qu'il m'a provoqué ! Asclépios était exactement comme toi, imbu de lui-même et égocentrique. Je ne pouvais pas le laisser continuer d'agir comme il le faisait. Imagine une seconde si d'autres humains avaient pris exemple sur lui et s'étaient mis eux aussi à défier les dieux !

— Alors tu as préféré le tuer, vocifère Apollon sur le bord de s'étouffer de rage.

J'ai déjà entendu parler de cet Asclépios. Les humains l'ont surnommé le bienfaiteur de l'humanité. Hadès est venu se plaindre plusieurs fois de cet humain à Zeus, en lui disant que le jeune homme s'essayait aux guérisons miraculeuses et à la résurrection des morts. À cause de lui, le monde souterrain s'était vidé peu à peu de ses âmes. L'ordre naturel du monde avait commencé à être bouleversé parce que l'équilibre entre les morts et les vivants avait été modifié. Zeus avait donc promis à son frère Hadès de trouver une solution pour contrôler le jeune Asclépios. Mais je n'aurais jamais imaginé une seule seconde qu'il utiliserait un moyen aussi définitif et radical.

J'observe Apollon à la dérobée. J'éprouve soudain de la peine pour lui. Il semble véritablement très touché par cette perte. Je ne lui avais encore jamais vu un air aussi grave et sombre sur le visage.

— Je suis désolé, murmure Zeus qui semble lui aussi avoir pris conscience de la peine de son fils. Je ne pensais pas que tu étais aussi attaché à lui. J'en suis navré, mais Asclépios bouleversait l'ordre cosmique. J'espère qu'avec le temps tu comprendras que je n'ai pas eu le choix, soupire-t-il en se radoucissant.

— Nous avons toujours le choix ! crie Apollon, furibond.

— Non, je n'ai pas toujours le choix. Je suis le roi des dieux et la seule chose qui vient avec ce titre, ce sont de lourdes responsabilités, rien de plus. Je ne pouvais pas raisonnablement laisser ton fils faire ce que bon lui semblait. Cela n'était en rien une histoire de choix, mais seulement de responsabilité, explique calmement Zeus.

Connaissant bien mon parrain, je sais qu'il fait preuve d'une réelle retenue pour ne pas hurler et faire ainsi trembler tout le mont Olympe. Il en est capable, je l'ai déjà vu s'exécuter à de maintes reprises. Cela règle en général n'importe quelle situation. Mais cette fois, j'ai l'impression qu'il comprend le chagrin et la colère de son fils et qu'il veut tenter de régler les choses autrement.

Apollon défie son père du regard. Son menton tremble, mais pas une seule seconde il ne détourne les yeux. Zeus ne semble pas d'humeur à capituler. Un étrange duel s'installe entre le père et le fils. Leurs regards, d'un bleu glace intense et profond, paraissent tout à coup se souder l'un à l'autre.

— Je n'ai pas eu le choix, répète doucement Zeus comme pour tenter d'apaiser la fureur et la peine qui brûlent dans les yeux tourmentés d'Apollon.

— Alors tu comprendras toi aussi que je n'ai pas le choix, crache d'un ton véhément le jeune dieu. Je suis obligé de prendre mes responsabilités, celles d'un père envers son fils, et de venger la mort d'Asclépios.

L'air déterminé qu'affiche Apollon ne me dit rien qui vaille. Je recule d'un pas pour mettre un peu plus de distance entre lui et moi. S'il est parvenu à m'impressionner, en revanche, il n'en est pas de même pour son père qui affiche un petit sourire narquois.

— Et tu as l'intention de faire quoi, au juste ? Me tuer à grands coups de lyre ? se moque Zeus. Au cas où tu l'aurais oublié, je suis immortel !

— Je ne peux peut-être pas te tuer, mais il y a d'autres façons d'assouvir ma vengeance. Tu devrais pourtant être bien placé pour le savoir, lance Apollon en me jetant un rapide coup d'œil.

Le regard noir et froid que vient de m'adresser Apollon me rend subitement terriblement nerveuse. J'ai grandi parmi les dieux, je sais qu'ils sont émotifs et colériques, surtout la progéniture de Zeus. Ce sont de véritables enfants gâtés. Pourtant, même si ce n'est pas la première fois que j'assiste à une dispute entre des dieux, cette fois quelque chose me semble différent. Une angoisse sourde me serre subitement le cœur. Et si Apollon était sérieux ? S'il comptait réellement venger la mort d'Asclépios ?

— Ne fais rien que tu pourrais regretter, réplique Zeus qui quitte son nuage et vient se planter devant son fils.

J'espère alors sincèrement que la haute silhouette du dieu, massive et imposante, suffira à impressionner Apollon, lui rappelant qu'il vaut mieux éviter de mettre son père en colère, ou même d'avoir l'idée folle de le défier.

— Peu importe ce que je ferai, n'oublie pas que c'est toi qui as ouvert les hostilités, rétorque Apollon, aussi droit et fier que le lui permet sa taille.

— Ne me menace pas, Apollon, gronde Zeus, les traits tirés.

— Sinon quoi ? demande le jeune homme sur un ton provocant.

— Je serai obligé de te punir.

— Je ne suis plus un enfant, père ! proteste Apollon.

— Alors ne te conduis pas comme tel !

— Tu m'as pris quelqu'un que j'aimais sincèrement. Il est juste que tu perdes également quelqu'un. Pense à l'équilibre de l'univers ! crie Apollon avant de disparaître dans un geste théâtral.

— Ah, les enfants ! soupire Zeus dans un hochement de tête, avant de me faire signe de m'approcher de lui.

Je n'arrive toujours pas à croire que Zeus a tué son propre petit-fils. Même si je comprends pourquoi il a ôté la vie à cet humain, je n'approuve pas sa façon de faire. Tout en moi me hurle que son acte aura des répercussions. En tant que roi des dieux, il doit se faire respecter et faire respecter l'ordre, sur l'Olympe comme dans le monde des hommes. Mais parfois je ne suis pas d'accord avec les décisions de Zeus.

— Ne devrais-tu pas prendre sa menace au sérieux ? demandé-je doucement à mon parrain en m'avançant vers lui.

— Ne t'en fais pas. Apollon a toujours été un peu colérique. Petit, il menaçait sa sœur Artémis de terribles vengeances chaque fois qu'elle cassait un de ses jouets. Artémis attend encore…

— Apollon avait pourtant l'air sérieux.

— Que veux-tu qu'il me fasse ? Il ne peut s'en prendre à aucun de ses frères et sœurs ; je veux dire par là qu'il ne peut pas les tuer. Ne t'en fais donc pas tant. Apollon finira bien par se calmer. Quand il aura repris le contrôle de ses émotions, il verra que j'ai agi dans l'intérêt de tous, y compris du sien.

— Et s'il s'en prenait à moi… murmuré-je d'une petite voix.

Zeus m'entoure alors fermement de son bras, avant de déposer un baiser sur le sommet de mon crâne :

— Je ne le laisserai pas toucher à un seul cheveu de ta tête, je te le promets. Et puis, tu connais Apollon : il prend les choses trop à cœur. C'est une chance pour nous qu'il n'ait pas le tempérament guerrier et fourbe de son frère Arès. Apollon est plutôt un brave garçon ; il faut juste lui donner le temps de se calmer. Mais en attendant, si ça peut te rassurer, tu n'as qu'à rester près de moi, ma belle.

Je hoche la tête pour lui faire savoir que cette solution me convient parfaitement. Même si pour la première fois de ma vie j'ai peur de l'un des habitants du mont Olympe, une partie de moi ne peut s'empêcher d'être touchée par la difficile épreuve que traverse Apollon.

— Tu as peut-être eu tort de condamner à mort Asclépios. Après tout, il y a d'autres façons de gagner le respect que par la terreur. Je crois que des actes justes et sages feraient de toi un dieu tout aussi respecté. Peut-être même que les humains ne t'en aimeraient que davantage.

Zeus me regarde du coin de l'œil avant d'éclater d'un rire franc.

— Il n'y a que toi pour oser me dire des choses pareilles ! Je suis ravi que tu n'aies pas peur de moi, que tu puisses faire ce dont tu as envie quand tu en as envie. J'aime quand tu m'affrontes, Cali, quand tu m'exposes tes idées, quand tu essaies de faire en sorte que les choses aillent mieux pour tout le monde. Parfois, Apollon et les autres dieux sont tellement soucieux de ne pas me déplaire pour rester dans mes bonnes grâces qu'ils n'écoutent pas vraiment ce que je leur dis. Alors que toi, tu n'hésites pas à me livrer le fond de ta pensée. C'est ce qui me plaît tant chez toi.

Je pose un regard un peu troublé sur Zeus. Je n'avais encore jamais réalisé combien sa position ici n'était peut-être pas si enviable.

Des hurlements interrompent tout à coup ma réflexion. Un bruit de foudre assourdissant résonne dans tout le corridor, ce qui me fait sursauter.

Mon père apparaît subitement au bout du couloir et court à grandes enjambées dans notre direction. Je peux voir son visage déformé par la douleur. Du sang coule le long de sa tempe et quelques mèches de son épaisse chevelure blanche retombent pêle-mêle sur son visage. Un frisson d'angoisse me parcourt.

— Par l'Olympe, mais que se passe-t-il ? s'exclame Zeus en marchant d'un pas rapide vers Brontès.

— Apollon… souffle mon père en arrivant près de nous. Il est devenu complètement fou. Il est entré dans l'atelier où mes frères et moi fabriquons la foudre et il a commencé à tout détruire sur son passage, en hurlant des paroles incohérentes. Puis il s'est emparé de deux éclairs qu'il a jetés sur Stéropès et Argès.

Sa voix se brise alors dans un sanglot.

— Sont-ils… murmuré-je, incapable de finir ma phrase.

Mon père pose un regard navré sur moi. Il n'a pas besoin de dire le moindre mot. La tristesse qui se reflète sur son visage parle pour lui. Il hoche tout de même la tête, m'indiquant ainsi que j'ai parfaitement compris ce qu'il en est : mes deux oncles sont morts…

Je me précipite dans les bras de mon père qui me donne une rapide étreinte avant de me repousser doucement.

— Tu dois te mettre à l'abri, ma chérie. Apollon n'arrête pas de hurler que si son fils est mort, c'est notre faute parce que nous fabriquons la foudre pour Zeus. Il a juré la mort de tous les cyclopes ouraniens, et il ne reste plus que toi et moi.

— Cette histoire est allée trop loin ! s'écrie Zeus. Je vais parler à Apollon. Brontès, mets Calista à l'abri, crie-t-il par-dessus son épaule après avoir pris la direction de l'atelier.

— Je m'en occupe, répond mon père. Mais je ne crois pas que tu tireras quoi que ce soit de ton fils. Sa colère est si grande que c'est comme s'il était en transe. Il ne t'écoutera pas, crie le cyclope à l'intention de Zeus.

Je profite de l'inattention de mon père pour me mettre à courir à la suite de mon parrain. Je cours aussi vite que je le peux. Je ne veux pas qu'on me mette à l'abri de quoi que ce soit ! Je suis un membre de cette famille et non pas un objet fragile qu'il faut protéger à tout prix.

Pendant que je poursuis Zeus dans le grand couloir de marbre blanc, des dizaines d'images envahissent mon esprit : les corps de mes oncles, du sang partout...

Tout cela ressemble à un véritable cauchemar. Apollon n'a pas pu tuer Stéropès et Argès. À part mon père, ils sont ma seule famille de sang. Le jeune dieu n'a pas pu m'enlever mes oncles. Non, rien de tout cela n'est réel.

Mon cœur s'emballe. Je ne comprends pas pourquoi mon troisième œil me fait voir ces scènes. Tout se brouille dans ma tête.

Je ne suis plus qu'à quelques mètres de l'atelier quand je suis soudain arrêtée en pleine course. Je suis si surprise que pendant une seconde je manque d'air.

Des bras me retiennent par la taille : mon père m'a rattrapée.

— Lâche-moi ! hurlé-je. On ne peut pas laisser Stéropès et Argès là-bas. Peut-être sont-ils seulement blessés. On doit les aider, ajouté-je en tentant de me dégager des bras qui me retiennent prisonnière.

Même si je sais ce qui m'attend dans l'atelier, une part de moi refuse pourtant d'y croire. Comme si, tant que l'espoir vivait en moi, il y avait toujours une chance que mes oncles soient en vie. Je sais que c'est puéril, mais j'ai encore besoin de ma famille. J'aime ma famille et je ne veux pas que l'un de ses membres meure.

Je me débats entre les bras de mon père. Subitement, il resserre ses avant-bras sur moi pour s'assurer une meilleure prise sur mon torse.

— Calista, calme-toi, me murmure-t-il à l'oreille. Il est déjà trop tard pour tes oncles. J'ai fait tout mon possible, mais personne ne peut plus rien pour eux. Ils sont morts. Maintenant, il faut que tu me laisses te mettre en lieu sûr. Je ne veux pas que le dernier membre de ma famille se fasse tuer !

— Je ne veux aller nulle part ! protesté-je en continuant à m'agiter pour qu'il me lâche, mais sans succès.

— Et moi, je ne veux pas que tu meures ! Tu es ma seule enfant et la dernière héritière des cyclopes ouraniens, il est de mon devoir de père de te protéger. Tu seras en sécurité sur la terre des hommes, en tout cas plus que tu ne l'es ici. Je te promets que lorsque le danger sera écarté, je reviendrai te chercher.

— Je ne veux pas partir, je veux vous aider !

— Tu m'aideras en te mettant à l'abri. Savoir que tu es en sécurité quelque part n'a pas de prix pour moi et cela contribuera à ma tranquillité d'esprit.

— Je partirai à la condition que tu viennes avec moi sur la terre des hommes. Je sais que ce n'est pas un bon moment pour négocier, mais je suis terrorisée à l'idée de me retrouver loin d'ici et de perdre la seule famille qu'il me reste.

— Je ne peux pas, ma chérie. Mon pouvoir n'est pas assez fort pour nous transporter tous les deux, dit mon père en relâchant graduellement sa prise sur moi.

— Alors la question est réglée : je ne pars pas ! affirmé-je d'un hochement de tête vigoureux en me retournant pour faire face à mon père.

— Tu n'as guère le choix, tu vas partir ! Je ferai tout mon possible pour te protéger, ma fille.

— Mais je...

Des éclats de voix et des grondements de tonnerre résonnent alors à nos oreilles. Tout ce remue-ménage vient de l'atelier.

— Je me calmerai quand ils seront tous morts ! Morts ! hurle Apollon d'une voix furieuse.

La double porte de l'atelier vibre dangereusement lorsqu'une rafale d'éclairs se fait entendre. Je ne peux retenir un petit couinement de surprise.

— Il ne peut y avoir d'amour sans sacrifices. Je t'aime plus que tout au monde, ma chérie, ne l'oublie jamais, et c'est pour cela que je t'envoie là-bas. Parfois, il faut savoir renoncer à certaines choses ou à certaines personnes pour les sauver, chuchote mon père en passant doucement sa main sur mon visage.

— Mais tu ne peux pas me laisser seule, je serai incapable de m'occuper de moi. Je ne suis pas prête !

En prononçant ces mots, j'ai du mal à retenir mes larmes.

— Tout va très bien se passer. Tu n'es plus une enfant ; tu es devenue une belle jeune fille, forte et brillante. Et, plus important que tout, tu es quelqu'un d'unique.

— Tout cela, c'est grâce à toi, papa…

Ma voix se brise. J'ai compris que rien ne fera changer d'avis mon père et que, dans quelques minutes, je serai séparée de lui.

Tout à coup, la double porte de l'atelier tremble, menaçant de s'ouvrir.

L'œil affolé et dilaté de mon père me fait comprendre que le moment des au revoir a sonné et qu'il n'y a pas une seconde à perdre.

Brontès retire le médaillon qu'il porte autour du cou. J'ai toujours été fascinée par ces deux serpents d'or et d'argent entrelacés ; l'un est serti d'un œil de rubis et le second, d'un œil d'émeraude. Enfant, lorsque je demandais à mon père à quoi servait ce bijou, il me répondait toujours que j'aurais le temps de m'intéresser à ces choses-là plus tard. Il semblerait que *plus tard,* ce soit maintenant. J'ai l'impression que je ne vais plus tarder à savoir à quoi ce médaillon peut m'être utile…

— Quand je te le dirai, attrape la chaîne du médaillon et fais tourner celui-ci sur lui-même aussi vite que tu le pourras, me recommande mon père en déposant le bijou dans le creux de ma main.

— Papa, j'ai...

— Promets-moi d'obéir ! coupe sèchement mon père en jetant un coup d'œil nerveux vers la porte de l'atelier qui vacille toujours, alors que de grands faisceaux de lumière filtrent sous les battants. Promets-le-moi, répète-t-il en me serrant fortement les épaules.

— Je te le promets, lancé-je entre deux sanglots alors que mon paternel m'enlace contre son cœur et m'embrasse rapidement sur la joue.

— Tout ira bien, me murmure-t-il en se plaçant devant moi après m'avoir relâchée.

Soudainement, la porte de l'atelier s'ouvre avant de se refermer tout aussi vite. Seul Apollon a le temps de se faufiler avant que le battant ne claque violemment derrière lui.

Glissant hâtivement un éclair entre les deux portes, le jeune dieu empêche ainsi qui que ce soit d'entrer dans l'atelier ou d'en sortir.

— Apollon, ouvre la porte ! tonne Zeus qui tambourine rageusement sur le battant.

Apollon reste sourd à la requête de son père. Il se retourne pour emprunter le corridor, et un sourire charmeur et satisfait se dessine sur son visage quand il nous aperçoit, mon père et moi.

— Tiens, tiens, mais c'est justement vous deux que je cherchais ! ricane le dieu en s'approchant de nous, un éclair dans le creux de sa main.

Mon parrain hurle toujours à son fils. Mais ce dernier ne prête pas la moindre attention aux vociférations de Zeus.

— Pourquoi est-ce que tu as fait ça, Apollon ? demande mon père en me protégeant de sa haute silhouette.

Pour toute réponse, Apollon se contente de hausser son épaule droite, en penchant doucement la tête sur le côté.

— Nous ne t'avions rien fait. Ce n'est pas notre main qui a frappé ton fils.

— Non, mais c'est vous qui fabriquez la foudre, le tonnerre et les éclairs. Ce sont les cyclopes qui ont fait cadeau à Zeus de toutes ces choses. Sans vous, rien ne serait arrivé. Alors, pour moi, vous êtes tout aussi responsables que Zeus de la mort d'Alsclépios. Je ne peux pas tuer mon père, mais je peux le blesser aussi profondément qu'il m'a blessé.

— La vengeance sanglante est seulement bonne pour les mortels. Toi, tu es un dieu. Tu devrais être au-dessus de ces considérations, plaide Brontès.

— En de rares occasions, il m'arrive de trouver la façon de faire des humains plus judicieuse, plus éclairée et passionnée que celle des dieux. Et devine quoi, mon cher Brontès ? Le cas qui nous occupe représente justement l'une de ces *rares occasions.*

— Ce n'est pas juste ! Zeus n'a tué qu'une seule personne alors que toi, pour te venger, tu en as déjà tué deux, m'insurgé-je, toujours à l'abri derrière mon père.

— La vengeance n'a pas à être équitable. La vie de deux vieux cyclopes est loin de compenser la perte de mon fils, ma chère enfant, m'explique Apollon le plus sérieusement du monde.

— Quand ta vengeance sera-t-elle assouvie ? demande mon père sur un ton grave.

— Lorsque je me serai occupé de Calista ! J'ai la certitude qu'ensuite ce pauvre vieux fou de Zeus sera si triste qu'il pourra peut-être enfin comprendre, ne serait-ce que le début de la peine qui ravage mon cœur.

— Cali n'a rien fait, laisse-la partir. Prends ma vie si cela peut équilibrer la balance.

Apollon rit doucement avant de dévisager mon père :

— Tu n'as pas compris, Brontès. Ce ne sera pas l'un à la place de l'autre, mais l'un après l'autre... émet le jeune dieu d'un air menaçant.

— Maintenant, Cali ! hurle subitement mon père en me poussant de toutes ses forces loin de lui.

Il m'a poussée si fort que j'ai effectué un vol plané dans le couloir. Allongée à terre, il me faut une seconde pour reprendre mes esprits et réaliser ce qui est en train de se passer.

Mon père s'est jeté sur Apollon qui, surpris par cette attaque, a laissé échapper son éclair qui a glissé plus loin sur le sol.

Pendant une seconde, je songe à venir en aide à mon père. Mais très vite ma promesse de me servir du médaillon revient à ma mémoire. Je me dois d'obéir même si la tentation est grande de résister...

Je jette un dernier regard sur mon père qui se bat toujours avec Apollon. Les coups ne cessent de pleuvoir d'un côté comme de l'autre.

— Cali, tu m'as promis ! crie mon père en s'apercevant que je suis toujours là.

Apollon, une rage meurtrière peinte sur le visage, se dégage subitement de l'étreinte de Brontès avant de se redresser rapidement sur ses jambes et de courir droit dans ma direction.

Je suis tétanisée par la peur. Je suis incapable de bouger ou de penser. C'est comme si tout en moi était mort. Je reste assise là, attendant que quelque chose se passe...

Le jeune dieu ramasse l'éclair qui lui avait échappé. Je peux voir dans ses yeux toute la colère et la tristesse qui le terrassent à ce moment même. Je peux ressentir sa peine. Et même si Apollon est sur le point de me tuer, je ne peux toujours pas réagir, clouée au sol par ma peur et ma compassion pour lui...

Je ressens très intensément ces deux sentiments très distincts qui s'affrontent en moi.

Mon père, qui s'est lancé à la poursuite d'Apollon, crie à s'en briser les cordes vocales :

— Calista, utilise le médaillon !

Sa voix familière m'arrache à ma torpeur. Avant même de réaliser ce que je suis en train de faire, je glisse la chaîne d'argent entre mes doigts. Puis je la fais activement tourner, ce qui anime le médaillon suspendu dans le vide de petits mouvements circulaires. Cela donne bientôt assez de vitesse au médaillon pour qu'il se mette à tourner sur lui-même. Il tourne de plus en plus vite, jusqu'à former un petit globe.

Un bruit de tonnerre retentit soudain dans tout le corridor.

Alors qu'une sensation de froid entoure mon corps, je m'aperçois qu'un épais brouillard est en train de se former autour de moi. Celui-ci trouble peu à peu ma vue.

Tout se déroule très vite hors de ce nuage. J'ai tout juste le temps de distinguer la silhouette de Zeus qui a fait exploser la porte de l'atelier grâce à un éclair. Je vois mon parrain s'avancer dans le couloir, un autre éclair à la main.

J'entends un corps tomber lourdement. Je cherche mon père du regard pour m'assurer qu'il va bien, mais sans succès... J'observe alors le sol, inquiète de ce que je pourrais y découvrir. Mon cœur est si serré que je peux à peine respirer... Je vois enfin mon père non loin de moi, allongé, immobile.

— Papa ! hurlé-je tandis que le brouillard autour de moi devient de plus en plus gris et épais.

Je jurerais qu'un serpent aux écailles d'or et d'argent rampe sur le sol tout près de moi. J'ai la certitude que je ne rêve pas lorsque je croise le regard du reptile : l'un de ses yeux est d'un vert ardent et l'autre, d'un rouge sang, brillant.

Je n'arrive tout simplement pas à croire ce que je vois : les serpents du médaillon ont pris vie.

La voix de mon père me parvient faiblement à travers la brume :

— Tout ira bien, ma belle.

Apollon est à présent au-dessus de lui, armé de son éclair...

Je hurle de terreur lorsque je comprends ce qu'il s'apprête à faire. Je tente de me redresser pour intervenir, mais en vain. Mes membres sont paralysés par le froid qui s'échappe du brouillard.

— Apollon, non ! crie Zeus en accourant vers son fils.

Mais il est déjà trop tard…

Le bras d'Apollon s'est abattu sur mon père, le terrassant de son éclair. Une ardente lumière brille quelques secondes, puis plus rien. Il ne reste que le corps brûlé de mon paternel, déserté à jamais de toute vie… À présent, je suis orpheline.

— Non, par les dieux, non ! sangloté-je.

À quoi bon posséder le don du troisième œil s'il ne me prévient pas de ce genre de drames, si je n'ai pas la moindre chance de changer les choses ? Comment puis-je aider les gens que j'aime si ce fichu don ne marche que pour les autres, et non pour ma famille et moi ? Ce n'est vraiment pas juste ! Pourquoi est-ce que je devrais aider et protéger de parfaits inconnus alors que je ne peux même pas le faire avec les êtres qui me sont chers ?

Il y a encore quelques jours, j'avais hâte de vivre une *véritable* aventure sur la terre des hommes. Celle-ci vient tout juste de commencer, mais je ne pensais pas que cela se passerait dans de telles conditions. Ce n'est certes pas ce à quoi je m'attendais. Mais on choisit rarement l'histoire dans laquelle on se retrouve embarqué…

La brume m'a à présent entièrement recouverte. J'ai l'impression de flotter parmi les nuages. Je sens mon corps et mon cœur devenir de plus en plus légers tandis que ma tête, elle, s'alourdit.

Entourée, prisonnière du brouillard, je n'entends plus rien, je ne vois plus rien…

Je suis seule au monde… seule avec ce raz-de-marée de sentiments qui me donne la nausée.

Je sais tout juste où je vais, je sais à peine qui je suis. Mais une chose est sûre : je sais ce que je dois faire ! Arrivée sur la terre des hommes, je devrai trouver un moyen de revenir sur le mont Olympe le plus rapidement.

Oui, je reviendrai et je tuerai Apollon de mes mains.

Il y a certains avantages à avoir vécu parmi les dieux. On apprend à connaître leurs forces, mais surtout leurs faiblesses.

Je fais partie des rares personnes qui connaissent la manière de tuer un dieu. Il y a une petite faille dans leur immortalité… dont j'ai bien l'intention d'exploiter dès que je le pourrai.

Chapitre trois
Seule… ou presque

La brume grise et dense qui avait protégé Calista durant son voyage du mont Olympe à la terre des hommes se dissipait peu à peu. La jeune cyclope découvrait son nouvel environnement.

Sous elle, le sol était froid et humide. Un frisson la parcourut des pieds à la tête.

Avant même d'essayer de se lever, Calista passa son médaillon autour de son cou. Elle l'avait gardé précieusement dans sa main, bien serré. Elle ne voulait pas le perdre. À présent, il était tout ce qui lui restait de son ancienne vie, il incarnait son seul lien avec l'Olympe.

Encore un peu engourdie par l'étrange voyage qu'elle venait de faire, elle ne sentait plus ses jambes. Elle s'aperçut avec horreur qu'elle ne sentait plus aucune partie de son corps. Si elle n'avait pas perçu les battements de son cœur, elle aurait presque pu croire à sa propre mort…

Son corps ne lui répondait plus ; elle se sentait désarticulée. C'était comme si son esprit ressentait une chose pendant que son corps en éprouvait une tout autre.

Perdue et désemparée, Calista regarda autour d'elle, priant pour être bientôt capable de se lever. La ruelle pavée sur laquelle elle était assise lui gelait l'arrière des cuisses. Elle leva la tête pour observer ce qui se passait aux alentours.

Par chance, il faisait à peine jour et tout semblait encore endormi.

Tandis que son corps retrouvait peu à peu ses forces, Calista scrutait avec intérêt les petites maisons de pierre qui bordaient la ruelle, se demandant si elle pourrait trouver refuge dans l'une d'elles.

Pas encore très sûre de la force de ses jambes, la cyclope se traîna doucement jusqu'au mur le plus proche et s'y adossa.

Son cœur battait à tout rompre, partagé entre le chagrin d'avoir perdu sa famille et la peur qu'un humain ne la découvre alors qu'elle se trouvait sans défense. Son père lui avait dit que tout irait bien. Mais pour sa part, elle n'en était pas si certaine.

L'image du corps calciné de Brontès lui revint tout à coup en mémoire. Un élan de rage pure la submergea.

Apollon allait payer pour ce qu'il avait fait à sa famille et à elle.

Il lui avait tout pris ; il était donc juste qu'elle prenne sa vie en retour. Après tout, n'était-ce pas le principe de la vengeance qu'avait adopté Apollon lui-même ?

Le dos toujours appuyé contre le mur, Calista entreprit de se hisser sur ses jambes, portée par ce nouvel élan de colère qui venait d'enflammer ses veines.

Elle sentait à nouveau son sang circuler dans chacun de ses membres. C'était presque comme une seconde naissance ; elle redevenait enfin maître de son corps. Après un premier pas hésitant, Calista se mit à errer dans les rues de la ville.

D'immenses tours en fer et en verre surplombaient les rues désertes qu'elle parcourait maintenant d'un pas de plus en plus sûr. Le monde qu'elle découvrait était à la fois fascinant et repoussant.

Rien dans ce paysage ne lui était familier, rien ici ne lui évoquait quelque chose qu'elle avait observé depuis l'Olympe.

Zeus lui avait déjà expliqué que l'espace-temps se mesurait différemment pour les humains et les dieux : une année sur terre représentait une minute de vie sur l'Olympe. C'est pourquoi elle se demandait si le temps qu'avait duré son voyage avait été suffisant pour que les choses aient pu changer si vite sur terre.

Calista ne pouvait expliquer autrement les changements qui s'étaient opérés entre la dernière fois qu'elle avait observé les hommes et son arrivée sur terre. Mais peu lui importait, car elle n'avait aucune intention de rester ici. Elle n'avait qu'un but, qu'une obsession : rentrer chez elle pour accomplir sa vengeance. Mais pour cela, elle devait trouver une façon de retourner sur l'Olympe. Le seul outil dont elle disposait pour y parvenir était le médaillon de son père. Si le bijou l'avait conduite jusqu'ici, il pourrait sûrement reproduire le chemin inverse. Il ne lui restait plus qu'à trouver comment réaliser ce petit miracle.

Elle se dit qu'elle ne risquait rien à essayer d'actionner le médaillon. La cyclope marcha encore un peu jusqu'à croiser une sombre ruelle, dans laquelle elle s'engouffra. À l'abri des regards, elle ôta le médaillon de son cou. La chaîne bien serrée entre ses doigts, les deux serpents suspendus dans le vide, Calista fit tourner le bijou sur lui-même. Mais rien ne se produisit.

— Bien sûr, ça aurait été trop simple, grogna la cyclope en glissant la chaîne d'argent autour de son cou.

Elle ne comprenait pas pourquoi cela n'avait pas marché. Puis les paroles de son père lui revinrent en mémoire : « Mon pouvoir n'est pas assez fort pour nous transporter tous les deux. »

C'était peut-être la raison pour laquelle le médaillon ne fonctionnait plus : elle n'avait pas la force suffisante pour pouvoir rentrer seule.

Alors qu'elle était en train de se creuser les méninges, Calista ressentit un léger mal de tête, et une forte nausée s'empara d'elle. Tous ces symptômes qu'elle n'avait pas éprouvés depuis longtemps lui étaient pourtant plus que familiers… C'était à cause de son troisième œil : cela signifiait qu'elle était sur le point d'avoir une vision. Anticipant les secousses qui parcouraient quelquefois son corps lors d'un tel événement, et pour éviter une éventuelle chute, la jeune fille cessa de marcher et s'adossa contre le mur de la maison la plus proche.

De hautes colonnes en marbre blanc et un gigantesque portail en fer noir lui apparurent. La porte de son esprit s'ouvrit soudain sur une grande pièce remplie d'étagères brisées et couvertes de poussière, de livres abîmés et éparpillés aux quatre coins de la pièce. Au milieu du chaos, elle distingua un petit livre vert et or qui arborait l'exacte réplique de son médaillon.

À présent, elle savait quoi chercher. Malgré sa migraine, elle ne put retenir un petit sourire, satisfaite par la vision qu'elle venait d'avoir. Son troisième œil se décidait enfin à l'aider…

▼

Après avoir passé plusieurs minutes à déambuler dans les rues de la ville, sans croiser âme qui vive, Calista trouva au bout d'une rue le grand bâtiment soutenu par les hautes colonnes de marbre.

Portée par l'euphorie, la cyclope se dirigea droit vers la grille qui la séparait de ce qui ressemblait à une bibliothèque. L'endroit semblait abandonné ; pourtant, étonnamment, le portail d'acier était verrouillé. Dépitée, Calista essaya de trouver une seconde entrée ; elle fit le tour de l'enceinte. Revenue à son point de départ, elle dut se rendre à l'évidence : le portail était la seule et unique entrée.

Calista sursauta lorsque le son de plusieurs voix lui parvint. Tout était si calme et silencieux depuis son arrivée sur terre qu'elle en était venue à croire que plus personne ne vivait dans cette ville fantôme. Elle s'était visiblement trompée.

Affolée à l'idée de se retrouver face à un groupe d'humains, la cyclope s'engouffra dans la ruelle qui longeait l'un des murs de la bibliothèque. Son cœur battait la chamade ; cela faisait beaucoup trop d'agitation pour elle en une seule journée. Elle en venait presque à regretter sa vie tranquille et sans histoire sur l'Olympe.

Calista avait désiré autre chose que ce qu'elle avait toujours connu. À présent, la douleur et l'amertume d'avoir perdu ce qui avait fait sa vie jusqu'alors l'envahissaient ; elle regrettait sincèrement de n'avoir pas su apprécier pleinement la chance qu'elle avait. Malheureusement, on accordait de la valeur aux gens et aux choses seulement après les avoir perdus. Mais la cyclope dut interrompre ses réflexions car les voix qu'elle avait entendues se rapprochaient dangereusement.

Il n'était pas question de fuir car il était impératif pour elle d'entrer dans la bibliothèque. Mais elle ne se sentait pas encore prête à affronter les humains. Elle jeta un rapide coup d'œil à droite et à gauche, se demandant dans quelle direction aller. Puis elle prit une décision. Après avoir pivoté sur elle-même, elle se retrouva face au mur de l'enceinte. Sans plus réfléchir, elle glissa sa main sur l'une des pierres et se hissa le long de la paroi à la seule force de ses bras. Elle continua lentement son ascension en s'aidant également de ses jambes. Ses petites sandales inadaptées pour cet exercice glissèrent plusieurs fois contre la pierre dure et tranchante du mur. Mais cela n'empêcha pas Calista de parvenir au sommet. Elle fit passer sa jambe droite par-dessus le parapet puis fit de même avec la gauche et se laissa tomber au sol. Satisfaite de sa performance, elle se dirigea d'un pas déterminé vers l'entrée de la bibliothèque. Elle posa sa main sur la poignée de la porte. Elle déchanta cependant rapidement : la poignée ne tourna pas.

— Oh non, pas encore, c'est une plaisanterie, la porte est verrouillée ! pesta-t-elle entre ses dents.

Elle tenta d'ouvrir la porte une seconde fois. Mais cet essai ne fut pas plus concluant que le premier. Agacée, la cyclope entreprit de faire le tour du bâtiment pour trouver un moyen d'entrer. Alors qu'elle longeait le mur de la bibliothèque, elle entendit le petit groupe d'humains passer dans la ruelle derrière elle. Elle ne put retenir un soupir de soulagement. Elle l'avait échappé belle. Une fois que le groupe se fut éloigné, le silence retomba et le cœur de Calista reprit un rythme normal.

Le second tour de la bâtisse qu'effectua la cyclope lui confirma que le seul moyen d'entrer était de forcer la porte. Mais l'exposition de celle-ci face à la ruelle compliquait grandement les choses. Si quelqu'un passait dans la rue au moment où Calista s'acharnait sur la porte, les choses risquaient de mal tourner. La cyclope ne pouvait se permettre d'être faite prisonnière ou de mourir avant d'avoir réglé ses comptes avec Apollon. Peu importait ce qu'il adviendrait ensuite, actuellement, rien d'autre ne comptait que sa vengeance.

Alors que Calista fixait toujours le mur devant elle, la simple évocation d'Apollon la mit dans une rage telle qu'elle sentit ses forces décupler. Une étrange alliance s'opéra entre son don, sa rage et son chagrin. Une singulière sensation parcourut son corps. Avant même que Calista ait le temps de réaliser ce qui était en train de se produire, les briques du bas du mur explosèrent les unes après les autres. Lorsque la cyclope eut retrouvé son calme, un trou suffisamment large pour qu'elle puisse s'y glisser avait été créé.

— Wouhaou ! Je ne savais même pas que je pouvais faire une telle chose ! murmura la jeune fille, surprise.

Cette dernière pensa alors avec nostalgie à son père. Elle venait de réaliser avec tristesse que Brontès n'avait visiblement pas eu le temps de tout lui révéler sur le don des cyclopes. Elle n'aurait donc d'autre choix que de découvrir seule ce qui sommeillait en elle.

Calista se secoua. Ce n'était vraiment pas le moment de s'apitoyer sur son sort. Pleurer ne ramènerait pas sa famille. Si elle se laissait aller, elle avait peur de ne plus jamais pouvoir s'arrêter de pleurer… Lorsque le chagrin s'installe, il est souvent difficile de s'en débarrasser. Calista décida donc de ne pas le laisser entrer dans sa vie. Du moins pour l'instant…

La cyclope se mit à réfléchir à toute vitesse. Elle devait trouver le moyen de dissimuler le trou dans le mur. Elle laissa alors son regard vagabonder. Celui-ci se posa sur un rocher du même gris que la bâtisse. Elle se précipita vers la pierre et la fit rouler jusqu'au mur, jetant régulièrement des coups d'œil nerveux en direction de la rue pour s'assurer que personne ne la voyait.

La jeune fille s'enfonça dans la cavité. Puis elle ajusta le rocher dans l'anfractuosité, rebouchant ainsi l'ouverture qu'elle avait créée involontairement.

▼

Quelques minutes plus tard, Calista surgit en plein cœur de la bibliothèque.

— J'ai réussi ! gloussa-t-elle, couverte de poussière de roche.

Elle secoua rapidement d'une main la poussière qui recouvrait sa longue toge noire, puis bougea doucement la tête de gauche à droite pour se débarrasser des petits grains de sable qui s'étaient glissés dans sa longue chevelure blanche.

Calista entreprit ensuite ses recherches. Il était évident que nul être vivant n'avait mis les pieds dans cet endroit depuis très longtemps ; la poussière et les toiles d'araignées éparpillées un peu partout le prouvaient. La cyclope ne prenait donc pas un grand risque à fouiller les lieux car elle était pratiquement certaine de n'y rencontrer personne.

Tandis qu'elle déambulait dans les allées à l'affût du livre que lui avait dévoilé son troisième œil, Calista s'attristait que les ouvrages de la bibliothèque soient tant négligés. La jeune fille savait que les objets n'ont de la valeur que parce qu'on leur en accorde. Pour elle, les plus grands trésors étaient les livres et le savoir. Son père lui avait transmis son amour des lettres et de la philosophie, car il avait eu à cœur de partager ses passions avec elle.

La luminosité laissait quelque peu à désirer dans la bibliothèque. Mais le jour était en train de se lever et pénétrait peu à peu par la verrière située au centre de la pièce.

Après avoir circulé entre les allées qui devenaient de plus en plus étroites, la cyclope parvint finalement au centre de la bibliothèque. Des tables et des chaises brisées et renversées jonchaient le sol, le tout parsemé de livres de toutes les tailles et de toutes les couleurs. Calista était certaine d'y trouver le livre qu'elle cherchait. Même si c'était la première fois qu'elle venait dans ce lieu, elle s'y sentait étrangement à l'aise. Après la difficile épreuve qu'elle venait de traverser, elle avait l'impression de trouver un peu de paix et de sérénité entre ces murs. Elle se doutait que ce sentiment ne durerait pas, alors elle faisait de son mieux pour en apprécier chaque seconde.

En s'approchant du centre de la pièce, Calista trébucha sur un livre qu'elle n'avait pas remarqué. Elle le saisit et épousseta sa couverture abîmée. D'un geste délicat et respectueux, elle déposa l'objet sur une étagère quasiment vide qui se trouvait à sa droite. Elle parcourut le désordre général du coin de l'œil, se demandant ce qui s'était passé pour que la bibliothèque soit dans un tel état. Elle repéra alors un petit bouqin par terre. Peut-être était-ce celui qu'elle était venue chercher ? Après avoir ramassé l'ouvrage, Calista s'aperçut, navrée, que tel n'était pas le cas. Le livre qu'elle cherchait était vert et or alors que celui-ci était noir et or.

Malgré sa déception, elle ne put s'empêcher de feuilleter l'ouvrage. Il était difficile pour elle de déterminer s'il s'agissait d'un livre de magie ou simplement d'un vieux livre de cuisine écrit en latin. Elle se souvint alors des tendres moments partagés avec son père lors de ses cours de latin. Prise par l'émotion, elle ne résista pas à la tentation de lire quelques lignes à voix haute.

Les mots inscrits sur la page que Calista avait lue se mirent en mouvement et s'enchevêtrèrent les uns aux autres. Cela révéla à la jeune fille qu'il s'agissait d'un livre de magie. Elle en eu une preuve supplémentaire lorsqu'un petit jet d'eau jaillit de la page et l'aspergea en plein visage.

Mi-amusée, mi-outragée de s'être laissée prendre à cette blague de magicien potache, elle referma le livre et le déposa sur la table devant elle. D'un revers de la main, elle s'essuya le visage en marmonnant :

— Vraiment très amusant, ha, ha ! rit-elle, faisant mine d'avoir trouvé drôle le tour en remettant de l'ordre dans ses cheveux.

— On ne doit jamais, mais jamais lire un vieux livre en latin à voix haute ! N'importe quel idiot sait ça ! lança une voix derrière Calista.

Cette dernière se retourna vivement. Mais à sa grande surprise, il n'y avait personne…

— Regarde plus bas, indiqua la voix.

La cyclope obtempéra. En découvrant à ses pieds une araignée, Calista ne put retenir un cri.

— Oui, oui, je sais. Bouh ! Je suis une grosse méchante araignée velue qui parle.

À la fois effrayée et étonnée, Calista ne pouvait s'empêcher de fixer sa drôle d'interlocutrice. Grande comme la main de la cyclope, l'araignée aux longues pattes soyeuses avait presque quelque chose de charmant. Son poil beige aux reflets d'or semblait aussi doux que de la soie, et le long trait noir et fin dessiné sur le dessus de son abdomen lui conférait une allure chic. Ses trois petits yeux bleus, surplombés de deux plus grands, du même bleu clair et limpide, lui donnaient un air agréable.

Le premier choc enfin passé, Calista tenta d'articuler quelques mots. Mais ce qui sortit de sa bouche ne fut pas réellement ce à quoi elle s'attendait :

— Une araignée qui parle ! marmonna-t-elle d'une voix mal assurée.

— Oui, ça je l'ai déjà dit. On avait compris l'idée. Mais j'ai un nom, je m'appelle Pénélope. Et toi ?

— Pénélope… répéta bêtement Calista, encore sous le choc de tenir une conversation avec une araignée.

— Toi aussi tu t'appelles Pénélope ?

— Non, c'est ton nom, pas le mien, émit la cyclope qui revenait peu à peu de sa surprise.

— Merci, mais je sais comment je m'appelle. Ce que je veux savoir, c'est comment TOI, tu t'appelles !

— Calista, parvint enfin à articuler la jeune fille.

— Ce n'était tout de même pas si difficile que ça, si ?

Calista secoua la tête pour indiquer que non.

— Et qu'est-ce qui t'amène dans ma bibliothèque, Calista ? l'interrogea Pénélope en se dirigeant vers la table.

— Ta bibliothèque ?

— Est-ce que tu as l'intention de répéter la fin de toutes mes phrases ? lança l'araignée en arrivant sur le dessus de la table, ce qui lui permit de mieux voir sa visiteuse. Je te demande cela parce que le but d'une conversation quand quelqu'un nous pose une question c'est d'y répondre et non pas d'y faire écho. Mais peut-être que de là d'où tu viens ça ne fonctionne pas de la même façon. Il suffit de me le dire et je m'adapterai.

— Non, je… Désolée… bredouilla Calista, un peu déstabilisée par l'aplomb et l'assurance dont faisait preuve la créature.

— Pourquoi es-tu venue ici ? insista Pénélope. Les gens ne mettent jamais les pieds dans une bibliothèque s'ils ne cherchent pas quelque chose de précis.

— Je cherche une solution pour rentrer chez moi.

— Tu as besoin d'une carte routière pour retrouver ton chemin ?

— Je crois qu'il me faudra un peu plus qu'une carte routière, gloussa nerveusement la cyclope.

— Tu n'as qu'à fouiller un peu partout pour trouver ce dont tu as besoin. Ici, il y a tout ce qu'il faut pour que tu puisses rentrer chez toi : cartes, compas, boussoles…

— Je vis sur le mont Olympe, dit subitement Calista pour mettre un frein à l'inventaire dressé par l'araignée.

— Je me doutais bien qu'une jeune cyclope comme toi ne vivait pas dans le village d'à côté. Dans ma bibliothèque, en plus de ce que je viens d'énumérer, il y a aussi des livres de magie et de sortilèges.

— Je suis venue chercher un livre, annonça Calista.

— Un livre ? Dans une bibliothèque ? Qui l'eût cru ! Pour une fois, j'aurais espéré qu'on soit venu chercher un pichet de bière, répondit Pénélope, sarcastique. Mais si tu as besoin d'un livre, va pour un livre !

La jeune fille eut du mal à retenir un petit sourire amusé. Cette bestiole était vraiment des plus étranges.

— Est-ce que tu connais le titre de l'ouvrage que tu cherches ?

— *Comment rentrer sur l'Olympe sans un sou en poche…*

— Oh !, mademoiselle a le sens de l'humour ! J'en conclus que tu ne connais pas le titre du livre. Et comment est-ce que tu comptes le retrouver sans cette information ?

— On ne peut pas franchement dire que le rangement soit très au point ici… Alors même si j'avais eu ne serait-ce que l'ombre du début d'un titre, je ne crois pas que ça aurait servi à grand-chose. J'ai l'impression que l'ordre alphabétique n'est pas de mise dans ta bibliothèque, dit la cyclope en désignant la pièce et son désordre d'un mouvement nonchalant de la main. Qu'est-ce qui s'est passé ici ? Un ouragan ?

— Pas vraiment, non. Il y a quelques années, une guerre civile a éclaté et la bibliothèque a été saccagée et pillée par des humains totalement inconscients de la valeur du contenu de ces lieux. Le directeur étant décédé, plus personne ne s'occupe de cet endroit, à part moi.

— Ça explique mieux le désordre qui règne ici.

— Hé, je voudrais bien te voir ranger une bibliothèque de cette taille sans l'aide de personne et sans bras ! Si tu crois que tu peux faire mieux, ne te gêne surtout pas, répliqua l'araignée, vexée.

— Non, non, ce n'est pas ce que je voulais dire…

— Si on revenait plutôt à ton livre, coupa Pénélope.

Gênée, Calista n'insista pas.

— Le livre que je cherche est relié en cuir vert, orné d'arabesques en or.

— Ce que tu viens de décrire ressemble à la moitié des livres de poésie de la section B. Tu ne peux pas être plus précise ?

— Je ne cherche pas un livre de poèmes, mais plutôt un ouvrage apparenté à la magie et qui affiche ceci sur la couverture, expliqua la cyclope en se penchant vers Pénélope pour lui montrer le médaillon aux deux serpents.

— Voilà quelque chose d'utile à savoir, approuva l'araignée. Mais cela risque de prendre un peu de temps avant de parvenir à trouver l'ouvrage en question.

— Dans ma vision, j'ai clairement vu qu'il était ici, au cœur même de la bibliothèque. Il ne me reste qu'à mettre la main dessus.

— Commençons donc les recherches sans plus tarder, proposa Pénélope en sautant de la table.

— Merci pour ton aide, murmura la jeune fille.

— Pas de quoi, ça fait partie de mon travail. Il est si rare que je reçoive de la visite. Peut-être voudras-tu devenir membre de la bibliothèque ? lança Pénélope à demi sérieuse. Il est clair que tu aimes les livres. J'ai vu avec quel soin tu as déposé celui-ci, ajouta-t-elle en désignant le petit bouquin qu'avait posé Calista sur le sommet de l'étagère. Et puis, je ne voudrais pas que tu mettes plus de désordre qu'il y en a déjà !

Sans plus de cérémonie, Pénélope s'activa, glissant entre les livres qui recouvraient le sol pour repérer celui dont avait besoin Calista. La cyclope se joignit à elle.

Alors que la cyclope et l'araignée cherchaient depuis un moment, Pénélope brisa soudain l'harmonieux silence qui s'était installé.

— Comment es-tu entrée ici ? Il me semble que la porte principale est verrouillée, non ?

— Disons que j'ai… trouvé une autre entrée, dit Calista en rougissant légèrement. Et toi, est-ce que ça fait longtemps que tu vis ici ?

— Attends, laisse-moi réfléchir. Nous sommes en 2025, il y a donc… euh… disons qu'il y a un bon bout de temps que je vis toute seule ici.

— Et comment es-tu arrivée dans cette bibliothèque ? questionna la jeune fille.

Calista réalisait que ce qui l'étonnait le plus chez Pénélope n'était pas qu'elle sache parler. Après tout, la cyclope venait du mont Olympe, où elle avait vécu avec des créatures mythologiques. Ce qui l'avait surprise, c'était d'avoir rencontré une telle araignée chez les humains.

— Je vivais auparavant dans le monde mythique où diverses créatures comme moi vivent encore. Mon mentor, Gilbert le Gnome, un être à l'intelligence supérieure et aux connaissances magiques illimitées, avait toujours rêvé d'avoir sa propre bibliothèque. Et du temps où les humains et les créatures issues du monde mythique vivaient encore ensemble en harmonie, il en a profité pour réaliser son rêve. C'est ainsi qu'est née cette bibliothèque, dernier symbole de l'union des Hommes et de la Magie. Tu trouveras ici des romans d'aventures côtoyant de vieux grimoires ensorcelés. Quand Gil est mort, ne laissant aucun héritier derrière lui, la bibliothèque est peu à peu tombée dans l'oubli. Et la guerre qui a fait rage peu de temps après n'a pas arrangé les choses.

— Pourquoi n'es-tu pas rentrée chez toi après sa mort ? demanda Calista.

— Je n'avais tout simplement pas le cœur à laisser mourir son rêve. J'avais déjà perdu Gil et quitter cet endroit aurait été comme le perdre une seconde fois. C'était mon meilleur ami.

Le visage de Calista se rembrunit et son cœur se serra. Elle comprenait parfaitement ce qu'avait pu ressentir Pénélope en perdant un être cher.

— Je crois que j'ai trouvé ! cria soudain l'araignée d'un ton victorieux, arrachant ainsi la cyclope à ses tourments intérieurs. C'est bien ce livre que tu cherches ? demanda-t-elle en faisant glisser un ouvrage sur le sol avec ses petites pattes fortes et musclées.

Le cœur de Calista fit un bond.

— Oui, c'est lui que j'ai vu dans ma vision, murmura-t-elle d'une voix étranglée par l'émotion.

— Alors il est à toi. Fais-en bon usage, lui conseilla Pénélope.

— Merci, souffla la cyclope qui saisit le bouquin et le serra fortement sur sa poitrine.

Calista allait enfin pouvoir rentrer chez elle pour venger sa famille. Mais si elle avait eu pour deux sous de bon sens, elle ne serait pas retournée là-bas. Cependant, aveuglée par la colère et la rage qu'elle portait en elle, la jeune cyclope était incapable de penser de façon rationnelle. Elle était la dernière descendante des cyclopes ouraniens. Si elle mourait, son espèce s'éteindrait à jamais. Cela lui était égal, car son unique but était de faire payer Apollon pour le mal qu'il avait fait.

Calista feuilleta précautionneusement le livre, espérant y trouver un moyen de regagner le mont Olympe. Si son troisième œil lui avait montré cette vision, ce n'était certainement pas pour rien.

Elle ouvrit le recueil à la première page et commença sa lecture.

L'œil du serpent possède beaucoup de pouvoirs et sert notamment d'amulette de protection dans bien des situations.

— C'est tout ? Il n'y a rien d'autre ? grogna la jeune fille en parcourant les pages blanches du livre. Mais de quels pouvoirs s'agit-il ? C'est cette information dont j'ai besoin, pas de savoir si ce truc peut me protéger contre les vents froids de l'hiver ! Tout ce que je veux, c'est rentrer chez moi. Ce bouquin ne m'apprend rien, soupira-t-elle en refermant le livre.

— Il doit bien y avoir quelque chose là-dedans qui peut t'aider, argumenta Pénélope.

— Non, rien du tout. Regarde toi-même, dit la cyclope dépitée en tendant l'ouvrage à sa compagne.

Pénélope entreprit alors de feuilleter à son tour le livre. Après plusieurs minutes de recherche, l'araignée leva un regard triomphant en direction de Calista :

— Là, dit-elle en pointant quelques lignes griffonnées sur l'avant-dernière page. *Pour défaire ce qui a été fait, il suffit de refaire ce qui doit être fait*, lut-elle à voix haute.

Le front de Calista se plissa dans une intense réflexion.

— Ça ne veut strictement rien dire, conclut-elle après quelques instants.

— Au contraire, c'est très clair : il suffit de défaire ce qui a été fait.

— J'avais bien saisi l'idée. Le problème, c'est que je ne sais pas comment procéder. Si je le savais, je l'aurais déjà fait, ou plutôt défait, et je serais loin d'ici au lieu d'avoir cette stupide discussion avec toi.

— Oh, je vois que mademoiselle est d'humeur charmante !

— Je suis vraiment désolée. Je n'aurais pas dû me montrer aussi grossière envers toi qui essaies si fort de m'aider.

— Je ne fais pas *qu'essayer*. Si pour toi cette phrase ne veut rien dire, pour moi c'est clair comme de l'eau de roche. Grâce à Gilbert, j'ai de bonnes connaissances en magie. Ce genre d'énigme n'a plus de secrets pour moi. Il n'y a qu'une seule chose qui peut défaire ce qui a été fait.

Calista poussa un profond soupir de soulagement et un sourire de gratitude illumina son visage.

— Merci ! Tu n'as pas idée à quel point il est important que je puisse rentrer chez moi.

— Je peux le comprendre car nous avons tous un chez-soi important à nos yeux, dit l'araignée en regardant autour d'elle avec émotion. Alors voilà. Pour pouvoir retourner chez toi, il te faut simplement trouver du sable émouvant.

— Tu veux dire du sable mouvant ?

— Non, du sable émouvant !

— Où est-ce que je peux trouver cela ?

— Nulle part.

— Comment ça, *nulle part* ? Pourquoi me parles-tu de ce sable s'il n'existe pas ? Je n'ai pas vraiment le temps de jouer, tu sais !

— Tu n'écoutes rien. Tu as pourtant deux oreilles, non ? Je n'ai jamais dit que ça n'existait pas, j'ai dit qu'il ne se trouvait nulle part, pour la simple et bonne raison que la personne qui le désire doit le fabriquer. Et puis il ne faut pas parler de *sable*.

— C'est toi qui as parlé de sable !

— Non, je parle de sable émouvant, mais ce n'est pas du vrai sable ! Ce que tu peux être sotte pour une cyclope !

— On m'a toujours dit : « Si ça ressemble à une rose, que ça sent comme une rose, c'est une rose. »

— Celui qui a dit ça est aussi sot que toi ! trancha Pénélope sans appel.

— Je suis certaine que le dieu des dieux appréciera le compliment, marmonna Calista.

— Les yeux ne servent à rien à une cervelle aveugle. Je pensais que toi qui n'as qu'un œil tu serais moins bornée que les humains. Il te faut faire preuve de plus d'ouverture d'esprit. Tu dois percevoir le monde avec ton regard, mais aussi avec ton âme.

Dubitative, la cyclope prit le temps de réfléchir avant de répondre.

— Tu as sûrement raison. Mais on m'a appris à penser de manière terre à terre, se justifia-t-elle.

— Il va falloir que tu apprennes à penser par toi-même.

Calista hocha la tête d'un mouvement approbateur avant de demander :

— Et si tu m'expliquais comment fabriquer le sable émouvant ?

— Rien de plus facile, certifia l'araignée d'un ton enjoué. Ce *sable* n'est rien d'autre que les restes du dépôt du temps.

Calista posa un regard confus sur Pénélope. Ce que venait de lui dire l'araignée n'avait aucun sens pour elle. Son interlocutrice s'en rendit rapidement compte.

— Le dépôt du temps est simplement de la poussière, expliqua Pénélope.

— Oh, dit comme ça, c'est beaucoup plus clair ! s'exclama la jeune fille. Et puis, il sera facile de trouver de la poussière ici, plaisanta-t-elle avant de passer son doigt sur l'une des étagères et de le montrer à sa nouvelle amie.

— Je t'avais bien dit que tu trouverais tout ce dont tu aurais besoin pour rentrer chez toi, répliqua l'araignée en faisant un clin d'œil.

— Nous avons le matériau, alors au travail !

— Ce n'est pas aussi simple, l'arrêta l'arachnide. Nous avons le premier élément, mais il nous manque le second.

— Quel est-il ? souffla Calista.

— Une partie de toi...

— Quoi ? hoqueta la cyclope, surprise. Tu veux que je fasse une sorte de sacrifice, que j'offre mon sang ou une partie de mon corps ? demanda-t-elle en fronçant le nez d'un air dégoûté.

— Non. La partie de toi dont nous avons besoin, ce sont tes émotions.

— Ça commence à devenir un peu compliqué et embrouillé...

— Mais non. Il suffit simplement de mêler l'un de tes sentiments à la poussière pour créer le lien qui redonnera vie au temps.

— Et comment suis-je censée procéder ?

— J'imagine que c'est grâce à cet objet que tu as atterri ici ? observa judicieusement Pénélope en désignant l'amulette que portait la cyclope.

Calista approuva d'un mouvement de tête rapide.

— Tu n'as plus qu'à recouvrir cet objet de poussière et à te concentrer sur ce qui a été fait pour le refaire. Tout ira bien, je te le promets !

Calista éprouva soudainement un haut-le-cœur. *Tout ira bien...* C'était exactement ce que lui avait promis son père avant de mourir. Et cette promesse n'avait pas été un franc succès, loin de là...

— Est-ce que ça va ? demanda Pénélope d'une voix inquiète lorsqu'elle vit pâlir la jeune fille.

— Oui, je vais bien, murmura Calista d'une petite voix.

— Tu en es sûre ? Peut-être que tu devrais te reposer. Après tout, tu as fait un long voyage. Nous pourrions entreprendre les préparatifs un peu plus tard. Ici, tu ne risques rien avec moi. Prends le temps de dormir un peu. Si tu as faim, j'irai te chercher quelque chose à manger.

— Merci pour tout, mais je dois repartir le plus rapidement possible ! protesta Calista d'une voix encore plus faible. Je vais très bien, ajouta-t-elle avant de s'écrouler, inconsciente.

— Calista ! cria Pénélope en bondissant dans la direction de la jeune fille.

Une fois près d'elle, l'araignée constata que la cyclope était brûlante de fièvre.

Les émotions qu'avait vécues Calista aujourd'hui étaient trop fortes pour elle. Son corps réclamait du repos. Mais la cyclope était tellement obsédée par l'idée de retourner sur l'Olympe qu'elle avait ignoré les signes envoyés par son corps. Ce dernier l'avait donc contrainte à se plier à sa volonté et avait pris de force ce qui lui revenait de droit : du repos !

Étendue sur le sol de la bibliothèque, Calista, dans son délire fiévreux, appela ses oncles et son père. Mais son appel resta sans réponse…

▼

Calista poussait de petits gémissements en reprenant graduellement connaissance.

Elle eut du mal à ouvrir son œil. Sa paupière lui semblait très lourde, et l'exercice s'avéra des plus ardus.

Elle n'avait pas encore complètement repris conscience ; elle flottait quelque part entre l'épais coton des rêves et le moment où l'on s'éveille entièrement. Pourtant, malgré son état, elle percevait nettement qu'elle n'était pas chez elle. L'odeur qui flottait dans l'air n'avait rien à voir avec celle du jasmin qui embaumait tout le mont Olympe. Non, l'odeur qui régnait ici s'apparentait à celle du vieux papier mélangé à de la poussière…

Poussière ?

L'esprit de Calista se remit en marche aussitôt. Elle ouvrit sans la moindre difficulté son bel œil rond aux reflets bleu marin profonds.

La cyclope se redressa hâtivement pour regarder autour d'elle.

Elle s'était écroulée en plein milieu de la bibliothèque ; elle s'en souvenait très bien à présent.

— Comment te sens-tu ? demanda une petite voix près d'elle.

— Mieux, je crois, répondit Calista en se retournant vers Pénélope.

— Tu sais que tu m'as fait très peur ? dit sur un ton faussement réprobateur l'araignée. En plus, tu aurais pu te faire mal en tombant ainsi. Heureusement que tu ne t'es pas blessée.

— Je suis navrée, je ne voulais pas t'effrayer. Je crois que j'avais seulement besoin d'un peu de repos.

— D'un *peu* de repos ? Tu te moques de moi ? Cela fait presque deux jours que tu dors sur le plancher de ma bibliothèque.

— Deux jours ? Pourquoi est-ce que tu ne m'as pas réveillée ?

— Crois-le ou non, j'ai essayé ! Mais rien à faire, tu n'as pas bougé d'un pouce. Je t'aurais portée jusqu'à la chambre de Gilbert, mais tu comprendras sans mal pourquoi je n'ai pas réussi à te conduire là-bas, dit Pénélope en faisant vibrer ses longues pattes.

Calista s'extirpa de sous la couverture dont Pénélope l'avait recouverte. Elle vit un petit bol d'eau entouré de plusieurs compresses qui jonchaient le sol.

— J'ai essayé de faire tomber la fièvre, expliqua l'araignée.

— Merci de t'être occupée de moi, déclara Calista en adressant un franc sourire à son amie.

— De rien ! Je n'allais tout de même pas te laisser mourir sur le sol de ma bibliothèque. Cela aurait créé un désordre encore plus grand ! plaisanta Pénélope. Est-ce que tu as envie de manger quelque chose ?

Calista secoua la tête, indiquant ainsi qu'elle n'avait pas faim.

— Si tu te sens mieux, peut-être que nous pouvons reprendre les choses là où nous les avons laissées, suggéra l'araignée, quasi certaine de connaître la réponse de la cyclope.

— Oui, je me sens suffisamment en forme pour créer le sable émouvant dont tu m'as parlé.

— Alors si tu es prête, je le suis aussi. Tu n'as qu'à suivre mes directives.

Campée sur ses deux jambes, Calista attendait les indications de Pénélope.

— Prends un peu de poussière dans l'une de tes mains et glisse le médaillon dans l'autre. Ensuite, joins tes deux mains et laisse remonter ton plus intense sentiment. Le fluide de tes émotions se liera avec la poussière, et ce qui aura été fait sera ainsi défait. Tu rentreras sur le mont Olympe.

— Formulé ainsi, cela a l'air plutôt simple, s'étonna la cyclope.

— Il est vrai qu'au premier coup d'œil cela ne paraît pas plus compliqué qu'un jeu d'enfant. Mais il faut être capable de lire réellement au fond de son âme pour y découvrir le véritable sentiment qui s'y trouve. Si tu n'es pas capable de faire remonter ce sentiment à la surface, tu ne pourras pas redonner vie à la poussière du temps et le sable émouvant ne pourra jamais être créé. Dans ce cas-là, plus jamais tu ne pourras rentrer chez toi.

— Ne t'en fais pas pour moi. Je sais exactement quel est le plus fort et le plus vivant de tous mes sentiments !

La jeune fille ne doutait pas que le sentiment qui lui dévorait les entrailles et le cœur n'était autre que la vengeance. Aucune erreur possible... Assurément, elle pourrait rentrer chez elle.

Calista se posta près de la table sur laquelle trônait le livre qui arborait le sigle du médaillon. Mais elle ne lui prêta pas la moindre attention, cherchant Pénélope du regard.

— Est-ce que tu es prête ? interrogea l'araignée.

— Prête ! souffla la cyclope dans un murmure tout juste audible.

— Tu sais ce que tu as à faire, alors à toi de jouer ! dit Pénélope tout en grimpant le long de la table.

Calista prit une grande inspiration et s'approcha de l'une des étagères. De sa main droite, elle ôta son médaillon tandis qu'elle remplissait sa main gauche de poussière. Sans hésiter une seconde, elle joignit ses mains en s'assurant que la poussière recouvrait entièrement le bijou. La jeune cyclope se concentra très fort…

Elle découvrit sans surprise dans son cœur blessé et meurtri une gigantesque vague de colère et de tristesse. Ce dernier criait vengeance. Pourtant, elle perçut dans son âme autre chose de plus petit et de plus discret que ces hurlements furieux. Elle dut faire un réel effort pour écouter ce murmure qui s'élevait du fond d'elle-même.

L'amour et le pardon, voilà quels étaient les deux sentiments qui essayaient de se faire entendre dans le chaos de son être. Pourtant, même s'ils s'étaient timidement manifestés, elle avait prêté attention à ces deux minuscules sensations qui s'étaient éveillées en elle. L'amour lui soufflait que les cicatrices restent à jamais présentes mais qu'on réussit à oublier la douleur et qu'on réapprend à vivre. Le pardon lui murmurait qu'il était un cadeau des dieux et que seuls les nobles cœurs sont capables de pardonner.

Calista était-elle un noble cœur ? Elle avait longtemps cherché à savoir qui elle était. Venait-elle de recevoir la réponse ?

Les voix de l'amour et du pardon se firent alors plus fortes en elle et un violent conflit intérieur lui remua les entrailles. La colère contre l'amour, la vengeance contre le pardon. Tiraillée de part et d'autre, Calista elle-même était incertaine de l'issue de ce combat.

La voix de son père résonna alors en elle comme un écho : « Il ne peut y avoir d'amour sans sacrifices… » Puis elle s'aperçut peu à peu que c'était bien plus qu'une voix qui vibrait en elle. Elle ressentait la présence de Brontès dans chaque fibre de son corps ; il s'agissait d'une sensation à la fois étrange et familière. Son père ne l'avait pas abandonnée, elle pouvait le sentir dans chacun de ses battements de cœur, dans chacune de ses respirations. Il serait toujours une partie d'elle.

Brontès l'avait aimée avant même qu'elle voie le jour. Calista comprit alors qu'un lien fort l'unirait toujours à son père. Même s'il n'était plus là, elle ne devait pas cesser de l'aimer. Elle comprit aussi qu'il n'y avait aucune honte, aucune faiblesse à se sentir triste lorsque l'on venait de perdre un être cher.

Était-ce donc l'amour le sentiment qui vivait au fond de son âme ?

Elle se souvint des liens forts qui l'unissaient à son père et à ses oncles. À l'évocation de ces souvenirs, Calista se sentit quelque peu apaisée. Et une voie directe se dessina entre son âme et son cœur.

Une douce chaleur se mit à courir dans ses veines et l'irradia jusqu'au bout des doigts. Un petit filet de lumière filtra entre ses mains et la jeune cyclope eut la sensation que quelque chose lui glissait entre les doigts.

— Ouvre tes mains, n'aie pas peur ! encouragea Pénélope lorsqu'elle vit que la jeune fille fixait ses mains avec inquiétude.

Prudemment, Calista entreprit de desserrer peu à peu ses doigts. Lorsqu'elle les eut entièrement ouverts, un petit nuage argenté s'en échappa. Elle posa immédiatement son regard sur le médaillon. Les deux serpents s'étaient mis en mouvement…

— Et maintenant, que dois-je faire ? demanda la jeune fille.

— Je ne sais pas. Je n'étais pas là lorsque tu as activé le médaillon la première fois. Tu n'as qu'à reproduire tout ce que tu as fait juste avant d'arriver sur la terre des hommes, conseilla Pénélope.

Calista saisit la chaîne en argent et entreprit de faire tourner le médaillon sur lui-même. Mais rien de nouveau ne se produisit. Le talisman resta suspendu dans le vide, seuls les serpents continuèrent à se mouvoir.

— Ça ne fonctionne pas ! cria la cyclope, frustrée.

— Je ne comprends pas. Peut-être que tu n'as pas su faire ressortir le véritable sentiment qui…

Calista interrompit son amie :

— Oui, c'est sûrement ça ! Je n'aurais jamais dû me laisser dominer par l'amour. Ce sentiment ne vaut rien ! pesta-t-elle en fixant le médaillon.

Alors que Calista s'apprêtait à jeter le bijou au loin dans un geste rageur, les maillons de la chaîne lui brûlèrent subitement les phalanges.

Surprise par cette vive douleur, elle échappa le médaillon qui tomba sur la table. Les deux petits serpents commencèrent à onduler en direction du livre. Il ne leur fallut que quelques secondes pour se glisser jusqu'à la couverture et prendre place sur la gravure qui les représentait.

La chaleur ardente que dégageait le médaillon ne mit pas longtemps à avoir le dessus sur le vieux cuir vert de la couverture. Le métal s'imbriqua alors parfaitement dans le symbole pyrogravé.

— Mais que se passe-t-il ? s'étonna Calista.

— Je crois que ton médaillon est en train de reprendre des forces. Ce livre doit être une sorte de recharge pour lui. Son pouvoir était probablement à plat, c'est pourquoi tu n'as pas réussi à le faire fonctionner.

Pénélope et Calista continuèrent à fixer les deux serpents qui scintillaient ardemment. Après quelques instants, la lumière disparut. Le médaillon se dessouda du livre et tomba sur la table.

— Je crois que cette fois tu vas pouvoir rentrer chez toi. Ta vision était exacte : tu avais besoin du livre pour que le médaillon se régénère.

— Tu crois vraiment que maintenant tout fonctionnera ?

— Il n'y a qu'une seule façon de le savoir, dit l'araignée en désignant l'amulette.

Calista se saisit de la chaîne et poussa un profond soupir avant de faire une nouvelle tentative.

— Attends ! cria subitement Pénélope.

— Qu'y a-t-il donc ? demanda Calista dans un sursaut.

— Emmène-moi avec toi.

— Tu m'as interrompue pour ça ? Mais je pensais que tu étais heureuse ici, non ?

— C'est vrai. Je ne veux pas venir avec toi, c'était une blague ! rit l'araignée.

— L'humour des bibliothécaires est vraiment particulier, remarqua Calista.

— Mais je t'ai tout de même interrompue pour une bonne raison. Je crois qu'il serait judicieux que tu fasses tourner le médaillon dans le sens inverse de la première fois. Rappelle-toi : il faut défaire ce qui a été fait.

— Cela me paraît logique, alors je vais essayer. Après tout, je n'ai rien à perdre, concéda Calista qui s'apprêta ensuite à faire tournoyer la chaîne en argent.

— Attends ! cria Pénélope pour la deuxième fois.

— Quoi encore ? s'impatienta Calista.

— Est-ce que tu as l'intention de revenir ?

— Je ne sais pas. Pourquoi me poses-tu cette question ? s'étonna la cyclope.

— Parce que si tu n'as pas l'intention de revenir, tu pourrais au moins me dire au revoir. Aussi, sache que si tu cherches un endroit où aller lorsque tu en auras fini sur l'Olympe, il y aura toujours une place pour toi ici.

La dernière phrase de Pénélope toucha droit au cœur Calista.

— Si tu reviens, je serai là, assura l'araignée. Maintenant, arrête de me faire perdre mon temps et utilise ce fichu médaillon.

Calista comprit que cette fois l'heure du départ avait sonné pour elle.

— J'ai été ravie de te rencontrer, Pénélope. Je ne te promets pas de revenir, mais si c'est le cas, je passerai te voir, c'est sûr. Je te remercie pour ton aide, elle m'a été très précieuse. Sans toi, les choses n'auraient certainement pas tourné aussi bien.

Tandis qu'elle offrait un dernier sourire à sa nouvelle amie, Calista imprima au médaillon suspendu dans le vide un mouvement circulaire. Le bijou s'activa. Un épais brouillard enveloppa la jeune femme avant qu'elle ne disparaisse de la bibliothèque…

Chapitre quatre

Crépuscule

Quand l'épais brouillard qui m'entoure se dissipe enfin, je m'aperçois que je suis de retour sur le mont Olympe.

Je savais que les choses ne seraient pas simples. Mais jamais je ne me serais doutée qu'une telle douleur s'emparerait de moi en revenant ici…

J'ai toujours cru que le plus dur pour moi serait de partir, mais je m'étais trompée… Mon retour s'avère bien plus difficile et douloureux encore que mon départ, même si je ne suis partie que peu de temps.

Les deux jours et demi passés sur la terre des hommes n'équivalent en réalité qu'à un peu moins d'une seconde sur l'Olympe. Mon absence n'aura même pas duré le temps d'ouvrir une porte. Il me faut retrouver Apollon au plus vite pour me venger de lui. Je connais le secret pour tuer un dieu, et je n'aurai aucun scrupule à l'utiliser contre lui. Pour tuer Apollon, je dois le blesser gravement lors du Crépuscule. Il mourra ensuite. J'aurai ainsi vengé mon père et mes oncles.

Au fond de moi, je sais que la colère est mauvaise conseillère et que la vengeance pousse aux plus viles bassesses. Mais de savoir qu'une chose est mal n'a jamais empêché personne de passer aux actes. Les choses ne fonctionnent pas ainsi, ce serait beaucoup trop simple. J'ai dix-sept ans ; je sais faire la différence entre le bien et le mal. Mais sous le coup de la grande émotion que génère mon désir de vengeance, tout se brouille dans mon esprit. Je n'entends plus rien d'autre que cette voix remplie de rage qui hurle au fond de moi.

Mais si je m'abaisse au même rang qu'Apollon, cela ne fait-il pas de moi quelqu'un de semblable à lui : un monstre ?

Non, bien sûr que non. Apollon doit payer pour ce qu'il nous a fait... Pour ce qu'il m'a fait.

Je remonte le corridor à grandes enjambées, bien déterminée à mettre la main sur le jeune dieu. Mon premier réflexe est d'aller le chercher dans l'atelier, mais le haut-le-cœur qui s'empare de moi me fait changer d'avis. Je décide de me rendre tout d'abord au centre de l'Olympe, là où tous les dieux siègent. Je sais qu'aucun d'entre eux ne sera présent car nous sommes à la veille du Crépuscule et que, comme chaque année, les dieux sont tous partis récolter leurs offrandes. Mais je suis certaine d'y trouver tout de même Zeus et Apollon en train de régler leurs comptes. C'est toujours à cet endroit que mon parrain laisse éclater sa colère et fait tomber son courroux.

Lorsque j'arrive dans la grande salle, je suis surprise de découvrir une silhouette qui n'est ni celle d'Apollon ni celle de Zeus. C'est une silhouette féminine, vêtue d'une petite toge en soie rouge. Elle me tourne le dos et je peux voir ses longs cheveux noirs, retenus par un ruban rouge, qui retombent sur deux grandes ailes aux plumes noires et blanches. Je me racle doucement la gorge pour attirer l'attention de l'inconnue.

Quand elle se retourne, je me retrouve face à une belle jeune fille qui n'est autre qu'une harpie. J'en ai la confirmation lorsque mon regard tombe sur ses jambes nues aux cuisses musclées aussi blanches que de la porcelaine. Mais le reste de ses jambes n'a rien d'humain : ce sont deux pattes d'oiseau aux griffes acérées.

Je laisse mon regard vagabonder sur la créature encore quelques secondes avant de m'apercevoir qu'elle tient entre ses mains la lyre d'Apollon.

Sur la défensive, je demande :

— Qu'as-tu l'intention de faire avec cet instrument ?

— Le rendre à son propriétaire, répond la harpie d'une voix calme et douce.

— Est-ce que tu sais où trouver Apollon ?

— C'est possible, lance la jeune fille, évasive.

— Tu le sais ou tu ne le sais pas ? répliqué-je, agacée.

— Je le sais.

— Et où est-il ?

— Ça ne te regarde pas, crache la harpie pour me clouer le bec.

— C'est toi qui le dis. J'ai besoin de voir Apollon, c'est urgent.

— Oh, vraiment ! Et que lui veux-tu au juste ?

— Ça ne te regarde pas, déclarai-je sur le même ton cassant qu'elle vient d'employer.

— Très bien, mais dans ce cas je ne te dirai pas où se trouve Apollon.

— Si tu tiens vraiment à le savoir, je dois le voir parce que je veux le tuer, réponds-je d'un air nonchalant. Est-ce que tu veux me dire où il est maintenant ?

La jeune harpie reste bouche bée quelques secondes. Je peux voir dans son regard qu'elle cherche à établir si je suis sérieuse ou non.

— Je t'ai dit ce que je lui veux, à Apollon. Alors c'est maintenant à toi de remplir ta part du marché.

— Nous n'avons jamais passé de marché ! s'écrie mon interlocutrice, visiblement contrariée par mes intentions. Et puis, tu ne peux pas tuer Apollon. Si tu fais ça, le dieu du soleil s'éteindra et l'humanité tout entière sombrera dans l'obscurité.

— Hélios est le soleil en personne. Il n'a pas besoin de cet arrogant d'Apollon pour vivre. Cet imbécile ne fait que prêter son char à Hélios.

— De toute façon, ton projet est absurde. Tu ne peux pas tuer Apollon, car il est un dieu.

Piquée au vif, je réplique :

— Ne te mêle pas de mes affaires, et je ne me mêlerai pas des tiennes. Je suis assez grande pour savoir ce que j'ai à faire.

— Cela me concerne car, si tu tues Apollon, je ne pourrai jamais voler. Il est donc hors de question que je te laisse faire.

— Ça va poser un vrai problème étant donné que mes envies vont à l'encontre des tiennes : je le veux mort, et toi, vivant… Il est clair que l'une de nous n'aura pas ce qu'elle désire, et je peux t'assurer que ce ne sera pas moi ! répliqué-je, acerbe.

— Je ne sais pas ce qu'Apollon t'a fait. Mais peut-être que tu devrais essayer de lui parler. Tout ne se règle pas par la violence.

— Effectivement, tu ne sais pas ce qu'il m'a fait, lancé-je, glaciale. Tu ferais donc mieux de te taire au lieu de dire n'importe quoi. Je préfère encore mourir que de pardonner à Apollon.

— Tout peut s'arranger !

— Tu veux que je lui pardonne ?

— Non, je veux que tu meures, jette mon interlocutrice d'une voix menaçante en déployant ses deux grandes ailes flamboyantes.

Je ne dois mon salut qu'à l'arrivée de Zeus. Sans l'ombre d'un doute, cette harpie m'aurait découpée en morceaux.

— Mélandra, tu es encore là ? s'étonne mon parrain. Je te croyais partie.

— Je m'apprêtais à le faire quand cette cyclope est arrivée. Elle cherche Apollon pour le tuer, glousse la harpie, visiblement amusée par l'idée.

— C'est vrai, Cali, que tu veux tuer mon fils ? m'interroge Zeus en se tournant vers moi, à peine surpris par ma présence.

— Bien sûr que c'est vrai. Si lui a vengé la mort de son fils, pourquoi est-ce que je ne vengerais pas la mort de ma famille ? demandé-je, hargneuse.

Se détournant un instant de moi, mon parrain s'adresse en souriant à la harpie qui n'a pas bougé d'un pouce :

— Laisse-nous. Cali et moi avons une affaire de famille à régler. Je crois que, de ton côté, tu as une mission à accomplir.

Mélandra ne dit pas un mot. Elle hoche simplement la tête avant de quitter la salle.

Lorsque je me retrouve enfin seule avec Zeus, une curieuse sensation m'envahit. J'ai l'impression que quelque chose est différent, que mon parrain est différent. Il me semble soudain moins grand et moins imposant que dans mes souvenirs. Pourtant, je suis seulement restée absente deux jours terrestres. D'où peut venir cette étrange impression ? Je n'ai pas le temps de pousser plus loin ma réflexion, car Zeus m'attire brutalement dans ses bras et me gratifie d'une étreinte forte et rassurante.

— Je suis désolé de la perte que tu as subie. La mort de ton père et de tes oncles me peine beaucoup moi aussi. Mais je t'assure que j'ai puni Apollon comme il le méritait.

L'image de mon parrain en train de foudroyer le jeune dieu de l'un de ses éclairs me traverse rapidement l'esprit. Étrangement, cette perspective ne me réjouit pas autant que je l'aurais pensé.

— Tu l'as tué ? murmuré-je d'une voix mal assurée.

— Non. Il est mon fils et de surcroît un dieu.

— Alors quelle punition lui as-tu infligée ? Quel châtiment as-tu estimé qu'il méritait pour avoir pris la vie de tous les membres de ma famille ?

— Je l'ai banni du mont Olympe. Il devra vivre parmi les humains, privé de ses pouvoirs, à l'état de simple mortel, pendant une année entière. Il sera au service du roi de Thessalie en tant que berger.

Même si je sais que cette punition représente un affront terrible et une véritable épreuve pour un dieu qui n'a jamais vécu sans pouvoirs, je trouve que la peine est légère par rapport aux trois crimes commis par Apollon.

— C'est tout ? répliqué-je, dubitative. Tu n'as rien trouvé de mieux que de l'envoyer garder des moutons ?

— Tu es injuste. Tu sais que, pour un dieu, c'est une véritable injure d'être banni du mont Olympe et de vivre comme un simple humain. De plus, il est possible qu'il n'en revienne jamais puisqu'à présent il est mortel et soumis aux mêmes lois que les humains. S'il en sort vivant, Mélandra a pour mission de lui rapporter sa lyre, lui rendant ainsi son statut de dieu.

— Je devrais peut-être en profiter pour le tuer dans ce cas, lancé-je hargneusement.

— Tu n'es pas sérieuse ! Tu ne pourrais pas vivre avec un tel poids sur la conscience.

— Il y parvient bien, lui, après tout ce qu'il a fait. Alors pourquoi pas moi ?

— Parce que lui n'est pas à demi-humain, mais toi oui. C'est là toute la différence.

— J'ai toujours su que cette part humaine en moi était une faiblesse.

— Tu fais erreur. C'est au contraire ce qui fait ta force.

— C'est facile de dire cela, et surtout pas très original. Tu aurais pu trouver mieux pour me réconforter.

— Ce n'est peut-être pas original, mais c'est la vérité. Comment penses-tu que tu as pu revenir jusqu'ici ?

— Grâce au médaillon de mon père, dis-je en tirant machinalement sur l'amulette.

— Le médaillon y est certes pour beaucoup, mais il n'a pas fait le travail tout seul. Si tu n'avais pas ressenti ce flot de sentiments, tu serais toujours dans cette vieille bibliothèque en train de discuter avec ton amie l'araignée.

Même si je sais que Zeus est le dieu des dieux et qu'il peut tout voir, cela arrive encore parfois à me surprendre. Désappointée, je sens un sanglot naître dans ma gorge. Je suis certaine qu'il sait que ce sont l'amour et le pardon qui ont été les plus forts en moi.

Consciente que je me laisse amadouer, je m'écrie, tremblante de rage :

— Tu m'avais promis que tout irait bien !

— Je t'avais dit qu'Apollon ne toucherait pas un seul cheveu de ta tête, voilà ce que je t'avais promis ! Et puis tu n'aurais pas dû revenir. Ton père a sacrifié sa vie pour te protéger. Il est temps pour toi de nous quitter et de vivre ta propre vie.

Je reste bouche bée. Dois-je comprendre qu'étant donné que je n'ai plus de famille il ne veut plus de moi sur l'Olympe ? Comme s'il avait lu dans mon esprit – ce qu'il a sûrement fait –, il s'empresse de démentir ma supposition.

— Je ne suis pas en train de me débarrasser de toi. Tu es ma filleule et je tiens à toi. Maintenant que ton père n'est plus là, c'est à moi de m'occuper de toi.

— Et tu le fais en me chassant de la seule maison que j'aie jamais connue ? Quelle étrange façon de me prouver ton affection !

— Je ne veux pas que tu restes ici pour la simple et bonne raison qu'il n'y a plus rien sur l'Olympe pour toi. Crois-le ou non, le glas sonnera bientôt pour nous. Les dieux de l'Olympe vont s'éteindre peu à peu et je ne veux pas que tu assistes à cela. Ce Crépuscule pourrait bien être l'un des derniers pour nous.

Secouée par cette révélation, je reste sans voix quelques secondes avant de m'exclamer :

— Mais Zeus, les dieux de l'Olympe sont immortels, ils ne peuvent pas disparaître !

— Cali, il faut que tu comprennes que ce qui nous rend immortels, ce qui fait de nous des dieux, ce sont les hommes. Ils ont cru en nous, en nos pouvoirs, en notre grandeur. Et aujourd'hui, très peu d'entre eux continuent à croire en nous. Les choses changent vite en bas, trop vite. Ce qui a fait notre gloire finira par nous conduire à notre perte.

— Alors oblige-les à avoir foi en toi et en la puissance de l'Olympe, imploré-je, refusant de perdre la dernière personne que j'aime.

— Je ne peux pas, ma belle. Le Crépuscule des dieux aura bientôt lieu, et personne n'y peut rien, pas même moi. Les pouvoirs des dieux s'affaiblissent de jour en jour.

— Vous allez vraiment tous mourir ? demandé-je d'une voix étranglée.

— Je ne sais pas si nous allons mourir et si c'est la fin des dieux, mais c'est la fin de notre règne, de notre pouvoir… Cependant, une longue vie t'attend, Calista. Je suis certain que ta présence sur la terre des hommes sera bénéfique et pourra aider de nombreuses personnes.

— Je ne sais même pas si je pourrai m'aider moi-même, lancé-je, dépitée.

— Je suis encore le dieu des dieux et je sais certaines choses que tu ignores. Crois-moi, ta vie sera longue et heureuse.

— Tu es sûr que tu ne dis pas ça pour te débarrasser plus facilement de moi ?

— Tu sais bien que tant que je serai de ce monde je garderai un œil sur toi. Mais tu verras : dans peu de temps, tu seras parfaitement capable de te débrouiller seule.

Mon cœur me crie qu'il est l'heure de quitter l'Olympe pour ne plus jamais y revenir… Dans un dernier élan d'affection, je me jette au cou de mon parrain.

— Je croirai toujours en vous et au mont Olympe. Jamais je ne vous oublierai, vous vivrez éternellement en moi.

— Et tu vivras éternellement en moi, chuchote Zeus en me rendant mon étreinte.

Sans prévenir, il pose sa main au sommet de mon crâne. Je sens mes doigts picoter, puis je commence à disparaître peu à peu.

Toute envie de vengeance m'ayant désertée, je me prépare à vivre ma nouvelle vie. Le pardon m'a délivrée, ce qui m'a offert une seconde chance, tandis que la colère m'aurait gardée prisonnière. Je décide d'en profiter pleinement. Je voudrais pleurer, mais j'en suis incapable. La vie des dieux va peut-être bientôt s'achever mais la mienne ne fait que commencer…

Chapitre cinq

Jamais deux sans trois

Calista fut touchée par la bonté de son parrain qui avait pris soin de la renvoyer au cœur même de la bibliothèque qu'elle avait quittée quelques instants plus tôt.

Avec tendresse et nostalgie, elle passa ses doigts sur le médaillon qu'elle portait encore autour du cou. Elle était certaine qu'il la protégerait et que, même si personne ne lui avait expliqué comment s'en servir, il détenait de nombreux autres pouvoirs qu'elle découvrirait avec le temps. Et si tel n'était pas le cas, il serait un parfait porte-bonheur.

Encore quelque peu secouée par les récents événements, la cyclope eut besoin de quelques minutes pour rassembler ses esprits. En très peu de temps, sa vie avait basculé du tout au tout. À présent, elle devait apprendre à ne compter que sur elle-même.

Elle savait toutefois qu'elle n'était pas vraiment seule puisqu'elle avait déjà une alliée entre ces murs : Pénélope.

La jeune fille balaya la salle du regard pour repérer son amie, mais cette dernière n'était pas là. Calista entreprit donc de se promener entre les allées de la bibliothèque. Après quelques minutes de recherches silencieuses, elle se décida à appeler :

— Pénélope, c'est moi, Calista ! Je suis de retour. Où te caches-tu ?

Mais Calista n'obtint aucune réponse.

— Pénélope ?

— Pourquoi hurles-tu comme ça ? s'enquit une jeune fille qui venait de surgir de derrière une étagère. Si elle était là, elle t'aurait répondu, non ?

La cyclope resta bouche bée devant l'inconnue qui ne semblait pas le moins du monde effrayée ou impressionnée par son œil unique. À première vue, elle avait le même âge que Calista. Plus petite que la cyclope et également plus en chair, la jeune fille avait un visage charmant et bienveillant. Ses yeux noirs pétillaient d'une intense malice et ses courts cheveux châtains qui lui retombaient dans le cou semblaient ne pas avoir été brossés depuis des jours. Calista s'aperçut que les doigts de son interlocutrice étaient couverts de taches d'encre.

— Qui es-tu ? demanda la cyclope, qui se considérait presque comme chez elle dans ces lieux.

Lors de la précédente visite de Calista, Pénélope avait dit que très peu de gens entraient dans la bibliothèque. S'inquiétant du fait que son amie n'était toujours pas apparue, Calista sentit sa méfiance envers l'inconnue s'accroître.

— Qui je suis ? dit la fille en se pointant du doigt. Et toi, qui es-tu ?

— Je m'appelle Calista et je suis une amie de Pénélope.

— Et tu arrives d'où comme ça ?

La cyclope se sentit offensée car la jeune fille ne s'était pas donné la peine de se présenter.

— La moindre des choses quand notre interlocuteur se présente, c'est de nous présenter à notre tour, fit remarquer Calista.

— Oups, désolée ! Je m'appelle Yaëlle et je suis moi aussi une amie de Pénélope.

Puis elle tendit sa main tachée d'encre à la nouvelle venue qui hésita un instant avant de la serrer.

— Je me suis absentée tout juste quelques minutes et Pénélope s'est déjà fait une autre amie. Le moins qu'on puisse dire, c'est que cette araignée a le sens des relations. Elle a plus d'amis que je n'en ai, soupira Calista.

— Moi, je veux bien être ton amie, lança Yaëlle d'un ton jovial, sauf si tu es une Surplus en fuite.

Calista offrit un visage interrogateur à la jeune fille.

— Mais non, je plaisante ! rit Yaëlle, visiblement satisfaite de sa blague.

La cyclope fixait toujours son interlocutrice.

— Oh mince, ne me dis pas que tu es véritablement une Surplus ! lança Yaëlle, étonnée.

— Euh, je ne sais… J'ignore ce qu'est une Surplus.

— Est-ce que tu t'es cogné la tête sur le coin d'une étagère ? demanda la jeune fille qui bondit littéralement sur Calista avant de se mettre à chercher une éventuelle bosse sur le crâne de la cyclope.

— Mais qu'est-ce que tu fais ? s'écria Calista en secouant sa tête afin d'échapper aux mains envahissantes de Yaëlle.

Après que Calista fut parvenue à se défaire de l'emprise de sa compagne, son regard fut attiré vers la fenêtre. Ce qu'elle y vit l'étonna grandement. En plein cœur de la ville, une immense tour en verre, sertie d'une énorme coupole ronde transparente posée au sommet, se dressait fièrement de toute sa hauteur.

— Cette tour n'existait pas la dernière fois que je suis venue, observa la cyclope.

— Et quand était-ce ? demanda Yaëlle, soupçonneuse.

— Je ne sais pas trop… Nous sommes en quelle année ?

— En 2060. Mais c'est impossible que tu sois venue ici sans avoir remarqué la tour Légistère ! On ne voit qu'elle, peu importe où l'on se trouve dans la Cité.

— Ce n'est pas que je ne l'avais pas remarquée, c'est juste qu'elle n'était pas là en 2025, remarqua Calista, qui réalisa alors qu'il s'était écoulé trente-cinq longues années terrestres depuis sa première visite.

Yaëlle dévisagea sa compagne comme pour tenter de deviner si celle-ci était en train de se moquer d'elle :

— Tu as à peu près le même âge que moi. Tu ne pouvais pas être ici il y a trente-cinq ans, voyons !

— Je te dis que si ! insista la cyclope.

— Je te dis que non ! rétorqua Yaëlle.

Une voix familière s'éleva tout à coup :

— Vous êtes aussi butées l'une que l'autre, ça promet ! ricana Pénélope en apparaissant au détour d'une étagère. Déjà de retour, Calista ? ajouta l'araignée sur un ton ironique.

— Oui. J'ai réglé mes histoires de famille. Cette fois je reste… enfin… si ton invitation tient toujours, termina timidement la cyclope.

— Bien sûr que ma proposition tient toujours. Heureusement pour toi qu'elle n'était pas limitée dans le temps !

— Est-ce que tu peux confirmer à cette jeune tête de mule que j'étais bien là il y a trente-cinq ans ?

— Yaëlle, Calista dit vrai. Et si tu veux tout savoir, c'est elle la responsable du trou dans le mur.

— C'est toi qui as fait ça ? demanda Yaëlle, impressionnée.

Calista se contenta d'acquiescer d'un simple hochement de tête.

— Wow ! Quand je pense que nous utilisons ce passage pour nous introduire ici presque tous les jours.

— Nous ? l'interrogea Calista.

— Oui, mon ami Jonas et moi, répondit Yaëlle. Il doit traîner quelque part dans la bibliothèque.

— Eh bien, dis donc, tu as l'air d'avoir plus de visiteurs qu'il y a trente-cinq ans, Pénélope, dit la cyclope, amusée.

Puis elle jeta un regard par la fenêtre :

— Hé, mais ce n'était pas là, la dernière fois ! s'exclama-t-elle en pointant le doigt vers le bas de la ville et ses habitations taillées à même la roche.

Aussitôt, Pénélope et Yaëlle se rembrunirent.

— Tu sais, Calista, les choses ont beaucoup changé depuis ton départ pour l'Olympe, annonça calmement l'araignée.

— L'Olympe ? s'étonna Yaëlle. Tu es donc une déesse ?

Pénélope et Calista échangèrent un regard complice.

— Au cas où tu ne l'aurais pas remarqué, je suis une cyclope. Certes, ma mère était un être humain, mais je suis avant tout une cyclope.

— Pourquoi dis-tu cela ? Tu es à la fois un être humain et une cyclope. J'ai trouvé ! Tu es une humano-cyclope ! s'écria Yaëlle, ravie.

L'araignée et la cyclope partirent d'un grand éclat de rire. Yaëlle plaisait beaucoup à Calista. Qui sait, peut-être qu'avec le temps elles finiraient par devenir vraiment amies ?

— Mais qu'est-ce qui se passe ici ? interrogea une voix derrière Calista, alors que celle-ci tentait d'étouffer un petit rire qui n'en finissait plus.

— Je viens de me faire une nouvelle amie. C'est une humano-cyclope. Regarde comme elle est jolie ! dit Yaëlle en saisissant Calista par les épaules avant de la retourner vivement.

Surprise, Calista n'eut pas le temps de protester avant de se retrouver nez à nez avec celui qu'elle supposa être Jonas. À peine eut-elle posé son regard sur le nouveau venu qu'elle sentit le rouge lui monter aux joues. Un grand brun ténébreux aux épaules larges et à la peau hâlée se tenait face à elle. Ses yeux d'un bleu glacé semblaient froids et vides au premier abord. Mais quelque chose de merveilleux se produisit : le jeune homme sourit et ses yeux s'illuminèrent. Calista n'avait jamais rien vu de semblable. L'ami de Yaëlle lui tendit la main, en murmurant d'une voix chaude et grave :

— Bonjour, je m'appelle Jonas, et toi ?

La cyclope se sentit alors prise d'une sensation qu'elle n'avait pas ressentie dernièrement. Une douloureuse migraine se profilait à l'horizon…

Depuis que Calista avait mis les pieds dans le monde des humains, les migraines qui accompagnaient ses visions lorsqu'elle était enfant avaient refait surface. Elle ignorait la cause de ce phénomène. Tout ce qu'elle savait, c'est que c'était à nouveau très douloureux lorsque son don se manifestait.

La vision que Calista eut fut si soudaine et violente que la jeune fille n'eut pas le temps de l'anticiper. Son corps se mit à convulser. Dans un réflexe des plus chevaleresques, Jonas glissa rapidement un bras autour de la taille de Calista et la fit s'allonger sur le sol pour lui éviter une chute douloureuse.

Après plusieurs secondes de convulsions, la cyclope cessa de s'agiter dans tous les sens et retrouva son calme. Elle rouvrit lentement son œil, un sourire plaqué sur le visage.

— Est-ce que ça va ? demanda Jonas à Calista, visiblement inquiet.

— Oui. Ça va même très bien ! répondit la jeune fille, son sourire s'élargissant encore.

— Je fais toujours cet effet-là : je fais tomber toutes les filles, plaisanta le jeune homme en tendant sa main à Calista pour l'aider à se relever.

La cyclope ne pouvait pas s'empêcher de sourire. Et elle se moquait de l'air ridicule qu'elle devait afficher. C'était la toute première fois qu'elle avait une vision qui la concernait directement. La douleur qui lui avait déchiré le crâne en avait largement valu la peine…

Elle ne savait pas quand, elle ne savait pas comment, tout ce qu'elle savait, c'est que Jonas serait l'amour de sa vie. Le jeune homme n'avait certainement pas encore l'ombre d'une idée de ce qui les attendait tous les deux, lui et Calista. Mais la cyclope saurait être patiente, car Jonas était tout simplement son destin.

Parfois, posséder un don tel que le troisième œil s'avérait vraiment plaisant.

— Tu es sûre que tout va bien ? s'inquiéta Yaëlle qui observait la cyclope alors que celle-ci souriait toujours bêtement.

Puis elle murmura à l'oreille de Jonas :

— Je me demande si tu as vraiment bien amorti sa chute. Elle a l'air un peu secouée.

— Moi je la trouve très bien. Elle est même plutôt charmante, répondit le jeune homme avec un sourire presque aussi idiot que celui qu'affichait la cyclope.

— On n'est pas sortis de l'auberge, soupira Yaëlle en levant les yeux au ciel. Quand je pense que tu ne sais même pas comment elle s'appelle…

Alors que Calista reprenait peu à peu ses esprits, des images de ses deux anciens petits amis lui revinrent en mémoire. Elle avait eu une affection particulière pour chacun d'eux, mais elle n'avait jamais été amoureuse. Son troisième œil lui avait annoncé que ça ne tarderait pas. Et si la jeune cyclope savait une chose avec certitude, c'était que son troisième œil ne se trompait jamais…

▼

Après avoir conduit Calista dans la petite chambre derrière l'une des bibliothèques, Pénélope, Jonas et Yaëlle entreprirent de lui révéler ce qu'était la vie à la Cité.

Yaëlle expliqua le système de base fondé sur les Surplus et les Utiles. Elle raconta que les survivants des catastrophes naturelles et des guerres des dernières années étaient bien trop nombreux pour les maigres ressources que possédait encore la Cité et qu'il avait donc fallu mettre en place un système de sélection divisé en deux groupes : d'un côté, les Utiles, capables d'augmenter les ressources de la Cité et de se rendre indispensables au système en place ; de l'autre, les Surplus, qui avaient été parqués dans les habitations que Calista avait aperçues par la fenêtre de la bibliothèque. Les Surplus servaient de main-d'œuvre pour effectuer les basses besognes de la Cité.

Jonas parla du système de laissez-passer : celui des Utiles était vert et leur permettait de circuler librement partout dans la Cité. Yaëlle et lui possédaient un tel laissez-passer. Celui des Surplus était rouge et ne servait qu'à une seule chose : identifier les non-Utiles au premier coup d'œil.

Lorsque Pénélope vit l'appréhension dans le regard de Calista, elle la rassura en lui expliquant qu'il existait des laissez-passer blancs pour les nouveaux arrivants qu'ils trouvaient parfois errant dans le désert.

— Il te suffira de te présenter devant le Conseil des Justiciers pour te soumettre au test de passage. Après ça, tu obtiendras ton laissez-passer définitif.

— Le Conseil des Justiciers ? répéta Calista, perplexe.

— Ils n'ont de justiciers que le nom, railla Jonas, amer.

— Tu ne devrais pas dire des choses pareilles, souffla Yaëlle.

— Et pourquoi est-ce que je ne le dirais pas alors que c'est la stricte vérité ? Tu trouves cela juste d'enfermer de pauvres innocents ?

— Je ne vois pas de quoi tu te plains. Tu fais partie des Utiles, non ? se défendit Yaëlle sur un ton véhément.

— Justement. Si les Utiles ne se révoltent pas contre ce système, qui le fera ? Et puis, je l'ai toujours dit : ce Conseil n'est pas légitime. Personne n'a voté pour en élire les membres il y a trente ans. Et depuis la fondation de cette escroquerie, le siège de chacun des Justiciers a été transmis de famille en famille et de génération en génération.

— Je te rappelle que ma famille siège à ce Conseil et qu'un jour je succéderai à ma mère.

— Et j'espère sincèrement que ce jour-là tu pourras changer les choses.

— Si j'ai bien compris, les Justiciers dirigent cette ville ? intervint Calista.

— Oui, tu as parfaitement compris de quoi il retourne, répondit Jonas.

— C'est donc devant eux que je devrai paraître pour obtenir mon laissez-passer, s'inquiéta la jeune fille.

Jonas la rassura aussitôt :

— Personne ne t'oblige à te rendre dans la tour Légistère pour faire face à ces usurpateurs.

— Mais si je ne me présente pas devant eux, que se passera-t-il ?

— Tu ne pourras jamais sortir dans les rues de la ville, car si tu t'y aventurais et que tu croisais par mégarde la milice de la ville – les Citadins –, tu serais emmenée de force devant le

Conseil, expliqua Yaëlle. Il serait donc plus judicieux de te présenter de toi-même là-bas.

— Elle n'est pas obligée, insista Jonas.

— Ne dis pas n'importe quoi ! Il serait bien plus prudent qu'elle y aille, dit Pénélope pour appuyer son amie Yaëlle.

— Calista pourrait très bien restée cachée ici avec toi ! Elle serait le premier être libre et sans classification de la Cité. Vous imaginez ce que ça représenterait ?

— Libre ? Rester enfermée entre quatre murs à respirer de la poussière toute la journée, c'est ce que tu appelles être libre ? s'insurgea Yaëlle.

— Ce serait toujours mieux que d'être prisonnière d'un camp, répliqua le jeune homme, amer.

Calista fut alors de nouveau secouée par de violents spasmes. Heureusement pour elle, cette fois elle était allongée sur un lit, ce qui lui évita une chute.

Des images d'hommes vêtus de noir et de femmes habillées de rouge assaillirent alors son esprit. Elle vit l'un des hommes lui tendre un petit papier vert, un sourire aux lèvres. « Bienvenue chez les Utiles », murmura-t-il dans un franc sourire.

Sa vision tout juste dissipée, Calista s'assit précautionneusement sur le bord du lit. Puis elle interrompit la discussion entre Yaëlle et Jonas qui menaçait de tourner en dispute. Emportés par leur discussion, ni l'un ni l'autre n'avaient remarqué que la cyclope avait convulsé quelques secondes plus tôt.

— J'irai me présenter devant le Conseil. Tout se passera bien, ne vous en faites pas, annonça la cyclope sur un ton sans appel.

Puis elle se leva doucement et se dirigea vers la porte.

— Où comptes-tu aller comme ça ? s'informa Jonas.

— Je viens de le dire : je vais voir le Conseil des Justiciers.

— J'avais compris que c'était ce que tu avais l'intention de faire et je n'approuve pas ton choix. Mais à cette heure-ci, plus aucun membre du Conseil ne sera présent. Tu ferais mieux de passer la nuit ici avec nous et nous t'accompagnerons demain dans la matinée jusqu'à la tour Légistère.

— Bon programme ! approuvèrent à l'unisson Yaëlle et Pénélope.

De toute évidence, Calista n'avait pas le choix. Elle devrait attendre le lendemain avant de pouvoir entreprendre sa nouvelle vie. Et contrairement à ce qu'elle avait pensé, elle n'aurait pas à le faire seule ! Cela avait quelque chose de rassurant. Elle croyait avoir une seule amie en la personne de Pénélope puis elle avait rencontré Yaëlle. Et le dicton *Jamais deux sans trois* s'était avéré exact puisqu'elle avait fait connaissance de Jonas… Le beau Jonas qui faisait battre son cœur si fort.

Chapitre six
L'épreuve

J'ai passé une bonne partie de la nuit à discuter avec Pénélope et mes deux nouveaux amis. J'avais été surprise de constater que ni Yaëlle ni Jonas n'avaient été terrifiés par mon apparence lors de notre première rencontre, car on m'avait répété si souvent durant mon enfance que les humains avaient du mal à accepter les différences.

— La normalité n'existe pas, elle n'a jamais fait partie de ce monde, m'a dit Jonas, comme si cette simple phrase pouvait expliquer à elle seule son attitude décontractée avec moi.

— Nous sommes tous différents, a surenchéri Yaëlle. Humains, monstres, tout n'est qu'une question de point de vue !

J'ai eu beaucoup de chance de rencontrer des humains à l'esprit aussi ouvert, car tous ne sont pas comme eux. Beaucoup seraient partis en hurlant au monstre. Je sais que tôt ou tard cela arrivera. Je me suis faite à l'idée. De toute façon, je n'ai pas franchement le choix… Heureusement pour moi, il existe tout de même des gens moins obtus, qui essaient de connaître les autres avant de les juger.

Yaëlle et Jonas ont passé de longues heures à m'expliquer les rouages et le fonctionnement de la Cité, tandis que Pénélope s'était endormie non loin de nous.

Après les explications de mes amis, Surplus, Utiles, Conseil et Citadins n'avaient plus de secrets pour moi. Et même si à présent j'ai encore plus peur de ce que je vais découvrir en sortant d'ici, savoir que je ne suis pas seule m'aide grandement à calmer mes appréhensions et à ne pas paniquer.

C'est idiot de ma part d'avoir peur de passer devant le Conseil, puisque hier soir la vision que j'ai eue m'a révélé que je serai une Utile. Pourtant, une angoisse inexpliquée me serre le ventre. Le problème, c'est que mes visions ne sont jamais très détaillées. Le dénouement s'impose à moi mais il y a des blancs dans le reste de l'histoire, que je dois combler par moi-même. Je ne suis pas Zeus, je ne vois pas tout, je ne sais pas tout… C'est pourquoi je ne peux maîtriser l'angoisse qui étreint parfois mon cœur. La vie est loin d'être un long fleuve tranquille. Ce n'est pas parce que je sais que tout finira bien avec le Conseil que cela signifie qu'il n'y aura pas de drame en cours de route…

Je n'ai pas beaucoup dormi la nuit dernière. J'étais trop excitée à l'idée de m'être fait de nouveaux amis. Ils se sont intéressés à ma vie et j'ai voulu tout savoir de la leur !

Yaëlle n'a pas arrêté de m'interroger sur le mont Olympe, sur les dieux et sur ma vie parmi eux. J'ai appris avec tristesse que Zeus avait eu raison : beaucoup des divinités que j'ai connues ont à présent disparu. J'ai parlé de ce qu'a été ma vie sur l'Olympe, de ma famille et de ce qu'il lui est arrivé. Lorsque j'ai évoqué mon père et mes oncles, ma voix a commencé à trembler dangereusement. Mais soutenue par les doux sourires que m'adressait Jonas, j'ai réussi à terminer mon histoire sans verser la moindre larme. Puis j'ai révélé à mes amis que je suis une cyclope ouranienne possédant le don du troisième œil, et que certaines de mes visions sont parfois un peu violentes à percevoir, tout comme l'avait été celle suivant les présentations.

Yaëlle a alors voulu savoir ce que j'avais vu…

J'ai donc dû faire preuve d'une grande maîtrise pour ne pas me mettre à rougir et à bégayer. J'ai bien sûr fait une impasse sur la vision qui concernait Jonas... Je m'en suis strictement tenue à celle touchant le petit papier vert qui officialisait mon statut d'Utile.

Yaëlle et Jonas m'ont par la suite confirmé que les membres du Conseil des Justiciers portent les vêtements que j'avais entrevus dans ma vision. La jeune fille s'est émerveillée lorsqu'elle a appris que j'allais *faire partie des leurs*. Jonas m'a lui aussi félicitée, toutefois plus modérément que son amie.

Puis Jonas a parlé de lui et de ses parents qui sont des Surplus. Il m'a expliqué que tous les enfants de la Cité, le jour de leur dixième anniversaire, doivent passer le fameux test de passage pour savoir dans quelle catégorie ils finiront leur vie. Pas de test de rattrapage, pas de seconde chance, tout se joue lors de ce moment qui déterminera le reste de leur vie. À présent, je comprends mieux pourquoi Jonas semble si révolté par le système mis en place ici. À seulement dix-neuf ans, il a déjà des idées bien arrêtées, et je devine qu'au fond de lui il n'est rien d'autre qu'un idéaliste. Il n'a personne pour veiller sur lui ; c'est la raison pour laquelle il passe le plus clair de son temps à la bibliothèque. Il fait partie de la branche appelée les « Psychiques » : elle regroupe les Utiles supérieurement intelligents qui travaillent à la survie de la Cité.

Yaëlle m'a raconté qu'elle fait partie des Utiles de la branche des Soigneurs, ce qui fait d'elle un apprenti chaman. Son père est en charge de son enseignement et veille à ce qu'elle devienne un chaman accompli. Du fait que sa mère siège au Conseil et que son père est le chaman en chef de la Cité, Yaëlle est souvent laissée à elle-même. C'est pourquoi la jeune fille passe elle aussi la plupart de son temps à la bibliothèque ; elle en profite pour améliorer son don. Yaëlle doit se montrer à la hauteur puisqu'elle descend des Utiles fondateurs de la Cité.

En écoutant le récit de Yaëlle, je me suis sentie très proche d'elle, car je comprends parfaitement la lourde responsabilité de son héritage, étant moi-même la dernière descendante des cyclopes ouraniens. Une tendresse toute particulière a alors vu le jour en moi pour cette jeune fille qui me ressemble plus que je ne l'aurais cru.

Épuisée par toutes ces discussions et par mes deux voyages de l'Olympe à la terre en si peu de temps, je me suis m'assoupie.

▼

Lorsque je me réveille, mes trois camarades ont disparu. Mais sur la chaise à côté du petit lit il y a des chaussures étranges qui me sont apparemment destinées. Ce cadeau de bienvenue, en quelque sorte, remplacera mes sandales abîmées et malmenées par mes nombreuses marches et escalades. Je ne peux retenir un sourire : mes nouveaux souliers sont roses…

Amusée, je glisse mes pieds à l'intérieur. J'essaie de lacer les lanières blanches, qui pendent sur les côtés, autour de mes jambes comme je l'ai toujours fait avec mes sandales. Mais visiblement, cela n'est pas prévu à cet effet, car les lanières sont trop courtes. Je reste là, hébétée, à me demander comment attacher mes souliers. Après plusieurs essais qui n'aboutissent à rien, je décide d'abandonner.

Mon estomac se met alors à grogner ; je prends conscience que je n'ai rien mangé depuis plusieurs jours. Je décide donc de partir à la recherche de mes amis. L'un d'eux saura sûrement où me procurer de la nourriture, et surtout comment attacher ces lanières qui traînent sur le sol.

Après avoir marché plusieurs fois sur ces fichues lanières, d'un geste d'énervement je les glisse dans mes souliers.

Tandis que je circule dans les allées de la bibliothèque, je ne peux m'empêcher de grincer des dents chaque fois que je fais un pas. L'un de mes souliers menace constamment de quitter mon pied. Excédée, je décide de poursuivre mon chemin pieds nus, mes chaussures à la main.

— Tu sais que ce sont des chaussures et que tu es censée les porter aux pieds ? rit Jonas lorsqu'il me croise dans l'allée suivante.

— Merci, je suis au courant ! Mais ces fichues lanières sont beaucoup trop courtes pour que je les attache autour de mes jambes et y fasse un nœud.

— Tu ne sais pas faire des boucles ? s'étonne le jeune homme. Ah mais, nous sommes vraiment bêtes, nous aurions dû y penser. Après tout, il y a peu de chances que les dieux de l'Olympe aient porté une paire de baskets. Remets tes chaussures, je vais t'apprendre.

Obéissante, je glisse mes pieds dans les étranges souliers roses. Je ne peux retenir un sourire en pensant que la couleur aurait plu à Aphrodite.

— Et maintenant ? demandé-je dans un haussement d'épaules.

Jonas ne prononce pas un mot. Il se baisse devant moi, saisit ce qu'il nomme le *lacet* et entreprend de le croiser plusieurs fois jusqu'à ce qu'il obtienne d'adorables boucles qui retombent sur le dessus de mon pied.

— Ça a l'air plutôt amusant, dis-je, fascinée. Maintenant que je t'ai vu faire, je veux bien essayer d'attacher mon autre soulier.

— Je t'en prie, murmure Jonas toujours à mes pieds.

Je me mets à l'œuvre. À ma grande surprise, et à celle du jeune homme, je réussis à faire une boucle au premier essai. Elle n'est pas symétrique par rapport à celle que Jonas a faite, mais l'important est que le tout tienne bien !

— Le moins qu'on puisse dire, c'est que tu apprends vite ! s'étonne Jonas en réajustant mon travail.

Lorsqu'il se redresse, en même temps que moi, nous nous retrouvons nez à nez. Mon cœur s'affole. Hier encore, je pensais que connaître l'avenir avait certains avantages, mais je me rends compte aujourd'hui que j'avais tort. Je sais que Jonas et moi sommes destinés à lier nos vies. Le seul ennui, c'est que je ne sais pas quand. Et attendre que cela arrive n'est pas aussi amusant que je l'aurais pensé. Je me surprends à analyser chaque mot, chaque geste de Jonas pour être sûre de ne pas manquer le pas qu'il fera dans ma direction.

Le jeune homme me regarde intensément. Pendant un instant, je suis certaine qu'il va m'embrasser ; la profondeur de son regard ne trompe pas. Pourtant, au dernier moment, il prend la décision de détourner les yeux. Le geste qu'il pose alors me surprend grandement : il me tape vigoureusement sur l'épaule, comme si j'étais son meilleur ami. Puis il me félicite en me donnant un second coup :

— C'était un très bel essai pour une première fois. Tu es très douée…

Je reste sans voix, troublée que les choses aient tourné de cette manière.

— Si nous allions rejoindre Yaëlle et Pénélope pour le petit-déjeuner ? propose Jonas en ouvrant la marche.

Cette proposition fait grogner mon estomac et je décide de suivre le jeune homme sans rien dire. Alors que je marche à quelques pas derrière lui, Jonas se retourne subitement. Sans s'arrêter ni dire un mot, il me saisit la main. Je ne peux retenir un sourire. Finalement, tout espoir n'est peut-être pas perdu. Mes visions ne sont certes pas précises, mais je ne dois pas oublier que mon troisième œil ne se trompe jamais. S'il dit que Jonas est fait pour moi, alors il ne peut en être autrement !

Après plusieurs minutes de marche dans les allées de la bibliothèque, j'aperçois le cœur du bâtiment. Je sais que mon compagnon ne va pas tarder à lâcher ma main. Nul besoin de vision pour le savoir, il s'agit de simple logique féminine. Je sens déjà ses doigts glisser le long de ma main. Quand nous arrivons à la première rangée de livres, ma main est libre.

Je me demande alors si c'est parce qu'il s'inquiète de ce que pourrait penser son amie Yaëlle ou simplement parce qu'il est pudique. Je sais que c'est idiot de me mettre martel en tête, mais je ne peux pas faire autrement.

Lorsque Jonas et moi nous approchons, Yaëlle et Pénélope sont attablées autour d'un petit-déjeuner composé de lait, de céréales, de quelques fruits frais… et de mouches pour notre amie l'araignée.

Je m'assois près de mes copines avant de les saluer.

— Je savais bien qu'il s'agissait de ta pointure ! s'écrie Yaëlle en fixant mes pieds. Tes sandales étaient vraiment très abîmées. Tu as gravi le mont Olympe avec ? pouffe la jeune fille, amusée.

— C'est un peu ça, oui, murmuré-je en me servant un verre de lait.

— En tout cas, tes nouvelles chaussures te vont très bien ! Tu es adorable avec ça. Non pas que tu ne l'étais pas avant, n'est-ce pas, Jonas ? s'enquiert Yaëlle auprès de ce dernier qui vient de nous rejoindre à la table.

— Je suis d'accord, elle est adorable, souffle le jeune homme en m'adressant un petit clin d'œil.

Yaëlle ne peut retenir un grand éclat de rire lorsque je rougis jusqu'aux oreilles.

— Tu ferais mieux de manger tes céréales au lieu de rire bêtement, la réprimande Pénélope pour me venir en aide et m'offrir ainsi quelques secondes de répit, le temps de me reconstituer un visage normal.

— Tu ferais bien de manger aussi, m'encourage Jonas, car la journée sera longue et tu n'auras pas d'autre repas avant ce soir puisque tu tiens absolument à passer devant le Conseil.

— Je n'y *tiens* pas spécialement. Mais il me semble que c'est la chose à faire, d'après ce que mon troisième œil m'a laissé voir.

— Et s'il se trompait ? demande Jonas, sincèrement inquiet pour moi.

— Nous en avons déjà parlé hier soir. Le...

— Le troisième œil ne se trompe jamais, m'interrompent en chœur Yaëlle et Pénélope.

Nous nous regardons les uns les autres avant d'éclater de rire. J'ai répété cette phrase une bonne dizaine de fois la veille. Il semblerait que mes amis aient retenu la leçon... enfin, du moins, certains d'entre eux !

Alors que nous finissons de déjeuner tranquillement, je vois Jonas avaler une série de petites pilules de différentes couleurs. Je réalise alors qu'il n'a rien mangé depuis qu'il s'est assis à table.

— Qu'est-ce que c'est ? demandé-je.

— C'est de la culpabilité en gélules, crache Yaëlle, cinglante, avant d'avaler sa dernière cuillère de céréales.

Jonas et Yaëlle échangent un regard lourd de sous-entendus. Même si aucun mot n'est prononcé entre eux, il est clair que chacun comprend très bien le message que lui envoie l'autre. J'ai l'impression que les mots ne sont plus nécessaires : mes amis paraissent avoir déjà eu cette conversation un millier de fois. Quelque chose me dit que l'idéalisme sans faille de Jonas est à l'origine de cette tension soudaine.

— Qu'est-ce qui se passe ? m'informé-je tout bas auprès de Pénélope, tandis que les deux jeunes gens s'affrontent toujours du regard.

— Disons simplement que Yaëlle et Jonas ne voient pas toujours les choses du même œil.

Je suis sur le point de demander ce que sont réellement ces pilules lorsque Yaëlle ouvre la bouche avant moi, me coupant ainsi dans mon élan.

— Tu crois vraiment que c'est en te nourrissant de ces pilules que tu vas changer le monde ? lance-t-elle sèchement à Jonas.

— Ça ne le changera peut-être pas, non...

— Alors pourquoi est-ce que tu t'obstines à poursuivre ?

— Parce que ce que nous faisons est mal ! réplique Jonas, de la colère plein la voix.

Je tente de me faire toute petite sur ma chaise, mal à l'aise qu'une dispute soit en train d'éclater entre Yaëlle et Jonas à cause de ma trop grande curiosité. Si j'avais su tenir ma langue, cet orage aurait pu être évité. Je me sens responsable, mais je n'ai pas la moindre idée de la manière d'arrêter mes amis. Il semblerait que le sujet des pilules soit un point de sérieuse discorde entre eux.

— Le monde ne fonctionne pas en dépit du mal, Jonas, il fonctionne avec lui. Que tu le veuilles ou non, c'est ainsi. La survie de la Cité est à ce prix !

— Oh oui ! Et crois-moi : nous finirons par payer le prix fort ! réplique le jeune homme en ne quittant pas Yaëlle des yeux.

— Et tu crois que c'est en avalant ces saletés de pilules que tu vas sauver ton âme ? Tu crois vraiment que cela te rend meilleur que le reste des Utiles parce que tu te prives de nourriture réelle ?

— Il y a déjà longtemps que mon âme ne peut plus être sauvée. Et malheureusement, elle n'est pas la seule dans ce cas. Je sais bien que cela ne me rend pas meilleur que les autres, mais juste un peu plus courageux…

— Tu plaisantes ? Tu crois vraiment qu'il s'agit de courage ? demande Yaëlle, estomaquée.

— Le courage, c'est quand on continue d'agir en dépit de sa peur, et c'est ce que je fais tous les jours !

— Alors il faut croire que je ne suis pas la fille la plus courageuse du monde. Mais toi, si tu crois que c'est ça, le courage, tu es le garçon le plus stupide du monde !

Le ton monte très vite, aussi vite que ma culpabilité. Pénélope, elle, semble habituée à tout ce remue-ménage puisqu'elle n'y accorde pas le moindre intérêt. Elle finit tranquillement de manger ses mouches avant de s'éloigner.

Je suis tentée de la suivre, mais Yaëlle se tourne alors vers moi pour me prendre à parti et lance sur un ton furieux :

— Cet espèce d'idiot se nourrit exclusivement des pilules réservées aux Surplus, car il a mauvaise conscience de pouvoir manger de la vraie nourriture. Et monsieur ose prétendre que c'est du courage !

— C'est une conviction personnelle. Mais tu ne peux pas comprendre cela, mademoiselle « ma famille est Utile depuis des générations ». Toi, tu n'as jamais vécu la perte d'un membre de ta famille, mais moi oui !

Depuis le début de cette dispute, les informations fusent ici et là, et j'ai le plus grand mal à les regrouper ensemble. Cependant, j'éprouve de la compassion pour Jonas. Je me secoue intérieurement, car ce n'est vraiment pas le moment de me laisser attendrir. Il me faut garder la tête froide si je veux suivre la discussion.

— Si je comprends bien, vous êtes en train de dire que personne ne nourrit les Surplus ? demandé-je.

— Bien sûr que les Surplus mangent, qu'est-ce que tu crois ? s'exclame Yaëlle. Mais leur alimentation n'est composée que de ces pilules qui contiennent les éléments essentiels au corps humain. Et une fois par mois, ils ont accès à de la véritable nourriture, ajoute-t-elle d'une voix calme et posée. Ce sont les ordres du Conseil.

Plus j'en sais sur la Cité et moins j'aime ce que j'entends… Le fait de découvrir que cette ville est la dernière sur terre m'avait déjà causé un véritable choc, mais apprendre la façon dont les humains la gèrent me révolte. Est-ce pour en arriver là que les dieux se sont donné tant de mal ? Avons-nous traversé les âges pour voir un groupe d'humains en exploiter un autre ? Zeus a offert l'univers aux gens et ils n'ont rien trouvé de mieux à en faire ? Peut-être que le règne des Titans n'aurait pas été aussi chaotique finalement et qu'on aurait dû les laisser vivre. D'après ce qui se passe ici, je me dis que cela n'aurait pas fait une grande différence.

— Nourriture est un bien grand mot, ricane Jonas. J'ai passé les dix premières années de ma vie dans le camp des Surplus. Je peux donc te dire que ce mot n'est pas ce qui convient le mieux pour décrire l'infecte tambouille qu'on y sert.

— Je sais que tu as vécu des choses horribles, Jonas, dit Yaëlle. Mais ce n'est pas une raison pour tester sur toi chaque nouvelle pilule que tu inventes.

Je ne comprends plus rien.

— Quoi ? m'écrié-je. Je pensais que tu te contentais simplement de te nourrir de la même façon que les Surplus, et non pas de jouer les apprentis sorciers.

— En plus d'être l'un des Psychiques qui travaillent à l'amélioration des pilules pour les Surplus, car elles ne sont pas parfaites, aux heures des repas monsieur se prend pour un cobaye de laboratoire.

— Pourquoi est-ce que tu fais ça ? demandé-je au jeune homme.

— Nous sommes tous liés les uns aux autres, Utiles comme Surplus. De cela dépend notre survie ! Et si le fait que j'avale quelques pilules pour m'assurer qu'elles sont de bonne qualité peut améliorer la vie de certains, voire les empêcher de mourir, alors ça ne me pose pas de problème.

— Je continue à dire que c'est idiot de risquer ta santé alors que les Testeurs sont là pour ça !

— Je suis jeune et en pleine santé, moi ! Les Testeurs sont des Surplus qui ont de multiples carences alimentaires. Certains sont même sous-alimentés ; la moindre erreur de dosage peut leur être fatale.

— Mais tu es un Psychique, tu n'as pas le droit de risquer ta vie ainsi, proteste Yaëlle. Et c'est sans parler du fait que tu es mon ami !

— Je ne suis pas le seul Psychique de la Cité. Et puis, l'avantage d'avoir pour meilleure amie un futur chaman, c'est que tu seras toujours là pour me soigner si les choses tournent mal, termine Jonas en se radoucissant un peu.

— Tu mériterais que je te laisse mourir !

— C'est fou comme tu peux être cynique parfois !

— Et toi, c'est fou comme tu peux être naïf et idéaliste tout le temps ! renchérit Yaëlle.

— Une bonne action, aussi petite soit-elle, peut devenir la plus grande chose du monde si on l'accomplit avec son cœur.

Alors qu'une accalmie semblait s'annoncer entre les deux protagonistes, je déchante vite.

— Par pitié, arrête un peu ! Je ne vois pas en quoi le fait de te bourrer de pilules alimentaires est une bonne action, poursuivit Yaëlle.

— Ce n'est pas une bonne action en soi. C'est le fait d'améliorer les pilules et de les tester sur lui qui l'est.

Je n'arrive pas à croire que c'est moi qui viens de dire une chose pareille. En tout cas, mon intervention a au moins eu le mérite de désamorcer la reprise des hostilités entre les adversaires.

— Tu vois, Yaëlle, Calista a compris, elle, ce contre quoi je me bats.

— Arrête ! Tu ne peux pas te battre contre la Cité, Jonas : tu fais partie d'elle comme elle fait partie de toi. Depuis le temps, tu devrais le savoir, non ? Et il n'y a rien au-delà de ces murs, rien du tout ! Il ne reste rien ! crie Yaëlle en repoussant sa chaise pour se lever.

— Il nous reste l'espoir ! hurle Jonas en se levant à son tour.

— L'espoir, c'est pour les faibles, il ne fait pas changer les choses !

— Peut-être. Mais l'espoir est la source, le tout premier pas vers le changement…

— Tu me fatigues avec toutes tes histoires ! s'impatiente la jeune fille en commençant à s'éloigner.

— Je n'ai pas fini de te parler ! tonne Jonas en posant un regard rempli de colère sur son amie.

— C'est ton problème, parce que moi, je t'ai assez écouté ! Quant à toi, ajoute-t-elle en me dévisageant, je te serais reconnaissante de ne pas l'encourager dans ses délires de liberté. Il y a longtemps que nous n'en sommes plus là. La liberté est un luxe que nous ne pouvons pas nous permettre. La survie est tout ce qu'il reste, aux Surplus comme aux Utiles ! lance Yaëlle avant de disparaître au détour d'une allée.

Après le départ de Yaëlle, le silence est assourdissant…

— Rassure-toi, les petits-déjeuners ne sont pas toujours aussi animés, me dit Jonas en se tournant vers moi, un pâle sourire sur le visage.

— Je suis désolée, murmuré-je d'une voix rauque.

— Pourquoi ? demande le jeune homme, visiblement surpris.

— Si j'avais su que ma question causerait une telle dispute, j'aurais tenu ma langue.

— En règle générale, Yaëlle et moi avons en moyenne trois minutes de conversation civilisée avant de nous laisser emporter par nos émotions. Alors tu vois, tu n'as pas à t'en faire, tu n'y es vraiment pour rien, me rassure gentiment Jonas en posant sa main sur mon épaule.

Je souris timidement. Mais je reste tout de même persuadée que c'est à cause de moi que cet affrontement a eu lieu. Et puis, j'ai du mal à comprendre comment deux personnes aussi différentes que Yaëlle et Jonas puissent prétendre être amies, surtout après la scène à laquelle je viens d'assister.

Jonas resserre alors un peu sa pression sur mon épaule. Comme s'il avait lu dans mes pensées, il me sourit tendrement avant d'ajouter :

— Il pourrait y avoir mille raisons pour que Yaëlle et moi ne soyons pas amis. Mais parfois une seule bonne raison suffit pour devenir complice à jamais avec quelqu'un.

— Tu es un Psychique et Yaëlle est une Soigneuse, alors comment vous êtes-vous rencontrés ?

— Nous avons fait connaissance ici même, me répond le jeune homme en laissant glisser sa main le long de mon bras avant de la poser sur la table.

Je sens un frisson me parcourir le dos. Il me faut une seconde pour recentrer mon esprit sur la conversation.

— Et cela s'est passé comment ?

— Par le plus grand des hasards, ou presque. Je m'étais introduit dans l'arrière-cour de la bibliothèque pour avoir un peu de tranquillité et réfléchir à de nouvelles démarches scientifiques. Mais au lieu de trouver un peu de paix, j'ai découvert Yaëlle en train de sortir de la bibliothèque par un trou creusé dans le mur. Faisant mine de rien, elle a refermé l'ouverture, est passée devant moi et ne m'a pas adressé la parole. Le lendemain, j'étais dans l'arrière-cour quand elle est arrivée. Et tout comme la veille, elle ne m'a pas prêté la moindre attention et s'est glissée à l'intérieur de la bibliothèque. Curieux, je l'ai suivie. Quand j'ai franchi l'entrée, elle m'a simplement dit : « J'espère que tu as pensé à bien refermer le passage. » Nous sommes tout de suite devenus amis, liés par notre désir d'apprendre. Depuis ce jour, elle n'a pas arrêté de me noyer de paroles. C'était il y a cinq ans.

— Et depuis ce temps, pas l'un d'entre vous n'a eu l'idée de remettre un peu d'ordre ici ?

— Yaëlle et moi avons d'autres préoccupations que le rangement.

— Si vous aviez rangé un peu, cela aurait tout de même simplifié vos recherches.

Devant cet argument irréfutable, Jonas se contente de rire doucement en secouant la tête.

— On aurait sûrement gagné un peu de temps. À propos de temps… Je pense que c'est le moment de nous rendre à la tour Légistère.

— Et Yaëlle ?

— Ne t'en fais pas pour elle, je suis certain qu'elle nous retrouvera là-bas, dit-il en me faisant un clin d'œil.

Nous nous sourions pendant quelques secondes avant de nous mettre en route.

▼

Nous n'avons pas à marcher longtemps pour nous rendre à la tour Légistère. Je suis surprise de ne croiser personne dans les rues. Jonas m'explique qu'il est beaucoup trop tôt pour que les Utiles soient déjà en activité. Seuls les Surplus sont au travail dans le camp clôturé de la ville basse.

Lorsque nous parvenons au pied de la tour, Yaëlle est là, les bras croisés sur la poitrine. Elle a encore l'air contrariée.

— Vous en avez mis du temps à arriver ! nous lance-t-elle en guise d'accueil.

Jonas avait raison : Yaëlle est une amie fidèle.

— Prête ? me demande-t-elle.

Pour toute réponse, je me contente d'un bref hochement de tête.

— Alors allons-y, me souffle Jonas en me tirant doucement par le bras en direction des escaliers où sont postés ce que je devine être deux Citadins.

Mes deux amis et moi entrons dans le curieux édifice dont la devanture ressemble à celle d'un temple grec. Une fois à l'intérieur, je me trouve face à un gigantesque cylindre en verre qui mène visiblement aux hauteurs du bâtiment. Mais je ne vois aucun escalier qui permette d'accéder au sommet de la tour.

Un léger bruit métallique retentit quand deux portes s'ouvrent au pied du cylindre transparent. À cause de mon mouvement de recul, Yaëlle et Jonas devinent que je n'ai pas la moindre idée de ce qui se passe.

— Ne t'en fais pas, les ascenseurs sont rapides et sans douleur ! ricane la jeune fille. Ils conduisent les gens en haut d'une tour sans que ceux-ci aient à déployer le moindre effort.

Nous pénétrons dans cet espace exigu. Peu de temps après, je sens le sol bouger légèrement sous mes pieds. Jonas n'accorde pas la moindre importance aux colonnes de boutons qui lui font face. Il agite son laissez-passer devant une petite lumière rouge.

— C'est notre laissez-passer d'Utile qui nous permet d'aller au sommet de la tour, m'explique Jonas. Sans cela, il est impossible de se rendre au cent unième étage, là où siège le Conseil.

Alors que les étages défilent les uns après les autres, je ne prononce pas un mot, me contentant d'observer le paysage par la paroi transparente. Ce que je découvre me laisse sans voix. J'ignorais à quel point Yaëlle avait dit vrai quand elle avait lancé qu'il n'y avait rien par-delà les murs de la Cité. À perte de vue, tout autour de la ville ne s'étend qu'un désert immense. Ce monde est tellement différent de celui que j'observais étant enfant depuis le mont Olympe que j'en ai le vertige. J'ai du mal à croire que cela puisse être les mêmes lieux qui m'ont tant fait rêver pendant des années.

Alors que l'ascenseur arrive à destination, je me remets doucement de ma surprise et de ma déception. Moi qui avais rêvé de parcourir la terre des hommes, je me retrouve aujourd'hui piégée entre les murs de cette Cité, que je ne suis pas certaine d'apprendre à aimer un jour. Les portes s'ouvrent sur un long et large couloir au bout duquel je peux apercevoir deux immenses portes rouge et or. Deux rangs de Citadins, qui regardent fixement devant eux, sont alignés le long des murs.

Mes compagnons et moi avançons dans le corridor baigné par la douce lumière de l'aube qui pénètre par l'immense baie vitrée située à l'autre extrémité. Alors que nous sommes à quelques pas seulement des portes, les deux Utiles s'arrêtent avant de se tourner vers moi.

— Je crois qu'il serait plus prudent que tu nous attendes ici, me dit Jonas.

— Ne t'en fais pas, je vais rester avec Calista pendant que tu annonceras au Conseil la raison de notre visite, dit gentiment Yaëlle.

Au ton de sa voix, je devine que la dispute de tout à l'heure n'a plus la moindre importance à ses yeux.

Jonas se contente de sourire avant de pénétrer dans la salle du Conseil.

— Ne crains rien, tout se passera bien, murmure Yaëlle.

— C'est gentil de ta part de me rassurer. Mais je déteste que les gens disent ce genre de phrase, car cela finit toujours en catastrophe, réponds-je avant de soupirer.

Après quelques minutes d'attente, nous voyons apparaître la tête de Jonas dans l'entrebâillement de la porte. Il nous fait signe d'approcher.

D'un même pas, Yaëlle et moi nous dirigeons vers lui. Lorsque nous arrivons près de Jonas, il se dépêche de me glisser à l'oreille : « Ne t'en fais pas, tout ira bien. » Puis il s'écarte pour nous laisser passer.

Même si je sais que cela part d'un bon sentiment, je ne comprendrai jamais pourquoi les gens s'obstinent à dire dans les pires moments que tout se passera bien.

Je m'avance dans la salle d'un pas décidé, prête à affronter le Conseil des Justiciers et à obtenir coûte que coûte ma carte verte.

Après m'être arrêtée près de la table placée au centre de la pièce, je me sens observée et épiée de toutes parts. Je laisse donc mon regard vagabonder ici et là afin d'apprivoiser mon nouvel environnement. Treize sièges, tous occupés, entourent la gigantesque table ronde en cristal. Les six hommes qui y prennent place sont vêtus de longues robes en velours noir, et les six femmes portent de longues robes rouges en satin. Machinalement, je parcours le visage de chacune d'elles pour voir si je peux identifier la mère de Yaëlle. Mais mon analyse est interrompue par le jeune garçon d'une dizaine d'années, vêtu d'une robe de soie blanche, qui est assis de l'autre côté de la table.

— Mais elle n'a qu'un œil ! s'exclame-t-il, étonné.

Celle que je crois être la mère de ma camarade répond gentiment à l'enfant :

— Oui, mon grand, car il s'agit d'une cyclope.

L'un des hommes s'adresse alors à moi :

— Jonas nous a informés que tu souhaitais te soumettre au test de passage puisque tu es une nouvelle arrivante. Si tu souhaites rester parmi nous, il te faut un laissez-passer pour pouvoir t'identifier en tant qu'Utile ou Surplus. As-tu bien saisi quelles sont nos lois à ce sujet ?

Je hoche la tête avant de répéter ce que m'ont expliqué mes amis :

— Je ne peux passer le test qu'une seule fois. Le résultat est sans appel.

— Je vois que tout est clair pour toi. Alors si tu veux tenter ta chance, tu peux suivre l'Innocent, m'indique celui qui a l'air d'être le porte-parole du Conseil tandis que l'enfant se lève.

Sans hésiter, je lui emboîte le pas, et c'est en marchant derrière celui-ci que je réalise une chose. J'étais tellement persuadée après ma vision d'obtenir mon statut d'Utile que je ne me suis même pas demandé une seule seconde en quoi consiste exactement le test de passage.

J'ai répété si souvent à Yaëlle et à Jonas que le troisième œil ne fait jamais d'erreur qu'eux non plus n'ont pas songé à me décrire l'épreuve.

Lorsque j'arrive à la hauteur de mes amis, j'affiche un sourire figé :

— Oui, je sais, tout va bien se passer, leur dis-je juste avant de quitter la pièce.

▼

L'Innocent et moi empruntons des escaliers à la gauche du couloir. Nous descendons une dizaine de marches avant de nous retrouver face à une porte.

— Le test se passe de l'autre côté de ce battant. Bonne chance ! me lance l'Innocent avant de me pousser gentiment dans la pièce et de refermer derrière moi.

Dans la salle aux murs gris nacré, il n'y a que quatre tables recouvertes d'objets divers. Je lève la tête pour m'assurer qu'aucune créature ou mauvaise surprise ne se balance au-dessus de moi. Je constate à mon grand étonnement que le Conseil au complet m'observe avec le plus grand intérêt à travers une coupole de verre qui sert de plafond à la moitié de la salle.

J'essaie d'ignorer tous ces regards fixés sur moi afin de me concentrer le mieux possible sur les objets posés sur les tables. Yaëlle et Jonas m'ont décrit les quatre catégories d'Utiles : il y a les Soigneurs, les Psychiques, les Sourciers et les Magiciens. Je suppose donc que chaque table est liée à l'un de ces groupes. Ma vision ne m'a malheureusement pas laissé entrevoir de quelle catégorie d'Utiles je fais partie. Il me faut donc étudier tous les objets pour voir si l'un d'entre eux éveille quelque chose en moi.

Je m'approche de la première table qui est recouverte de pots remplis d'onguents, de plantes séchées et de bandages. En un coup d'œil, je comprends qu'il s'agit de la table des Soigneurs. C'est à ce moment-là que je repère dans un coin l'alambic servant à distiller et à préparer les potions. Il est dispersé en plusieurs morceaux et je me demande si je serai capable de le remonter puis de m'en servir, ce qui prouverait au Conseil que je suis une Soigneuse. Je prends donc ma première chance et me lance…

Je saisis deux morceaux de l'alambic et essaie tant bien que mal de les assembler. Après cinq minutes de vaines tentatives, je me surprends à regretter de ne pas avoir de masse sous la main… Je commence à douter de mes talents de Soigneuse. Et lorsqu'une des pièces de verre me glisse des mains pour aller se fracasser sur le sol, je suis presque prête à renoncer. Pourtant, je n'abandonne pas. Je prends une autre pièce de l'alambic ; je l'échappe quelques secondes après. Elle se retrouve en morceaux, écrasée près de la première. Mes doutes se changent alors en certitude : je ne suis décidément pas une Soigneuse. Je décide de passer à la table suivante.

Quelque peu vexée par mon échec, j'entreprends tout de même la seconde épreuve. La table est entièrement recouverte de centaines de baguettes en bois, toutes de tailles et de couleurs différentes. Sans aucun doute, il s'agit de la table des Sourciers. Je m'empare de la première baguette qui me fait face et je la tiens fermement. De longues minutes s'écoulent sans que rien ne se passe. Ni la baguette ni moi ne bougeons… Lasse d'attendre, je me mets à secouer le bout de bois pour voir si cela déclenchera une réaction. Après un résultat négatif, je repose l'objet et répète la même opération avec diverses baguettes. Après la neuvième baguette, il est évident que je ne suis pas non plus une Sourcière. Mais je ne peux m'empêcher de douter sérieusement de la possibilité de trouver de l'eau dans cette pièce…

Sans plus attendre, je passe au test suivant. Ce qui recouvre cette table me semble plus attrayant et davantage dans mes cordes : casse-tête, livres, représentations de constellations éparpillées partout sur la table, lunette d'astronomie, etc. Comme une enfant le jour du solstice d'hiver, je m'empare avec vivacité de la constellation la plus proche de moi. Lorsque je vivais sur le mont Olympe, un de mes passe-temps favoris était d'écouter Zeus me raconter l'histoire des constellations. Je passais des heures allongée sur un nuage à mémoriser les noms des étoiles. Zeus plongeait le mont Olympe dans l'obscurité la plus totale et faisait apparaître juste pour moi toutes les merveilles de la Voie lactée. À peine le temps de me remémorer tous ces bons souvenirs que je réalise que j'ai reconstitué sur le sol toutes les constellations à ma disposition.

Grisée par tous ces bons souvenirs, j'en ai presque oublié que les membres du Conseil m'observent jusqu'à ce que je perçoive leur agitation derrière la vitre. Mais je ne me laisse pas distraire et me saisis de l'un des casse-tête posés sur la table. Je le fais en quelques secondes puis je passe au suivant. Je continue ainsi jusqu'à m'emparer d'un petit cube dont les faces sont de couleurs multiples. En moins de temps qu'il n'en faut pour le dire, je réussis à donner à chacune des six faces du cube une couleur unique.

Finalement, je tourne mon attention vers un livre à la couverture vieille et usée. Je suis incapable de l'ouvrir. En l'examinant de plus près, je m'aperçois qu'il est verrouillé sur le côté par un ingénieux mécanisme. Celui-ci me rappelle une boîte à bijoux que Zeus m'avait rapportée d'un de ses séjours sur terre. Je devais déplacer plusieurs petites baguettes en bois vers une position précise. C'est seulement à ce moment-là qu'il m'était possible de retirer l'une d'elles, me permettant d'ouvrir le couvercle.

Je m'attaque donc avec énergie à la résolution du problème. Comme je l'avais soupçonné, à une ou deux manipulations près, le système s'ouvre de façon identique à celui de ma boîte. Je n'ai pas le temps de commencer la lecture de l'ouvrage que la porte de la pièce s'ouvre. L'Innocent me fait signe de le suivre.

Quelque peu déçue de devoir déjà quitter mon nouveau terrain de jeu, je me dépêche de rattraper l'Innocent qui, durant le court trajet de retour, se retourne à quelques reprises pour me jeter un regard admiratif.

Lorsque je pénètre dans la salle du Conseil, les sourires qui illuminent les visages de Jonas et de Yaëlle me confirment que j'ai réussi l'épreuve. Le porte-parole du Conseil s'approche de moi pour me féliciter chaleureusement.

— Vous avez vraiment un don exceptionnel ! Nous n'avons pas vu cela depuis plus de trente ans. Depuis la mort de Gilbert le Gnome, le directeur de la Grande Bibliothèque, personne n'était parvenu à ouvrir son livre de bord.

Je m'aperçois alors que je tiens toujours fermement l'ouvrage dans mes mains.

— Ce livre est maintenant officiellement à vous, ainsi que ceci, poursuit l'homme en me remettant un trousseau de clés. Félicitations ! Vous êtes à présent l'une des nôtres, car vous avez réussi le test des Psychiques. Après avoir délibéré, nous avons convenu de vous nommer directrice de la Grande Bibliothèque.

Un second membre du Conseil s'approche et me dit, avant de me tendre le fameux sésame :

— Bienvenue chez les Utiles !

Le porte-parole reprend :

— Vous êtes dorénavant responsable de la bibliothèque. Dans un premier temps, il vous faudra remettre les lieux en état de fonctionnement. Pour cela, vous disposerez de toutes les ressources du Conseil. Une fois cette tâche accomplie, vous pourrez rouvrir les portes de l'établissement à tous les Utiles. Plusieurs heures par semaine, vous serez en charge de la formation d'un groupe de jeunes Utiles triés sur le volet qui pourraient bien être amenés à intégrer le Conseil à l'avenir. Il nous reste de nombreux points à voir ensemble, mais nous avons tout le temps pour cela, m'assure le Justicier avant de me donner congé.

Cela fait beaucoup de nouveautés et de responsabilités à gérer en même temps. Pourtant, la seule chose qui occupe entièrement mon esprit est le trou que j'ai involontairement fait dans le mur de la bibliothèque. Il me faut impérativement reboucher ce passage… avant la réouverture des lieux.

Quand je parviens à la hauteur de Jonas et de Yaëlle, le jeune homme me décharge de mon imposant journal de bord. Nos mains se frôlent. Ce simple contact me met d'humeur joyeuse et je lui lance, dans un grand sourire :

— Tu vois, je te l'avais dit que tout irait bien !

À côté de moi, Yaëlle fait de son mieux pour ne pas éclater de rire.

Tout le long du trajet de retour, mes deux amis ne cessent de répéter à quel point je les ai impressionnés. Yaëlle va même jusqu'à dire que je suis plus futée et intelligente que Jonas.

Quand j'arrive devant la bibliothèque, mon premier réflexe est d'escalader le mur d'enceinte. Juste avant d'entamer mon ascension, je réalise que j'ai à la main les clés qui m'épargneront dorénavant cet exercice.

J'ouvre donc le portail qui résiste quelque peu en grinçant. Puis je glisse la clé dans la serrure de la porte d'entrée. Le verrou tourne facilement. Je pousse alors la porte. Devant le désordre qui règne, je réalise l'ampleur de ma nouvelle tâche…

Si je pensais que le test de passage était ma véritable épreuve, j'avais tort.

Ma véritable épreuve vient seulement de commencer…

Chapitre sept
L'aube d'une nouvelle vie

Après plusieurs mois de dur labeur de la part de Calista, de ses amis et de quelques Surplus mis à la disposition de la cyclope pour ce projet, la bibliothèque avait enfin été rangée. La poussière avait été rapidement chassée des lieux ; les livres en bon état avaient regagné leurs étagères ; ceux qui avaient été détériorés par le temps ou les humains qui avaient saccagé l'endroit avaient atteri sur le bureau de Calista, qui les restaurait avec grand soin. C'était un travail long et minutieux, mais grâce aux indications qu'avait laissées Gilbert le Gnome dans son livre de bord, la cyclope n'avait eu aucun mal à s'atteler à cette tâche. Elle avait même trouvé cela plutôt amusant !

Calista était réellement dans son élément au milieu de tous ces livres et de toutes ces vieilles reliques. Pourtant, il y avait seulement quelques années, elle n'aurait jamais parié un sou là-dessus...

Jeune, elle avait eu grand mal à s'intéresser à la lecture. Son amour pour les livres lui était venu à mesure qu'elle grandissait.

En vérité, enfant, Calista avait une sainte horreur de la lecture. Toutes ces lettres à apprendre par cœur, tous ces mots qu'elles formaient une fois réunies, tout cela s'était souvent emmêlé dans son esprit et lui avait donné bien de la misère avant de se laisser apprivoiser.

Brontès, Zeus et bon nombre de dieux de l'Olympe avaient appris diverses choses à Calista. La cyclope avait reçu une éducation complète et très variée. Par chance, elle s'était révélée une élève remarquable dans bon nombre de domaines.

Elle était capable grâce à Zeus de nommer chacune des constellations. Apollon lui avait enseigné la musique – même si aujourd'hui elle refusait obstinément de jouer d'un quelconque instrument, elle avait appris avec le meilleur. Arès et Artémis lui avaient inculqué les rudiments du maniement des armes. Hermès lui avait appris plus de douze langues étrangères propres aux humains ou aux créatures mythiques. Athéna l'avait aidée à affiner son raisonnement, sa logique et sa créativité. Aphrodite lui avait expliqué les sentiments, dont le plus grand : l'amour. Et son père, Brontès, lui avait montré les bases de la magie.

Pourtant, la lecture était restée le point faible de Calista pendant de nombreuses années. Mais lorsqu'elle avait finalement compris que grâce aux mots que renfermaient les livres elle pouvait voyager sans limites et visiter des lieux peuplés de créatures magiques et de héros sans même quitter l'Olympe, la cyclope avait redoublé d'efforts pour combler ses lacunes. Bien sûr, cela lui avait demandé de la patience et de longues heures de lecture acharnée, mais ses efforts avaient été récompensés, et une passion dévorante pour les livres et les histoires de toutes sortes s'était peu à peu éveillée en elle. Et aujourd'hui, elle était la directrice de la Grande Bibliothèque de la Cité. La vie pouvait parfois se montrer des plus ironiques…

Calista avait soigneusement suivi les directives qu'avait inscrites Gilbert dans son carnet de bord. Tout y était consigné : le descriptif des objets ainsi que leurs fonctions, les titres et résumés des ouvrages…

Bon nombre d'informations concernaient des ouvrages fantasmagoriques, des objets magiques et féeriques que le gnome avait rapportés du monde des créatures mythiques. La cyclope découvrit beaucoup de trésors parmi eux : encre de vérité, poisons, formule d'invisibilité, parchemin des voyageurs égarés, etc., autant d'objets qu'elle jugea bon de ne pas laisser traîner dans la bibliothèque. Si certains d'entre eux venaient à tomber entre de mauvaises mains, cela pourrait avoir de fâcheuses conséquences... S'en débarrasser eut été une folie encore plus grande, car ils pouvaient peut-être servir un jour. Calista jugea plus prudent de dissimuler toutes ces choses dans son bureau sans en souffler mot à quiconque.

Elle n'arrivait toujours pas à croire que pendant tant d'années personne ne s'était donné la peine de venir voir dans ce lieu si certaines choses étaient récupérables ou intéressantes. Nul ne s'était préoccupé de cet endroit, à l'exception de Pénélope qui y vouait un attachement tout particulier.

L'araignée avait fait de son mieux en protégeant de sa toile les livres les plus importants de la bibliothèque et en mettant à l'abri certaines reliques qui étaient liées au passé des humains. Cela avait été loin d'être suffisant, mais Pénélope avait mis beaucoup de cœur à l'ouvrage en mémoire de son ami.

Maintenant que la bibliothèque était de nouveau ouverte à tous, l'araignée était heureuse comme elle ne l'avait pas été depuis longtemps. Calista avait redonné vie au rêve de Gilbert, ce dont Pénélope était tout émue. Jamais elle ne pourrait remercier suffisamment la cyclope pour tout ce que cette dernière avait fait. Même si le destin de Calista était lié à cet endroit, celle-ci n'avait pas agi par simple bonté d'âme car rien ni personne ne l'avait obligée à suivre les directives que Gilbert avait écrites dans son livre de bord. Pénélope avait été touchée par cette attention de son amie à son égard, car c'était à n'en pas douter en partie pour elle que Calista s'était donné tout ce mal !

L'araignée s'était alors juré de partager chacun des secrets de la bibliothèque avec la jeune cyclope. Elle lui enseignerait tout ce qu'elle savait sur la magie et les autres disciplines pour que Calista puisse remplir pleinement son rôle de directrice de la Grande Bibliothèque. Pénélope était certaine que son amie se montrerait une élève très appliquée et qu'elle endosserait sans peine toutes les responsabilités rattachées à sa nouvelle fonction. D'ailleurs, Calista avait déjà commencé à relever le défi. Elle n'avait pas hésité une seconde à retrousser ses manches et à remuer ciel et terre pour donner une âme à l'endroit abandonné.

Oui, Calista pouvait être très fière de ce qu'elle avait accompli entre les murs de la vieille bâtisse.

▼

Des reliques en tout genre ainsi que des lampes décoraient maintenant les murs et les étagères de la bibliothèque. Des tables et des sièges neufs trônaient fièrement au centre de la pièce ; cet espace serait parfait pour effectuer des recherches ou donner des cours aux jeunes élèves dont Calista serait bientôt responsable. Le Conseil était venu sur place plusieurs fois pour contrôler l'avancée des travaux et expliquer plus en détail à la cyclope ce qu'il attendait d'elle.

Après avoir découvert un livre imposant à la couverture usée par le temps et aux pages recouvertes de noms avec la mention Utile ou Surplus – et indiquant les dates de naissance, de mariage et de décès de chacun ainsi que l'ascendance et la descendance de chaque personne qui avait vu le jour à la Cité –, Calista avait deviné que l'une de ses premières tâches serait d'actualiser le registre de la Cité et d'en assurer la mise à jour continuelle. Cela représentait un travail titanesque, mais elle saurait s'acquitter de cette tâche avec brio. Elle n'aurait qu'à retranscrire toutes les informations que lui avait remises le

Conseil lors de sa dernière visite. Un tas de feuilles raturées l'attendait sur l'une des tables de la bibliothèque. Les trente-cinq dernières années de l'état civil de la Cité étaient là, n'attendant plus qu'elle et sa plume pour intégrer le registre de la ville.

La deuxième tâche que le Conseil des Justiciers avait confiée à Calista était tout aussi importante, si ce n'est plus, que la première. Le jour de son test de passage, les membres du Conseil lui avaient expliqué qu'elle devrait prendre en charge plusieurs élèves. Elle serait l'une de leurs formatrices et serait responsable de ces jeunes esprits que le Conseil considérait comme l'élite des Utiles. On attendait donc de la part de Calista un encadrement rigoureux et de haut niveau pour stimuler au maximum la curiosité et l'intelligence de ces enfants. Parmi eux se trouvaient de futurs membres du Conseil, des Magiciens influents et des Sourciers qui seraient d'une aide précieuse pour la Cité.

Calista devait parvenir à faire s'épanouir le don de ses élèves et les aider à développer de nouvelles facultés intellectuelles en élargissant leur horizon.

Si on lui avait confié une telle mission, ce n'était pas simplement parce qu'elle avait réussi son test haut la main. C'était également parce que le Conseil savait que Calista avait eu l'infime honneur de vivre parmi les dieux. Les Justiciers avaient la ferme intention d'exploiter ce fait au profit de la Cité.

Jonas n'avait rien dit au Conseil sur les origines de la cyclope, se contentant de mentionner qu'il avait trouvé une nouvelle arrivante. Mais il n'avait pas eu besoin de prononcer le moindre mot car l'Innocent qui siégeait au Conseil savait lire les auras. Personne, sauf les membres du Conseil, ne savait quel don possédait réellement les Innocents. C'était pour cette raison qu'à l'âge de quinze ans, lorsqu'ils perdaient leur innocence, ils étaient renvoyés du Conseil et remplacés par un autre enfant qui recevait le don. Les Innocents ne se souvenaient jamais du talent qu'ils avaient possédé pendant leur enfance. Ils se contentaient de grossir le rang des Utiles.

Nul ne pouvait donc cacher ses origines à l'Innocent, ni même l'énergie qui animait son cœur. C'est ainsi que les Justiciers avaient appris que la jeune cyclope avait passé de nombreuses années sur l'Olympe et qu'elle était à moitié un être humain, ou à moitié un monstre, selon les points de vue.

L'Innocent avait eu tout le temps de capter les ondes qui émanaient de la cyclope lorsqu'il l'avait conduite à la salle réservée au test de passage.

Calista n'était pas une déesse mais ses connaissances étaient immenses, et la Cité ne laissait jamais passer quelque chose qui puisse lui permettre de devenir plus forte. Même si certains jugeaient que le système en place n'était pas équitable, Utiles comme Surplus apportaient leur pierre à l'édifice. C'était une curieuse symbiose, à l'équilibre fragile, où personne ne pouvait survivre sans les autres.

Souvent, la situation était plus que tendue entre les deux classes de la Cité. Mais les Citadins maintenaient l'ordre ; maintes fois, cette milice au service du Conseil avait fait ses preuves. Jamais un Surplus n'avait réussi à s'évader. Le système n'était pas parfait, mais il fonctionnait, et c'était tout ce qu'on attendait de lui. Les notions de pitié ou d'humanité n'avaient rien à y voir : seule comptait la survie du plus grand nombre. Le reste n'avait aucune importance.

Et pour survivre, il fallait que les Utiles deviennent plus forts et plus intelligents, exploitent au maximum leurs dons, gardent le contrôle sur les Surplus et forment les générations futures à marcher sur leurs pas. Calista avait à présent sa place dans ce grand dessein qu'avait nourri le Conseil.

La cyclope avait également pour mission d'enseigner la lecture et l'écriture à tout Utile en manifestant le désir, et ce, en plus des heures de formation qu'elle dispensait déjà aux enfants de l'élite.

Son esprit tout entier était voué à l'enseignement et à l'éducation des Utiles.

Pas une seule fois le Conseil n'avait mentionné les Surplus... Lorsque Calista s'était aventurée sur ce terrain, on lui avait fait comprendre qu'enseigner quoi que ce soit à un enfant de moins de dix ans était une perte de temps, car avant cet âge il était impossible de savoir si un enfant était un Utile ou un Surplus. Quant aux adultes qu'on gardait enfermés dans le camp du bas de la ville, il était certain qu'après dix-huit heures d'un travail harassant sans pause, aucun d'entre eux n'avait l'envie ou l'énergie d'apprendre ou de s'éduquer... Cette réponse n'avait pas vraiment plu à Calista, mais que pouvait-elle y faire ? Absolument rien.

Le Conseil avait la mainmise sur tout ce qui se passait à la Cité. La preuve en était qu'il avait fait installer au plafond de la bibliothèque un ensemble de tuyaux transparents. Ce système avait été mis en place pour permettre aux élèves et à Calista de rester en contact en tout temps, évitant ainsi aux jeunes élèves de manquer les cours même les jours de pluies acides. Ils pouvaient ainsi rendre leurs devoirs et poser des questions. Le Conseil recevait instantanément un double de tous les documents qui circulaient dans les tubes de la bibliothèque.

Seuls trois élèves étaient toujours présents sur les lieux, peu importait le temps qu'il faisait. Ce trio était vraiment inséparable. Ses trois membres se déplaçaient toujours en bande. Si on en apercevait un, on savait que les deux autres traînaient dans les parages.

Ella, Gaak et Lycéos étaient les plus grands amis du monde et les meilleurs élèves de Calista. Une étrange complicité mêlée d'une forte rivalité, surtout entre les deux garçons pour obtenir la première place, semblait les stimuler et les obliger chaque jour à se dépasser. Ella et ses compagnons faisaient partie de l'élite, ce dont ils étaient conscients. Ils savaient qu'ils joueraient bientôt un rôle déterminant dans la Cité...

La première rencontre de Calista avec ses élèves avait eu lieu quelques semaines auparavant. Elle était en charge d'une dizaine d'enfants âgés de dix à quinze ans, parmi lesquels se trouvaient des Utiles à l'intelligence remarquable. Mais au milieu de tout son petit groupe, la cyclope avait tout de suite remarqué le trio dont les membres se distinguaient autant par leurs différences physiques que par leur complicité évidente. Pourtant, la première fois qu'elle avait rencontré Ella, Gaak et Lycéos, elle n'aurait jamais imaginé que ces trois-là étaient amis...

La cyclope avait surpris le trio au fond d'une allée très peu fréquentée de la bibliothèque. Ella était appuyée contre l'une des étagères et pleurait à chaudes larmes. Ses yeux d'un brun doré étaient rougis par les larmes qu'elle ne pouvait retenir, un hoquet nerveux secouant son petit corps de fillette âgée de tout juste dix ans. Ses longs et fins cheveux bruns qui retombaient en cascade dans son dos ondulaient au rythme saccadé de ses pleurs.

Un jeune garçon blond, à l'aspect robuste, secouait vigoureusement un autre petit garçon aux cheveux châtains et au regard bleu acier. Lycéos avait menacé Gaak de le frapper.

— Si tu fais encore pleurer Ella en lui disant que ses parents sont de stupides Surplus, je te jure que je te cognerai, avait grondé Lycéos en agitant son poing sous le nez de Gaak. Si tu n'étais pas mon meilleur ami, je t'aurais déjà cassé le nez.

Gaak s'était alors dégagé de la prise de son copain, un sourire en coin sur le visage.

— Depuis quand cela te pose-t-il un problème de faire pleurer les filles ? On l'a toujours fait.

— Ella est notre amie, et on ne fait pas pleurer ses amis ! avait répliqué Lycéos.

— Je n'ai rien dit de mal, avait craché Gaak. C'est vrai que ses parents sont des Surplus. Il n'y a pas de quoi pleurnicher pour ça. Ce qu'elle peut être sotte, parfois !

— Je ne suis pas sotte, avait protesté Ella entre deux sanglots.

— Oui, tu l'es, avait lancé Gaak avec force.

— Non, elle ne l'est pas, elle est juste sensible, était intervenu Lycéos pour défendre son amie.

— Autrement dit, c'est une fille ! s'était moqué Gaak. Dorénavant, je m'abstiendrai de lui parler. Cela m'évitera de la faire pleurer.

— Cela me semble une bonne idée, dans la mesure où tu ne peux pas t'empêcher d'être désagréable avec elle.

— Désagréable ? Mais je n'ai été désagréable avec personne. C'est elle qui n'a pas su prendre mon compliment.

— Ton compliment ? avait rugi Ella qui avait cessé de pleurer. Tu as dit que même si mes parents sont deux stupides

Surplus, je ne suis pas si mal réussie. Tu trouves que c'est un compliment ?

Lycéos avait dit, après avoir laissé échapper un petit rire amusé :

— C'est vraiment ce que tu as dit, Gaak ?

Gaak avait approuvé d'un hochement de la tête, ce qui avait fait éclater de rire Lycéos.

— Je ne vois vraiment pas ce qu'il y a de drôle ! avait jeté Ella, furieuse, en dévisageant le grand blond qui se trouvait près d'elle avant de le pousser fortement, le forçant ainsi à rejoindre Gaak contre le mur.

— Tu vois que cette fille est complètement folle ! s'était écrié Gaak. Elle ne sait pas contrôler ses humeurs.

— Comme n'importe quelle fille ! avait pouffé Lycéos, auquel s'était joint Gaak.

Calista avait alors été témoin d'un étonnant changement chez la fillette. Le chagrin et la contrariété qu'elle semblait avoir ressentis avaient disparu pour laisser place à une évidente colère. Ella s'était approchée des deux garçons. Avant même d'avoir le temps de comprendre ce qui leur arrivait, Gaak et Lycéos s'étaient retrouvés sur le sol sans même que leur amie les ait touchés. Amusée, Calista avait jugé qu'il était grand temps d'intervenir pour éviter que les choses ne dégénèrent entre les protagonistes.

— Je viens tout juste de finir de ranger cette bibliothèque. Tu ne vas pas tout saccager quand même ? avait-elle demandé à Ella en s'approchant d'eux, laissant ainsi une chance aux deux garçons de se relever.

— Je suis désolée, s'était excusée Ella, penaude d'avoir été prise en faute. Je n'avais pas l'intention d'abîmer ou de déranger quoi que ce soit. C'est juste que mes amis sont des idiots et qu'ils avaient besoin d'une bonne leçon.

— Je n'ose pas imaginer ce que tu aurais pu faire à ces deux jeunes garçons s'ils avaient été tes ennemis ! avait gloussé la cyclope, amusée.

— Je me demande bien pourquoi ils sont mes amis, avait dit la fillette, l'air contrarié, en croisant ses bras sur sa poitrine.

— Parce que nous sommes adorables ! avaient répliqué Gaak et Lycéos d'une même voix, ce qui avait arraché un petit rictus à Ella.

— Et puis, c'est toi qui voulais tester tes pouvoirs de télékinésie, avait lancé Gaak.

— C'est pour cela que vous avez agi de cette façon ? s'était radoucie Ella.

— Bien sûr, qu'est-ce que tu croyais ? avait interrogé Lycéos. On ne s'est pas montrés désagréables avec toi pour le plaisir. Mais chaque fois que nous avons voulu tester tes pouvoirs et que nous t'avons prévenue à l'avance, ça n'a jamais fonctionné. Alors Gaak et moi avons pensé que l'expérience serait peut-être plus concluante si nous ne t'avertissions pas avant.

— C'est toi qui leur as demandé de faire ça ? s'était enquise Calista, un peu perdue.

— Non, pas vraiment, cette mise en scène était leur idée. Je fais partie des Magiciens et j'ai découvert il y a peu de temps que j'ai le don de télékinésie. Mais je ne le contrôle pas encore vraiment bien et je suis incapable de le déclencher sur demande.

J'ai besoin de m'entraîner, et mes deux amis se sont portés volontaires, rit-elle en adressant à chacun un clin d'œil charmeur.

— Il est temps pour vous de retourner dans vos chambres à la tour Légistère, car je vais bientôt fermer la bibliothèque. Mais je vous retrouverai demain pour votre premier cours puisque c'est moi qui serai dorénavant votre professeur.

Calista avait ajouté :

— Ne t'en fais pas, nous travaillerons ton don ensemble. Et je t'assure que bientôt tu seras capable de faire voler tes compagnons d'un bout à l'autre de la bibliothèque.

— Génial ! avait crié Gaak, un large sourire plaqué sur le visage.

— Oh non ! avait gémi en même temps Lycéos dans un soupir.

Amusée et séduite par l'idée, Ella avait salué poliment sa nouvelle enseignante en lui assurant que les garçons et elle étaient impatients d'avoir leur première leçon.

Calista avait pris peu à peu ses marques auprès de ses élèves. Chaque rencontre avec eux se passait de mieux en mieux. Le Conseil avait vu juste : elle était faite pour enseigner aux plus jeunes. La cyclope aimait vraiment cet aspect de son travail d'Utile.

Chacun de ses élèves avait quelque chose d'étonnant. Pourtant, Calista gardait toujours un œil plus vigilant sur Ella, Lycéos et Gaak. Ils débordaient d'idées et d'imagination ; leur esprit était encore plus vif et éveillé que ceux de leurs camarades. Calista ne pouvait s'empêcher de trouver ces trois-là un peu différents…

C'étaient de *curieux* enfants. Mais c'était certainement pour cette raison qu'elle s'était si vite attachée à eux. Ils étaient comme elle : pas encore tout à fait à leur place... Mais ce n'était qu'une question de temps pour eux, tout comme pour elle. Calista avait de nombreuses années devant elle, Zeus le lui avait prédit avant de l'envoyer sur terre, et elle était certaine qu'il avait dit vrai.

La cyclope prenait enfin un nouveau départ. Sa vie parmi les humains allait vraiment commencer. Peu à peu, elle finirait par trouver sa place à la Cité.

Mais certaines choses allaient nettement plus vite que d'autres...

Les Utiles avaient rapidement repris l'habitude de fréquenter la bibliothèque. Certains venaient y suivre des cours de lecture ; d'autres, parmi les plus jeunes, venaient simplement y retrouver leurs amis. Cependant, tout n'était pas parfait, la preuve étant que le Conseil avait obligé Calista à porter un masque aux heures où le public était admis à la bibliothèque. Elle pouvait retirer le masque devant ses élèves qui n'avaient pas montré le moindre signe de dégoût ou de terreur devant elle. Mais parmi les Utiles, tous n'étaient pas si tolérants et n'acceptaient pas aussi bien l'apparence physique de Calista.

Un jour, une petite fille d'environ six ans s'était mise à hurler lorsqu'elle avait croisé la cyclope dans la rue. L'enfant s'était mise à pleurer et à supplier *le monstre* de ne pas la manger. Le regard apeuré de l'enfant et celui débordant de dégoût de la mère avaient choqué et peiné Calista. Un autre incident du genre avait eu lieu à la bibliothèque peu de temps après la réouverture. La cyclope avait dû se rendre à l'évidence : certains humains étaient plus sensibles ou moins tolérants que d'autres. Même des Surplus lui adressaient de drôles de regards lorsqu'elle passait aux abords du camp.

Le Conseil avait alors cherché une solution qui satisferait tout le monde, mais bien entendu cela n'existait pas. Un compromis fut donc trouvé : aux heures d'ouverture de la bibliothèque et lorsqu'elle se déplaçait dans la rue, Calista devait couvrir son visage. Une fois l'endroit fermé, ou bien si l'un de ses interlocuteurs le lui demandait, elle pouvait ôter son masque.

Jonas avait été scandalisé par une telle pratique. Yaëlle s'était jointe à son indignation. Calista n'était pas un monstre, les gens qui étaient troublés par cet œil unique qui les regardait n'avaient qu'à détourner la tête ou à ne pas mettre les pieds à la bibliothèque.

Le Conseil avait alors prétendu que cette mesure visait à protéger les plus jeunes qui étaient plus impressionnables. Mais Jonas et Yaëlle n'étaient pas dupes.

Les deux amis furent d'autant plus ulcérés que la cyclope avait accepté ce *compromis* sans rien dire. Elle avait gentiment rappelé à ses compagnons qu'elle avait déjà beaucoup de chance d'être une Utile et que dissimuler son visage quelques heures par jour ne la tuerait pas et ne changerait pas la personne qu'elle était ! À quoi bon se battre ou protester ? Elle savait d'avance qu'elle n'obtiendrait pas gain de cause. Elle était la seule cyclope de toute la Cité, et l'une des rares créatures à avoir rallié les rangs des Utiles.

Non, tout n'était pas parfait, mais Calista faisait de son mieux pour accepter les choses. Elle se répétait qu'un jour les gens de la ville ne la verraient plus comme une étrangère ou, pire, comme un monstre… et que bientôt elle pourrait circuler à visage découvert. Son sort était tout de même plus enviable que celui des Surplus…

Elle devait se plier aux lois qui régissaient la Cité même si elle n'était pas d'accord avec tout ce qui se passait entre les murs de cette ville. Maintenant, c'était ici sa maison, elle n'avait nul autre endroit où aller. Et le peu d'amis qu'elle avait étaient aussi ici. Et même si elle espérait un peu plus de la part de l'un d'entre eux, elle les aimait tous profondément.

Espérer… voilà tout ce qu'elle faisait depuis des mois ! Les choses avançaient lentement entre elle et Jonas. Pourtant, plus les jours et les semaines passaient, plus Calista s'attachait au jeune homme ; elle éprouvait de troublants sentiments à son égard. La simple présence de Jonas éveillait de curieuses et inédites sensations en elle…

Calista avait encore un peu de mal à gérer la part humaine qui vivait en elle. Les sentiments qui l'habitaient lui remuaient souvent le cœur. Elle se sentait parfois nerveuse, sans la moindre raison, ses mains devenaient moites et sa tête semblait ne plus être connectée au reste de son corps…

Elle avait dû se rendre à l'évidence : les émotions n'étaient vraiment pas son point fort. Elle avait toutes les peines du monde à les gérer, et encore plus à les exprimer !

Lorsque Jonas était près de Calista, une partie de la cyclope était en feu. Elle mourait d'envie de prendre la main du jeune homme, de le toucher, de l'embrasser ; elle était tourmentée par ses désirs intérieurs. Pourtant, en même temps, elle pouvait ressentir un apaisement total, surtout lorsque Jonas lui souriait. Elle éprouvait alors un sentiment de sécurité et était heureuse qu'il soit là. Dans ces occasions, elle se sentait réellement à sa place.

Elle n'avait pas la moindre idée de la manière dont Jonas pouvait arriver à lui faire ressentir toutes ces choses. Pourtant, il le faisait avec une facilité déconcertante, et tout cela donnait le vertige à Calista. Celle-ci venait de comprendre le sens de l'expression *tomber amoureux*. *Tomber* était assurément le mot juste, car c'était purement et simplement ce qui arrivait... On éprouvait en rencontrant l'âme sœur une sensation de chute et de vertige, grisante et en même temps effrayante, qui donnait l'impression de perdre le contrôle de soi. Une subite et étrange euphorie, une étonnante sensation de sombrer encore un peu plus après avoir échangé un premier sourire. L'impression de quitter son corps et son cœur pour laisser entièrement la place à l'autre... C'était tout cela, tomber amoureux. La chute avait été plutôt agréable pour Calista. Mais quand elle voyait Jonas agir comme s'il était son meilleur ami et rien de plus, cela lui serrait le cœur jusqu'à l'étouffement.

Jonas et Calista avaient beaucoup en commun. Bien sûr, ils ne partageaient pas un avis identique sur tout, mais ils étaient quand même très liés. Et leurs désaccords étaient toujours nettement moins violents que ceux qui explosaient parfois entre Yaëlle et le Psychique. Ce n'était absolument pas comparable.

La jeune cyclope et son ami partageaient le même amour de la poésie et des sabres anciens. C'était certes un passe-temps pour le moins original que de se passionner pour le travail de forge réalisé par les meilleurs artisans. Un sabre était un mélange fascinant : l'art, la précision et la puissance y formaient un véritable chef-d'œuvre.

Jonas et Calista pouvaient parler de littérature et de poésie pendant de longues heures, mais ils pouvaient en passer encore plus à comparer les lames de divers sabres et épées. La cyclope était intarissable sur le sujet puisqu'elle avait vu maintes fois Héphaïstos, le dieu de la forge, créer les armes les plus légendaires.

En rangeant son nouveau chez-soi quelques jours auparavant, Calista avait été enchantée de découvrir deux sabres guerriers entièrement noirs, de la lame à la garde. Puisque les deux armes étaient identiques, elle en garderait une et offrirait avec plaisir l'autre à Jonas.

Mais alors qu'elle était en route aller retrouver son ami, un violent mal de tête l'avait stoppée dans son élan. Elle s'était sentie pâlir et avait eu un bref moment d'absence.

Une vision s'était imposée à Calista, qui avait ressenti un haut-le-cœur en plus de son mal de crâne. Elle avait perdu conscience.

Après quelques instants, quelqu'un l'avait doucement secouée. La cyclope avait peu à peu repris conscience tandis qu'on la remettait sur ses pieds. L'œil de Calista s'était écarquillé de surprise lorsqu'elle avait constaté que c'était Jonas qui l'avait aidée à se relever.

Avec le temps, Jonas avait compris que lorsque son amie se retrouvait étendue sur le sol, c'était parce qu'elle venait d'avoir une vision. Elle ne racontait pas toujours ce qu'elle voyait, mais il était évident que les *flashes* qu'elle percevait étaient très douloureux et surtout incontrôlables depuis qu'elle vivait parmi les humains.

Calista repensa à la conversation qu'elle avait eue avec Jonas à cette occasion…

▼

— Est-ce que ça va ? lui avait demandé Jonas de son ton le plus doux en effleurant légèrement la joue de Calista du bout des doigts.

— Pourquoi toi et les autres me posez toujours cette question après une vision ? Ça a l'air d'aller ? avait craché Calista, toujours secouée par ce que venait de lui montrer son troisième œil.

— Je suis désolé. Tu veux que je te raccompagne à la bibliothèque ? Tu n'as pas l'air bien.

Malgré elle, Calista avait grincé des dents. Si elle avait été suffisamment en forme, elle aurait refusé l'aide de Jonas sans la moindre hésitation. Mais malheureusement pour elle, ce n'était pas le cas.

Une furieuse envie de pleurer l'avait tout à coup envahie… C'était idiot, elle n'allait tout de même pas se laisser miner le moral par une vision.

Pourtant, celle-ci lui avait presque déchiré le cœur… Elle avait vu Yaëlle et Jonas. Ses deux amis étaient dans un couloir de la tour Légistère, peut-être même devant l'une de leurs chambres, en train de s'embrasser…

Yaëlle et Jonas s'étaient embrassés…

Calista avait perdu sa famille voilà quelques mois, et elle allait perdre son âme sœur ? Elle n'y comprenait plus rien : si Jonas lui était destiné, pourquoi avait-il embrassé Yaëlle ?

Le jeune Psychique avait toujours dit à qui voulait l'entendre que Yaëlle était presque comme une petite sœur pour lui. De trois ans sa cadette, elle était un peu la seule famille qu'il avait.

Peut-être que pour la première fois de sa vie le troisième œil de Calista s'était trompé ? Après tout, c'était sa première vision du passé. Pourtant, la cyclope ressentait au fond d'elle-même que tel n'était pas le cas et que ce baiser avait bien eu lieu.

Son père lui avait expliqué que parfois les visions pouvaient ne pas se réaliser si le libre arbitre humain entrait en jeu. Il semblait que le libre arbitre de Jonas avait finalement choisi Yaëlle.

Calista savait très bien que sa réaction était ridicule. Ce n'était pas comme si Jonas l'avait trompée… et pourtant c'était exactement ce qu'elle ressentait. Et pour couronner le tout, cela s'était passé avec Yaëlle !

Celle-ci était tout ce que Calista n'était pas, ce qu'elle ne pouvait pas être, ce qu'elle ne serait jamais : un être humain à part entière.

— Je vais très bien, merci. Mais un peu d'aide ne serait pas de refus, avait marmonné Calista, incapable de prendre une décision quant à savoir si elle devait être furieuse contre Jonas pour avoir embrassé Yaëlle ou si elle devait être flattée du fait qu'il s'inquiétait pour elle. Raccompagne-moi dans ma chambre, s'il te plaît, avait-elle murmuré.

Après avoir marché en silence l'un à côté de l'autre dans les ruelles, les deux jeunes gens étaient finalement arrivés à la bibliothèque.

— Est-ce que tu veux manger quelque chose ? avait demandé Jonas en se dirigeant vers le coin qui servait de cuisine à la cyclope. Je te trouve bien pâle.

La petite alcôve qui se trouvait au nord de la bibliothèque était désormais devenue *la maison* de Calista. Elle ne vivait pas dans la tour Légistère comme bon nombre de Psychiques. Si tel avait été le cas, elle aurait été obligée de porter son masque en permanence. Vivre ici lui permettait d'avoir un peu plus d'intimité et d'abandonner son masque après les heures d'ouverture au grand public. Et puis il y avait Pénélope. C'était agréable d'avoir une présence près d'elle, d'avoir *quelqu'un* avec qui parler le soir avant de s'endormir.

Alors que Jonas préparait un léger en-cas pour elle, Calista n'avait pu s'empêcher de dévisager son compagnon. Il était si gentil avec elle, c'était un ami si dévoué.

Le comportement du jeune homme déboussolait complètement la cyclope. Si Jonas était amoureux de Yaëlle, pourquoi était-il si prévenant avec elle-même ? Pourquoi s'occupait-il d'elle comme si c'était la chose la plus naturelle du monde, comme si... comme si sa place avait toujours été ici, près d'elle... ?

Pourtant, la vie de Jonas n'était pas aussi étroitement liée à celle de Calista que cette dernière l'aurait souhaité... Et savoir qu'elle ne représentait qu'une petite partie de la vie du jeune homme, que ce n'était pas elle qui faisait battre son cœur, qu'elle était seulement une amie pour lui, devenait de plus en plus dur pour elle. Elle sentit tout à coup chaque muscle de son visage se crisper.

— Quelque chose ne va pas ? avait soudain demandé Jonas, légèrement inquiet. Tu vas avoir une autre vision ? avait-il ajouté pour se préparer à une éventuelle chute.

— Non, je... j'ai... avait bafouillé la cyclope. Je t'ai vu avec Yaëlle ! avait-elle lancé subitement pour ne pas s'étouffer dans sa rage et sa jalousie.

— Oui, et alors ? C'est normal que tu nous aies vus ensemble. Je suis souvent avec Yaëlle, nous sommes amis, rien d'étonnant à ça, avait gloussé Jonas en finissant de préparer une petite assiette de fruits.

— Je ne vous ai pas vraiment *vus*, je n'étais pas là physiquement. C'est mon troisième œil qui m'a... euh... Je... je sais ce qui s'est passé entre vous dans un des couloirs de la tour, avait dit Calista dans un souffle rapide comme si les mots pouvaient lui écorcher la bouche.

Jonas avait repoussé calmement l'assiette de fruits avant de venir près de Calista.

Le jeune homme avait soupiré fortement avant de lever les yeux vers la cyclope.

— Ce n'est pas ce que tu crois, Cali... avait-il plaidé, peu convaincant.

— Pas ce que je crois, hein ?

La jeune fille avait senti un flot de colère monter en elle. L'air de petit garçon pris en faute qu'affichait Jonas lui donnait envie de le gifler. Il ne comprenait rien... Il ne comprendrait jamais qu'il lui avait brisé le cœur.

— Calista, laisse-moi t'expliquer... avait commencé Jonas en avançant prudemment une main vers son amie.

Le voir aussi calme alors qu'elle était au bord de l'hystérie n'avait pas aidé Calista à contenir sa rage.

— Il n'y a rien à expliquer, Jonas : je t'ai vu embrasser Yaëlle, je ne suis pas stupide, j'ai très bien compris, avait-elle dit en reculant pour éviter qu'il la touche.

Le regard de Jonas s'était subitement illuminé. Calista avait eu l'impression que le jeune homme avait mille choses à lui dire mais qu'il ne savait pas par où commencer.

— Cali, ce n'était qu'un ridicule petit baiser sans importance ! Il n'y a jamais rien eu entre Yaëlle et moi ! Nous sommes amis, rien de plus !

— Tu as une façon des plus chaleureuses d'embrasser tes *amies*. Comment est-ce que tu as pu l'embrasser de cette façon ?

Calista voulait comprendre. Pourquoi avait-il choisi Yaëlle ? Pourquoi pas elle ?

— Pourquoi as-tu l'air si choquée par l'idée que j'aie embrassé une fille ? C'est ce que font les garçons de mon âge !

— Ce qui me choque, c'est que tu l'aies choisie, elle ! Je croyais que tu la considérais un peu comme ta petite sœur !

— J'ai embrassé une seule fille dans toute ma vie ! Et ça remonte à il y a cinq ans !

Calista avait alors dévisagé le jeune homme comme s'il venait de lui dire qu'il avait rencontré Zeus et la gentille licorne des bois à l'heure du thé chez l'ogre du coin.

— Tu n'as embrassé qu'une seule fille ? avait soufflé Calista, abasourdie.

L'air surpris que la cyclope affichait avait fait rougir Jonas de honte. Calista n'avait pu alors retenir, sarcastique :

— Avec Yaëlle, maintenant ça fait deux.

— J'avais tout juste quatorze ans la première fois que j'ai embrassé une fille. Elle était mon premier amour. Je n'ai jamais rien ressenti d'aussi fort pour quelqu'un depuis, à part pour… s'était interrompu le jeune homme en posant un regard troublé sur la cyclope.

— Pour qui ? Vas-y, ne t'arrête pas en si bon chemin, vide ton sac. Tu voulais dire pour Yaëlle ?

— Non, je voulais dire pour toi, espèce d'idiote. Mais tu n'es pas prête à entendre ça, avait répliqué Jonas, piqué au vif.

— Comment peux-tu en être sûr, étant donné que je ne sais même pas ce que tu entends par « ça » ? avait lancé Calista sur un ton de défi.

La conversation était en train de lui échapper complètement, et elle était perdue entre ses sentiments pour Jonas et la colère qui l'aveuglait.

— Pourquoi est-ce que je perdrais mon temps à te parler de choses que tu ne vois pas par toi-même ? Tu ne fais visiblement confiance qu'à ton don de double vue !

— Lui, au moins, il ne me ment pas ! Il me permet de me protéger et de protéger parfois les autres !

— Moi, je dirais plutôt qu'il t'empêche de découvrir ou de ressentir certaines choses toute seule.

— Ressentir les choses ? Non merci, j'ai donné ! Je suis déjà suffisamment mal à l'aise de passer mes journées avec une personne qui ne ressent pas pour moi ce que je ressens pour elle ! avait crié Calista, frustrée.

— Cali... Tu ne sais pas de quoi tu parles. Je... je tiens à toi.

— Je suis ravie de l'apprendre. Mais je ne te parle pas d'amitié, je te parle de quelque chose de plus fort, de plus intime... Comme ce que tu ressens pour Yaëlle !

La cyclope commençait à tourner en rond. Elle avait besoin de sortir. Elle s'apprêtait à prendre la fuite quand Jonas l'avait rattrapée par la manche, l'obligeant à le regarder.

— Je ne ressens rien d'autre que de l'amitié pour Yaëlle, je te le jure. Et du reste, j'avais compris de quel genre de sentiment tu parlais... C'est toi qui n'as pas saisi ce que je voulais dire. Je ne suis pas en train de te dire que toi aussi tu es mon amie ; je suis en train de te dire que je tiens à toi. Mes sentiments pour toi sont bien plus forts que ce que tu crois. Il y a déjà longtemps que j'ai dépassé le stade de la simple amitié, Cali... avait avoué le jeune homme de son air le plus sérieux.

Calista avait alors vu passer dans les yeux de Jonas un sentiment qu'elle ne pensait pas lui inspirer : de l'amour... Les larmes au bord de l'oeil, le cœur sur le point d'exploser, la cyclope n'avait plus su quoi penser.

— Alors pourquoi as-tu mis tout ce temps à te décider ? Pourquoi est-ce si difficile d'être près de toi, d'être avec toi, si toi aussi tu ressens quelque chose pour moi ? Il suffirait d'un geste, que tu t'approches de moi et que...

— Je t'embrasse ?

— Oui, quelque chose comme ça...

— Je ne t'ai pas embrassée jusqu'à aujourd'hui, pas parce que je ne le voulais pas, mais parce que ce n'était pas le moment. Cela aurait été trop compliqué à assumer. J'avais besoin de temps pour accepter mes sentiments pour toi. Jusqu'à il y a peu de temps, je n'étais pas prêt... Nous n'étions pas prêts.

— Mais maintenant nous le sommes, non ? Alors qu'est-ce que tu attends ? Le décor est parfait, c'est le moment. Nous sommes seuls, personne ne va nous interrompre ; vas-y, Jonas, embrasse-moi ! Si je compte pour toi, fais-le... avait murmuré Calista d'une voix fébrile.

Jonas s'était penché doucement. Il avait posé une main sur la hanche de la cyclope ; de sa seconde main, il avait effleuré légèrement le bras de Calista avant de descendre jusqu'à la main. Ses doigts avaient caressé le dos de la main de la jeune fille. Puis il avait souri tendrement...

— Je suis désolé, mais je ne peux pas... avait-il soufflé avant de se diriger vers la porte.

Calista s'était sentie perdue... La seconde d'avant, Jonas était sur le point de l'embrasser. Puis il s'était sauvé comme s'il était poursuivi par le dieu des enfers en personne.

— Je déteste quand tu agis comme ça ! avait hurlé Calista. Quand tu envoies tout promener parce que tu as peur de ne plus rien contrôler. Tu agis exactement de la même manière lorsque tu affrontes Yaëlle.

— Il y a déjà bien longtemps que j'ai perdu le contrôle face à toi, Cali...

▼

Après le départ de Jonas, Calista était restée seule, le cœur et la tête retournés par un océan de sentiments qui débordaient. Son cœur était devenu trop petit pour contenir la tempête qui faisait rage en elle.

Pourquoi son troisième œil lui avait-il envoyé cette vision ? Pourquoi Jonas disait-il ressentir des choses pour elle et refusait de l'embrasser ? Alors qu'il prétendait que Yaëlle était une simple amie, il n'avait pas hésité à l'embrasser à pleine bouche.

Les sentiments humains étaient vraiment complexes. Lorsque Calista vivait sur l'Olympe, elle ne ressentait que peu de choses. Les dieux éprouvaient un nombre limité d'émotions ; il n'y avait pas grand-chose qui les touchait. Calista avait appris à contrôler ses sentiments et à devenir en partie comme eux. Mais depuis qu'elle était arrivée sur terre, elle avait perdu la faculté de retenir ses émotions. C'était sans doute la raison pour laquelle ses visions lui déclenchaient de nouveau des maux de tête excessivement douloureux : elle se laissait affecter par ce qu'elle voyait. Elle ne ressentait plus avec son esprit comme lorsqu'elle vivait sur l'Olympe. À présent, elle ressentait tout avec son cœur, et la part humaine en elle avait souvent du mal à supporter l'intensité de ses émotions.

Calista avait passé plus d'une heure seule, assise dans un coin de la petite alcôve. Malgré tous ses efforts, elle n'avait pas réussi à chasser Jonas de son esprit. C'était comme s'il avait de nouveau pris possession de son âme…

Démoralisée et confuse, la jeune cyclope avait poussé un profond soupir avant de se décider à se relever. Toute cette histoire réveillait en elle un flot d'émotions qui semaient la confusion dans sa vie.

Calista s'était subitement sentie tirée vers l'arrière. Une main l'avait agrippée fermement et obligée à se retourner.

Jonas lui faisait face. L'air déterminé qu'il affichait avait presque effrayé Calista.

Il avait placé ses mains sur l'étagère, faisant ainsi de Calista sa prisonnière. Son corps avait poussé délicatement celui de la cyclope contre la bibliothèque. Calista avait pu percevoir la respiration calme et régulière de Jonas. Pourtant, ses yeux bleus le trahissaient ; il était tout sauf calme ! Il semblait chercher le courage de parler. Alors la cyclope avait attendu patiemment.

— Tout à l'heure, tu m'as demandé quelque chose que je n'ai pas eu le courage de faire. Mais j'ai réfléchi. Si je n'ai pas saisi ma chance, ce n'est pas par manque de cran. Je ne suis pas un lâche, Cali, mais j'ai longtemps eu peur de tout faire rater entre nous. La vie à la Cité et le fait que tu sois à demi cyclope rendent l'histoire plus compliquée. Et puis, ce que je ressens pour toi depuis tous ces mois est embrouillé...

— Tous ces mois ? s'était exclamée la cyclope, car c'est tout ce qu'elle avait retenu tellement cet aveu l'avait surprise.

Amusé, le jeune homme avait remis doucement en place l'une des magnifiques mèches blanches derrière l'oreille de Calista avant de rire tout bas.

— Cali, je suis amoureux de toi depuis le premier jour où je t'ai vue. À partir de ce moment, je n'ai eu d'yeux que pour toi

— Alors pourquoi est-ce que tu as embrassé Yaëlle ?

— Parce qu'elle n'était pas toi ! Parce que je savais qu'avec elle je ne risquais rien, que même si elle se moquait de moi, ça ne me briserait pas le cœur, parce que la seule qui a ce pouvoir et l'aura toujours, c'est toi, Cali...

— Si j'ai vraiment ce pouvoir, alors pourquoi ne m'as-tu pas embrassée tout à l'heure ? Et pourquoi est-ce que je me serais moquée de toi ?

— Je... je n'ai pas beaucoup d'expérience avec les filles. J'en ai parlé à Yaëlle. Et je lui ai tellement rebattu les oreilles avec cela qu'elle a perdu patience et m'a embrassé pour me prouver que ce n'était pas si sorcier... Je voulais que notre premier baiser, à toi et à moi, soit parfait ! J'ai vraiment envie d'être avec toi, Calista. Je voulais que notre histoire commence sur de bonnes bases, je ne voulais pas que tu gardes un mauvais souvenir de ce baiser ! Je veux qu'il soit le début de quelque chose de vrai entre nous deux. Mon cœur est tien. Je me suis parfois mal comporté avec toi, j'ai commis des erreurs, mais je veux une chance pour tout réparer.

Calista avait eu le plus grand mal à réprimer un sourire moqueur. Oui, toute cette histoire était parfaitement idiote. En plus, elle prouvait que Yaëlle était aussi bête et romantique que Jonas. C'était dans ce genre de moment que Cali comprenait pourquoi ces deux-là étaient aussi liés ! Pas un pour rattraper l'autre !...

— Je suis sûre que tu embrasses très bien. Et si ce n'est pas le cas, j'aimerais autant que tu pratiques avec moi plutôt qu'avec Yaëlle, avait-elle lancé sans réfléchir. Enfin, je veux dire que... que... avait-elle bafouillé lorsqu'elle s'était rendu compte de ce qu'elle avait exprimé.

— J'ai compris ce que tu voulais dire, avait interrompu Jonas pour éviter à son amie de trop en rajouter. Je tiens sincèrement à toi, Calista.

— Moi aussi, Jonas... Tu vas sûrement trouver ça idiot, mais la première fois que je t'ai vu, j'ai su que tu étais mon âme sœur.

— Ça n'a rien d'idiot, loin de là. Mais moi, je n'ai pas eu besoin d'un troisième œil pour le savoir ! avait plaisanté Jonas avant de prendre fermement Calista dans ses bras.

Se laissant porter par cette étreinte et profitant de la douce chaleur qui avait envahi son corps, Calista avait glissé ses bras autour de la taille de Jonas. Ce dernier avait resserré encore un peu plus ses bras comme pour les couper, son amoureuse et lui, du monde extérieur. À cette seconde, le monde entier avait disparu, il ne restait plus rien... plus rien que leurs deux cœurs battant à l'unisson.

La cyclope avait été prise d'une soudaine envie d'embrasser Jonas. Bercée par les battements de son cœur, elle ne désirait qu'une seule chose : faire durer cet instant de bonheur... Mais elle ne savait pas vraiment si c'était le bon moment pour embrasser le jeune homme.

Où cette discussion les avait-elle menés au juste, elle et Jonas ? Formaient-ils un couple maintenant ? Calista n'aurait su le dire. C'est pourquoi elle avait tant hésité à donner un baiser à son compagnon.

C'est alors que Yaëlle était entrée subitement dans la pièce. Jonas et Calista avaient eu le même réflexe : ils avaient relâché leur étreinte brutalement.

— Je te cherchais, Jonas. Il est l'heure de rentrer à la tour Légistère. N'oublie pas que tu as rendez-vous avec le Conseil pour faire le point sur le nouveau composant des pilules destinées aux Surplus. Calista, Pénélope m'a demandé de te rappeler que tu as un cours à donner dans dix minutes, avait dit la jeune fille sans laisser voir si elle avait surpris en flagrant délit de tendresse ses deux amis.

— Merci, j'arrive tout de suite, avait assuré Jonas dans un sourire nerveux.

Yaëlle avait gratifié ses amis d'un sourire entendu avant de les quitter. À peine sortie de la pièce, elle avait hurlé :

— Pénélope, tu avais raison. Il y a de l'amour dans l'air !

— Ce qu'elle peut être bête, parfois, avait gémi Jonas.

— Seulement parfois ? avait plaisanté Calista, ce qui avait arraché un petit rire au jeune homme.

— Le devoir m'appelle. Je dois y aller...

— Mon cours durera deux heures. Est-ce... qu'on se verra après ? avait demandé la cyclope en retenant Jonas par la main, avant d'entremêler leurs doigts.

Jonas s'était baissé pour déposer un baiser sur la joue de Calista :

— Bien sûr ! On n'a qu'à se retrouver ici, si tu veux !

Calista avait approuvé d'un hochement de tête.

Le jeune homme était sur le point de quitter la pièce lorsque la cyclope l'avait rattrapé. L'endroit n'était peut-être pas parfait, ce n'était peut-être pas du tout ce que Jonas avait espéré pour leur premier baiser... Mais un besoin impérieux d'embrasser son âme sœur s'était soudain manifesté au fond du cœur de Calista.

Sans réfléchir le moins du monde, la jeune fille avait glissé ses bras autour du cou de Jonas et l'avait attiré doucement à elle. Leurs regards s'étaient croisés. Pendant une fraction de seconde, Calista avait eu peur que Jonas change d'avis, qu'il réalise qu'il y avait plus de monstre en elle que d'être humain. Mais le sourire tendre que le jeune homme lui avait offert avait immédiatement rassuré Calista. Elle s'était sentie en confiance au creux des bras de Jonas.

Ils allaient enfin partager leur premier baiser...

Calista s'était hissée sur la pointe des pieds. Ses lèvres avaient touché celles de Jonas... d'abord timidement, puis le jeune homme avait refermé ses bras sur la cyclope.

Le baiser s'était fait plus passionné lorsque Jonas avait franchi doucement la barrière des lèvres de son amoureuse. C'était si naturel pour lui de l'embrasser ainsi... si naturel de la tenir entre ses bras. Il réalisa alors à quel point il avait été stupide. Lorsque l'être aimé est en face de soi, tout devient limpide. L'instinct prend le dessus et il ne reste plus qu'à se laisser porter par cette douce chaleur qui envahit le cœur et l'esprit…

Approfondissant leur baiser, les deux jeune gens avaient pu percevoir les battements du cœur de l'autre.

Le cœur de Calista lui avait semblé alors trop petit, trop étroit pour contenir tout cet amour naissant… Là, blottie entre les bras du garçon qu'elle aimait, la jeune cyclope avait été envahie par un sentiment intense de bonheur. Cette fois, elle ne se contentait plus d'attendre que sa vie commence : elle était en plein dedans ! Et c'était parfait ainsi !

Oui, pour la première fois de sa vie, pour quelques instants, tout avait été parfait…

Chapitre huit
Un passé si présent…

2070… Dix ans…

Dix ans déjà que je vis sur la terre des humains. Ce monde n'a cessé de se transformer, de changer, tout comme je l'ai fait.

Pendant cette décennie, tant de choses sont arrivées ; des bonnes comme des mauvaises… D'heureux moments ont embelli nos vies, et de douloureux chagrins ont ravagé nos cœurs. Toutes ces expériences m'ont fait grandir. C'est ce que les hommes appellent tout simplement la vie. Si eux ont eu à affronter tout cela chaque jour depuis leur naissance, il n'en est rien pour moi. Je dois apprendre chaque jour à faire face aux coups du sort. J'apprends à devenir une femme, une épouse, une mère… Il y a à présent toutes *ces personnes* qui vivent en moi. Je suis tout ça à la fois et aucune en même temps. Même après dix ans passés ici, je m'étonne encore de tout ce que je peux ressentir ou découvrir. Je suis toujours surprise de la vitesse à laquelle passent les jours. J'ai parfois l'impression d'avoir quitté l'Olympe la veille…

L'Olympe…

Lorsque j'évoque ma première demeure, j'ai toujours un petit pincement au cœur. Mais si je n'étais pas partie – même s'il ne s'agissait pas d'un départ volontaire –, je n'aurais jamais vécu une vie aussi enrichissante que depuis mon arrivée à la Cité. Si Apollon m'a privée de ma famille, Zeus m'a fait un merveilleux cadeau en m'offrant une vie mortelle – ou presque… Même si ma vie parmi les humains n'est pas parfaite, je l'aime.

Je regrette simplement que mon père n'ait pas eu la chance de rencontrer son petit-fils... Je suis sûre qu'il l'aurait aimé autant qu'il m'a aimée et choyée. Il aurait été un grand-père extraordinaire. C'était un cyclope, un père, un ami hors du commun. Et si mon fils devient un jour la moitié de *l'homme* qu'a été son grand-père, il accomplira sûrement de belles et grandes choses dans sa vie.

Jonas et moi avons décidé de prénommer notre fils comme mon père. Ce père qui me manque bien souvent, ce père qui continue de vivre en moi et en mon fils Brontès.

Tant de choses se sont passées dans ma vie. J'aurais voulu les partager avec mon père, mes oncles, mon parrain... Mais maintenant, j'ai une nouvelle famille. Elle ne remplacera jamais les personnes que j'aimais sur l'Olympe. Elle est simplement une prolongation, une continuité... Lorsqu'une génération s'éteint, une nouvelle la remplace. Ce n'est rien d'autre que l'ordre naturel, le cycle de la vie...

Je suis le lien entre ces deux générations, le témoin du passé de notre famille et de son avenir. Grâce à cela, ou peut-être à cause de cela, je ne suis plus tout à fait la même. Pourtant, je reste fidèle à mes origines. Et même si je sens plus fortement ma part humaine en moi, je n'en oublie pas pour autant que je suis une cyclope. Je suis parvenue à un subtil équilibre entre les deux et cela me convient parfaitement. J'ai compris que je n'avais pas à choisir entre l'être humain et la cyclope qui sont en moi. Ces deux moitiés forment un tout et font de moi l'être que je suis.

La vie me fait avancer. Mes rôles changent, se complètent, mais je reste toujours moi. Que je sois la fille, l'épouse, la mère, la directrice de la bibliothèque, l'amie, le monstre ou autre chose, ça ne change rien, tout ça est en moi. Mon âme ressemble à un gigantesque puzzle où chaque morceau s'imbrique parfaitement aux autres pour former un tout. C'est ce que je suis, c'est ce que sont les humains : des puzzles !

On mélange quelquefois des pièces, on a l'impression que tout se ressemble, que tout est confus, on pense avoir perdu certains morceaux. On finit par les retrouver lorsqu'on cherche bien, ou simplement lorsqu'on n'y croyait plus. On passe de longues heures à essayer de faire le tri, à compartimenter, à tenter de comprendre comment tout fonctionne.

L'âme des gens et la mienne fonctionnent exactement de cette façon. C'est ce qui fait de nous des êtres vivants, des êtres humains…

Même si je n'ai pas connu ma mère, je porte tout de même en moi cette partie d'elle ; elle est ma part d'humanité. C'est grâce à elle que je suis capable d'aimer, c'est elle qui m'a offert ce cœur qui bat si fort et si vite dans ma poitrine, ce cœur qui déborde de sentiments, ce cœur qui me fait me sentir toujours plus forte et plus vivante jour après jour ! Ce cœur me permet de ressentir, d'aimer tellement fort que j'ai lié ma vie à un autre être… Ce cœur n'est plus tout à fait mien puisque je l'ai donné depuis longtemps à Jonas.

Mon âme et mon cœur ont reconnu en lui l'une des pièces du puzzle qui manquaient. Une pièce avec laquelle tout semble enfin complet.

Même si la situation se dégrade à la Cité, nous avons tout de même eu de bons moments, sûrement parce que nous sommes encore capables de ressentir quelque chose… Mais cela comporte un inconvénient : nous pouvons souffrir…

Le deuil nous a frappés deux fois en peu de temps…

Nous avons d'abord perdu notre bien-aimée Pénélope. Elle s'est éteinte calmement un soir, près du carnet de bord de Gilbert. Elle est partie sans bruit, ne nous laissant pas le moins du monde présager ce qui allait arriver. Une fois assurée que sa tâche parmi nous était terminée, elle s'est endormie pour ne plus jamais se réveiller. Rassurée, sachant que je prendrais soin de la bibliothèque, elle s'est laissée mourir vu son grand âge et a rejoint paisiblement son ami Gilbert.

Si notre petit clan a été très ébranlé par ce décès, personnellement je n'ai pas pu lutter contre le sentiment d'abandon qui m'a envahie. C'était comme si je venais de perdre un membre de ma famille, et cela éveillait en moi d'anciens chagrins. Il m'a fallu de longs mois pour réussir à panser cette plaie et donner à mon cœur le temps de pleurer ma vieille amie qui m'avait tant appris.

Puis la vie a doucement repris son cours avant que le destin ne frappe de nouveau l'année suivante l'un d'entre nous…

Ce fut au tour de Yaëlle d'être touchée par le chagrin et de perdre un être aimé, soit Sébastian, son petit ami. Le jeune homme, un Soigneur tout comme elle, était le frère aîné de Gaak. Yaëlle l'avait rencontré un jour que le jeune homme était venu chercher son frère à la fin d'un cours. Elle était tombée immédiatement sous le charme et s'était mise à rôder de plus en plus régulièrementà la bibliothèque à la fin des cours que je donnais aux jeunes Utiles, dans l'espoir de croiser Sébastian…

Ils s'étaient revus souvent… et Sébastian avait commencé à partager les sentiments de Yaëlle. Après deux années passées à se fréquenter, nos deux amis avaient pris la décision de s'unir. Mais quelques semaines avant leur mariage, le Conseil avait organisé une excursion dans le désert pour que quelques Sourciers partent à la recherche de nouvelles sources d'eau. Accompagné de plusieurs Citadins et de Surplus chargés de porter les barils, Sébastian était parti avec eux. Le Conseil ne laissait jamais partir ses précieux Sourciers sans escorte ni Soigneurs. On ne savait jamais ce qui pouvait arriver en chemin, et parfois les groupes s'éloignaient de plusieurs jours de marche ou de cheval de la Cité.

Cette excursion n'avait rien de plus dangereux que les précédentes, et Sébastian avait déjà fait des dizaines et des dizaines de ces sorties dans le désert. Pourtant, cette fois, les choses avaient mal tourné pour lui…

Deux jours après son arrivée dans le désert, le groupe avait été pris en chasse par des coyotes, et le jeune homme avait perdu la vie.

Seuls quelques Citadins et deux des trois Sourciers étaient revenus à la Cité, blessés.

Les Citadins avaient pour ordre lors de leurs sorties dans le désert de protéger en priorité les Sourciers qui sont les Utiles les plus précieux de la Cité. Ce sont eux qui fournissent l'eau pour toute la ville ; sans eux, plus aucune forme de vie ne serait possible. Les Soigneurs n'arrivent qu'en seconde position dans ces cas-là, et les Surplus doivent se débrouiller au moindre problème. Tout le monde connaît les règles et compose avec elles.

Ce n'était pas la première fois qu'une horde de coyotes attaquait les groupes de ravitaillement d'eau. Mais ce jour-là, Sébastian et les Surplus n'avaient pas eu le dessus et l'avaient payé de leur vie.

En apprenant la nouvelle, Yaëlle s'était effondrée. Elle avait pleuré pendant des jours, et ni Jonas ni moi n'avions réussi à la consoler. Nous nous sentions impuissants face à la douleur qui ravageait le cœur de notre amie. Parfois, il n'y a rien à faire à part offrir une présence silencieuse et dévouée…

Il faut alors attendre que le temps fasse son œuvre et que le chagrin s'amenuise. Même si l'on n'oublie jamais l'être aimé, après quelque temps on se sent un peu mieux. Quelle que soit l'intensité du chagrin, il finit toujours par s'estomper. Certes, il laisse des traces parfois indélébiles dans nos vies, mais on survit. Même si Yaëlle allait garder à jamais un vide dans son cœur, nous savions qu'elle reprendrait le cours de sa vie.

Et après quelques semaines, c'est ce qui s'était passé. Yaëlle, qui, jusque-là, était restée enfermée chez elle, avait recommencé à sortir, à voir des gens, à venir à la bibliothèque… l'endroit qui avait vu naître et avait abrité son amour pour Sébastian. La vie avait doucement, mais sûrement, repris ses droits. Le monde et la Cité continuaient d'avancer sans le jeune homme. Ce fut bientôt le tour de Yaëlle de revenir parmi les vivants et d'avancer, aussi douloureux que cela ait pu être.

Puis deux mois après le décès du Soigneur, Yaëlle avait découvert qu'elle portait un enfant. Ce bébé était tout ce qui lui restait de Sébastian, il était la dernière et la plus grande preuve de leur amour. Pourtant, les parents de Yaëlle avaient refusé qu'elle garde cet enfant conçu hors des liens du mariage. Si ce bébé voyait le jour, Utile ou non, Yaëlle serait déshonorée et ne pourrait plus jamais se marier. La loi était claire à ce sujet : si deux individus Utiles procréaient hors des liens du mariage, les futurs parents étaient condamnés à s'unir avant le terme de la grossesse, forçant ainsi les deux parties à prendre leurs responsabilités de parents. Si une Utile tombait enceinte d'un Citadin ou d'un Utile déjà marié, la future mère avait le choix entre renoncer à l'enfant – conservant ainsi ses chances de pouvoir se marier un jour – ou élever seule le nouveau-né.

Cette loi injuste permettait à la fois aux Justiciers d'assurer le contrôle des naissances dans la Cité et de punir les filles-mères.

À presque vingt ans, Yaëlle prit la décision de garder l'enfant et de l'élever seule, renonçant ainsi pour toujours au mariage. Sébastian étant l'amour de sa vie, elle n'avait eu aucune hésitation : elle donnerait naissance à leur enfant ! Telle fut sa décision.

Les parents de la jeune femme désapprouvèrent son choix. Ils lui tournèrent le dos, la laissant ainsi seule…

Mais Yaëlle n'était pas tout à fait seule. Jonas et moi étions là. Nous étions sa véritable famille et nous accueillerions ce bébé comme s'il était un peu le nôtre.

Quelques mois plus tard vint au monde une magnifique petite fille, que Yaëlle prénomma Lucy.

Jonas et moi avons été choisis comme parrain et marraine de cette enfant qui apportait un nouvel espoir, une lumière au milieu du chaos qui commençait à régner sur nos vies. C'est pour cela que Yaëlle avait choisi ce prénom : Lucy signifie « lumière » en latin. Car c'était ce que représentait cette enfant aux yeux de sa mère : la lumière au bout du tunnel, la lumière qui déchirait les ténèbres après un violent orage. La lumière qui aujourd'hui éclairait nos vies.

L'année suivante, en 2063, Jonas et moi nous sommes mariés, trois ans jour pour jour après notre premier baiser. Un geste très romantique selon Yaëlle… Mais le romantisme n'avait pas grand-chose à y voir car, hélas, c'est une pratique qui se meurt peu à peu chez les humains. La date de notre mariage était surtout un heureux concours de circonstances, un de ces petits moments de la vie qui tombent parfaitement bien. Quelquefois, le hasard fait bien les choses !

Après que j'eus accepté de l'épouser, Jonas dut demander au Conseil des Justiciers d'approuver notre union. Il fallait que le Conseil nous accorde sa bénédiction et évalue si je représentais un bon parti. Cette mesure existe pour s'assurer qu'un Utile n'épouse jamais un Surplus.

Il est en effet absolument hors de question qu'un jour ces deux classes se mélangent. Les Utiles doivent épouser des Utiles, de préférence aux dons de même catégorie, pour multiplier et fortifier ceux de leurs descendants, ce qui réduit les possibilités de se retrouver avec un enfant Surplus. Et si le Conseil juge que les deux Utiles ne sont pas suffisamment compatibles, il peut refuser de célébrer l'union. Les deux prétendants n'ont alors d'autre choix que de se plier au jugement rendu.

Les Surplus, eux, ne sont assujettis à aucune règle à cet égard. Le Conseil n'a que faire de qui ils épousent ou avec qui ils procréent. Les Surplus ne sont que de la main-d'œuvre facilement remplaçable pour les Justiciers, qu'ils traitent de moins en moins bien. Plus le temps passe, plus la condition des Surplus empire, alors que les privilèges des Utiles n'en finissent pas de s'accroître.

Mariages, enfants, travail... tout est différent d'une classe à l'autre. Les règles qui s'appliquent aux uns ne sont pas valables pour les autres.

Jonas et moi avons eu une charmante petite cérémonie dans la tour Légistère, l'endroit où le Conseil célèbre toutes les cérémonies de mariage des Utiles. Nous avons alors prêté serment, car ce que le Conseil unit, nul ne peut le désunir, sauf la mort. Notre mariage a, semble-t-il, ravi les Justiciers, car de notre union naîtraient sûrement de précieux Utiles pour la Cité. Même si les parents de Jonas sont des Surplus, nos chances d'avoir des enfants Utiles sont plutôt bonnes. Notre mariage a été consacré le jour de l'anniversaire de notre premier baiser, un présage de bonheur et de bonne fortune sans doute...

Bonne fortune que jamais les Surplus n'ont la chance de connaître…

Lorsque des mariages de Surplus doivent être célébrés, le Conseil organise une cérémonie groupée pour gagner du temps. Une fois par an, les Justiciers se rendent au camp et officient sous la surveillance constante des Citadins pour marier les Surplus. Tous regroupés au milieu de la cour, ceux-ci reçoivent les bénédictions en quelques minutes, avant que les couples passent devant moi pour que je les inscrive dans le registre. C'est la partie de mon travail que j'aime le moins. Voir tous ces gens traités comme du bétail me révolte, voir année après année avec quel mépris les Surplus sont traités me crève le cœur. Je n'ai pas mon mot à dire là-dessus ; pourtant, je n'en pense pas moins. Les Justiciers ont tout pouvoir, et Utiles comme Surplus suivent les règles imposées. Le Conseil règne sur la Cité depuis tellement longtemps maintenant que personne – ou presque – ne remet son rôle ou ses décisions en question. La Cité se prétend une démocratie, mais c'est loin d'être le cas. Les seuls qui disposent d'une réelle liberté d'action sont les Utiles, et cela, seulement à partir de dix-sept ans, car les plus jeunes n'ont pas le choix. Dès l'âge de dix ans, ils doivent vivre dans la tour Légistère et sont autorisés à rentrer chez eux – pour ceux qui ont une famille – seulement les fins de semaine. Le reste du temps, ils se trouvent sous la coupe du Conseil. Seuls les enfants qui ont des parents qui siègent au Conseil vivent avec eux jusqu'à leur majorité. Après leurs dix-sept ans, ils ont le choix de continuer à vivre avec leurs parents ou de s'installer où ils le souhaitent dans la Cité pour fonder leur propre foyer.

Bien que les Utiles aient une vie dorée, une fois majeurs, ils ne semblent pas heureux. Le bonheur semble devenir pour eux un concept de plus en plus flou et abstrait.

Étrangement, même si leurs mariages n'ont aucune valeur aux yeux des Utiles et qu'ils ne bénéficient d'aucun privilège, les Surplus semblent heureux pendant ce court instant où ils ont sans doute l'impression de redevenir humains... où ils ont le libre choix d'unir leur vie à une autre personne. Une étincelle s'allume alors dans leur regard lorsqu'ils m'annoncent fièrement leurs noms pour que je les inscrive dans le registre.

Bon nombre d'Utiles sont loin d'avoir cette lumière dans les yeux lorsqu'ils passent devant le Conseil. Je me suis rendu compte que chez certains Utiles la capacité d'aimer ou de ressentir un quelconque sentiment lié à l'amour s'est affaibli à mesure que leur don est devenu plus fort. C'est comme si l'amour, ou tout sentiment qui s'y rattachait de près ou de loin, s'éteignait peu à peu dans le cœur des gens... surtout dans la classe des Utiles. Comme s'il s'agissait d'une sorte de prix à payer pour faire partie de l'élite de la Cité. Je suis de plus en plus souvent témoin de ces mariages sans amour qui n'ont pour seul but d'avoir des enfants encore plus doués que leurs parents. Si l'amour et l'attachement ne semblent pas régir la vie des Utiles, leur instinct de survie, lui, est très développé. Et le but du Conseil est clair : multiplier les Utiles au sein de la Cité.

Donc si, par malchance, les enfants engendrés chez les Utiles ne sont pas aussi performants que ce que l'on espère, ce n'est pas un drame pour le Conseil qui y gagne de la main-d'œuvre supplémentaire en envoyant les enfants dépourvus de dons chez les Surplus. En compensation de la perte de leur enfant, les parents peuvent – s'ils le souhaitent – engendrer un autre enfant, que l'on appelle *enfant de remplacement*.

Le Conseil contrôle chaque naissance. Tout est noté et examiné à ce sujet. C'est la seule chose que les Justiciers se donnent la peine de vérifier chez les Surplus. Il faut suffisamment de Surplus pour réaliser les travaux les plus pénibles, mais pas trop tout de même pour ne pas qu'ils dépassent en nombre les Utiles. Il ne faudrait pas que les choses tournent en leur défaveur… Tout est une question d'équilibre !

Contrôler les Surplus est le mot d'ordre en toute circonstance. C'est pourquoi les couples de Surplus sont limités à deux enfants par famille. Toutefois, si par chance l'un de leurs enfants s'avère être un Utile, le Conseil arrache celui-ci à ses parents et en fait l'un des siens. Les parents ont alors la possibilité d'avoir un enfant de remplacement, tout comme on l'autorise aux Utiles.

Les Utiles ont le droit d'avoir trois enfants, plus les enfants de remplacement. Cette façon de faire m'a toujours révoltée. Comment le Conseil peut-il croire qu'un enfant est *remplaçable* ?

Je me souviens encore du jour où j'ai découvert cette loi concernant les enfants de remplacement…

J'étais en train de retranscrire les notes du Conseil dans le registre de la Cité quand j'ai vu les mots *de remplacement* près du nom de quelqu'un que je connais bien : Gaak, l'un de mes jeunes étudiants destinés à joindre l'élite des Utiles.

J'ai donc demandé des éclaircissements à Jonas et à Yaëlle à ce sujet. Ils m'ont appris que cette loi avait été mise en place une quinzaine d'années auparavant pour assurer la prospérité et l'équilibre entre les Surplus et les Utiles. Les êtres humains devenaient de plus en plus nombreux, mais les ressources, elles, étaient loin de connaître le même essor.

Jonas m'a ensuite expliqué qu'en plus de faire partie de l'un des quatre groupes, tous les Utiles étaient affiliés à une lignée. Le Conseil se basait également là-dessus pour approuver ou non les unions entre Utiles.

Les Utiles comme Yaëlle et Lycéos descendaient des familles fondatrices de la Cité. De génération en génération, leurs familles n'avaient engendré que des Utiles. C'est ce qu'on appelle la lignée naturelle.

Il y a également les familles comme celle de Gaak, de la lignée composite. Ses parents avaient eu trois enfants avant lui, deux garçons – dont Sébastian – et une fille. Il s'était avéré que la plus jeune de la famille n'avait pas le moindre don. Elle avait donc été enfermée dans le camp avec les autres Surplus. Gaak était un enfant de remplacement. Il avait été conçu pour remplacer sa sœur imparfaite. Et le miracle avait eu lieu : non seulement le petit garçon était un Utile, mais il faisait également partie de l'élite qui soutiendrait la Cité dans l'avenir.

Quant à Ella et Jonas, ils étaient natifs d'une famille de Surplus. Les Utiles issus de cette catégorie étaient rares mais souvent dotés d'un don exceptionnel, ce qui était leur cas.

Le Conseil jouait tout simplement aux apprentis sorciers en mélangeant chacune des lignées pour essayer d'obtenir toujours plus d'enfants aux dons dépassant ceux de leurs parents.

Même si mon union avec Jonas avait été acceptée par le Conseil, une crainte sans précédent s'était emparée de moi lorsque j'avais découvert l'existence de cette loi. Et si nos enfants n'avaient aucun don ? Jamais je ne pourrais accepter qu'on me les enlève pour les enfermer dans un camp ! La solution la plus simple était donc de ne pas avoir d'enfant…

En 2064, un an après notre mariage, notre fils Brontès venait au monde.

Jamais je n'aurais pu imaginer une seule seconde que Jonas et moi serions capables de donner la vie à un petit être aussi adorable. C'était une sensation étrange que d'être responsable d'un être de chair et de sang qui était entièrement dépendant de nous. En même temps, cela nous semblait la chose la plus naturelle du monde.

Notre fils avait le sourire de son père, et la détermination de ce dernier brûlait déjà au fond de ses deux grands yeux bleus, qui étaient un fascinant mélange de la couleur de ma prunelle et de celles de Jonas. Cet enfant ne tenait de moi que sa fine et ondulée chevelure blanche. Pourtant, il serait à jamais une partie de moi, sûrement la plus belle part de mon âme.

Jonas, Brontès, Yaëlle et Lucy étaient devenus ma famille et j'étais heureuse, du moins autant qu'on pouvait l'être ici, je suppose.

Les pires moments de ma vie étaient assurément derrière moi. J'étais certaine qu'il ne me restait que de bonnes choses à vivre. J'avais déjà eu mon lot de chagrins, et la roue continue toujours de tourner…

▼

Les années ont passé et j'ai réalisé que j'avais eu tort : les pires moments de ma vie n'étaient pas derrière moi, mais bien devant moi…

La situation s'est encore dégradée dans la Cité et les choses vont de mal en pis.

Motivés par les naissances de Lucy et de Brontès, huit et six ans plus tôt, et de plus en plus révoltés contre le système en place, Yaëlle, Jonas et moi avons formé il y a peu le premier Cercle, un réseau de contrebande pour venir en aide aux Surplus. Nous ne sommes encore qu'un petit groupe. Pour le moment, nos seules actions consistent à recruter de nouveaux membres et à faire passer de la véritable nourriture aux Surplus. Je sais que

Jonas aspire à beaucoup plus. Mais avant de pouvoir soulever des montagnes, il faut dégager le chemin qui y conduit.

Lorsque Jonas et moi avions pris la décision de faire passer de la véritable nourriture aux Surplus et d'améliorer leurs conditions de vie, nous avions pris grand soin de ne pas mêler Yaëlle à notre projet. Mais lorsqu'elle avait découvert nos activités, elle nous avait reproché de l'avoir tenue à l'écart. Jonas lui avait alors avoué qu'il ne lui avait rien dit de toute cette histoire parce qu'il était certain qu'elle désapprouverait notre initiative. Yaëlle avait rétorqué : « Je désapprouve que tu avales des pilules comme un idiot sans savoir l'effet qu'elles auront sur toi, en croyant que ça changera le monde. Mais je n'ai jamais été contre le fait d'aider les Surplus en leur permettant de se nourrir correctement ! »

Yaëlle ne s'était donc pas fait prier pour se joindre à nous. Elle était loin de partager toutes les idées rêveuses et idéalistes de Jonas, mais c'était aussi bien. Elle incarnait pour nous la voix de la raison, nous empêchant de nous disperser, nous rappelant qu'avant de vouloir sauver le monde, ou ce qu'il en restait, il fallait protéger nos enfants.

Puis, très vite, Ella et Lycéos, à présent âgés de vingt ans, sont venus grossir nos rangs. Ils ne font plus partie de mes élèves depuis déjà quelques années. Pourtant, tous deux continuent de venir me voir régulièrement. Nous sommes très attachés les uns aux autres. Très tôt, Ella, Lycéos et moi avons développé une véritable complicité. D'enseignante, je suis rapidement devenue leur amie, et je le suis toujours.

Je pensais avoir tissé le même genre de lien avec Gaak, mais je m'étais trompée. Les épreuves qu'a traversées le jeune homme l'ont transformé, et malheureusement pas pour le mieux… Avec le temps, le trio d'amis est devenu un duo…

Quand Gaak a perdu son frère Sébastian, il a changé. Son cœur s'est endurci et le jeune homme s'est refusé à ressentir des sentiments pour qui que ce soit. Cependant, un cœur ne cesse pas de ressentir les choses sur commande. Gaak est tombé fou amoureux d'Ella. Croyant enfin avoir retrouvé le bonheur, sentant de nouveau son cœur battre dans sa poitrine, Gaak s'est abandonné entièrement dans cette relation. Ella agissait sur lui comme un baume apaisant, empêchant son cœur de saigner encore et encore. Gaak et Ella avaient formé un couple quelque temps avant que celle-ci ne le quitte pour Lycéos.

La jeune fille n'avait rien prémédité. On ne dompte pas ses sentiments. Elle avait simplement réalisé que ce qu'elle ressentait pour Gaak n'était rien d'autre que de la compassion et un profond attachement qui ne dépassait pas le cadre de l'amitié. En revanche, ce qu'elle ressentait pour Lycéos n'avait rien de comparable. Ella m'avait confié que son cœur battait la chamade dès qu'elle le voyait, ses mains devenaient moites et son estomac se nouait dans tous les sens. Bien qu'étranges, ces sentiments étaient des plus agréables. L'âme d'Ella avait choisi Lycéos…

Cela avait été le coup de grâce pour Gaak. Son cœur qui s'était autrefois endurci s'était brisé. Peu à peu, il s'était éloigné de ses deux meilleurs amis, pour finalement ne plus leur adresser la parole du tout. Yaëlle avait espéré que la petite Lucy puisse atteindre le cœur de son oncle. Mais Gaak s'était également détourné de l'enfant, refusant toute attache sentimentale.

Le meilleur moyen de ne plus faire souffrir un cœur est de ne plus s'en servir. Et c'est exactement ce que fit Gaak, laissant la raison et l'ordre prendre le pas sur tout le reste.

Le jeune homme s'était alors engagé plus activement auprès du Conseil, prônant règlements, classement et ordre en toute circonstance. Ne faisant plus preuve de la moindre clémence et donnant l'absolue priorité aux moindres besoins de la Cité, Gaak a peu à peu fait disparaître le petit garçon aux yeux rieurs que j'avais rencontré dix ans auparavant. Il ne reste maintenant plus rien de l'enfant qu'il a été... Son regard s'est teinté d'une froideur qui ne l'a plus quitté depuis le jour où Ella lui a brisé le cœur. Et à ma grande tristesse, je n'ai rien pu faire pour aider le pauvre Gaak. S'il y a une chose au monde qui est irréparable, c'est bien un cœur en morceaux...

Chaque enfant qui naît apporte au monde en grandissant une possibilité de changer les choses ou de semer un peu plus le chaos. Gaak semble malheureusement appartenir à la deuxième catégorie...

▼

Tapis dans la pénombre de la bibliothèque, Ella, Lycéos, Yaëlle, Jonas et moi tenons l'une de nos réunions secrètes. Il est tard. Brontès et Lucy dorment dans la pièce d'à côté.

— Je crois qu'il est grand temps d'agrandir notre cercle, annonce Jonas en fixant tour à tour chacun d'entre nous.

— Comment as-tu l'intention de procéder ? s'informe Yaëlle. En passant une petite annonce ? Ou alors en criant sur la place publique que nous cherchons des personnes qui se sentent concernées par le sort des Surplus ? Pas sûr que tu aies beaucoup de succès. Et au passage je te rappelle que nous devons rester aussi discrets que possible. Si le Conseil apprend l'existence de notre groupe, nous aurons tous gagné un aller simple pour le cachot, termine-t-elle en croisant les bras.

— Je suis parfaitement au courant de ce que nous risquons, réplique Jonas sur un ton cassant. Mais plus le temps passe, plus le Conseil et les Utiles se croient tout-puissants. Ils ne sont pas des dieux !

Je sens qu'un nouvel affrontement se prépare entre Yaëlle et mon époux.

— Effectivement, je n'ai pas le souvenir d'avoir croisé aucun d'entre eux sur l'Olympe, dis-je d'un ton léger qui arrache un petit rire à Ella et à Lycéos, alors que mon trait d'humour semble glisser complètement sur les deux autres.

Yaëlle et Jonas ne se quittent pas du regard. J'échappe un soupir de soulagement lorsque la jeune femme sourit enfin à son ami de toujours.

— Je pense que nous trouverons sûrement du soutien auprès des Utiles qui viennent du camp, dit Yaëlle. Et certains enfants de Surplus rallieront certainement la cause. En tout cas, ça vaut le coup d'essayer.

— C'est une excellente idée ! s'exclame Jonas. Mais dans un premier temps, n'en parlez qu'à vos amis les plus proches, qu'aux gens en qui vous avez toute confiance. Nous implanterons ainsi peu à peu notre mouvement au cœur de la Cité. Chacun d'entre vous sera responsable du groupe qu'il aura recruté. Vous serez également en charge d'établir des contacts sûrs avec d'autres Utiles. Bien sûr, la plupart sont fidèles et loyaux au Conseil des Justiciers, comme Gaak, mais je sais que d'autres désapprouvent les décisions du Conseil sur beaucoup de sujets. À nous de trouver ces personnes et de les rassembler, conclut Jonas, enthousiaste, en frappant la paume de sa main sur la table.

— C'est tout de même un peu risqué, observe Ella pour refréner l'effervescence qui se dégage de Jonas. Si nous nous faisons prendre à comploter contre la Cité…

— Nous ne complotons pas contre la Cité, mais contre le régime en place, interrompt Lycéos. Ce n'est pas la même chose.

— Je ne suis pas certaine que le Conseil verra la différence, lancé-je.

— Moi non plus, indique Ella en grimaçant. Dans le meilleur des cas, on nous enfermera dans les cachots de la tour Légistère. Dans le pire, le Conseil nous fera exécuter par les Citadins.

— Si l'un de nous se fait prendre, il ne faudra absolument pas qu'il parle des autres groupes, dit Jonas d'un ton grave.

— On devra appliquer la loi du silence ? demande Yaëlle en levant un regard interrogateur.

Jonas approuve d'un mouvement de la tête, puis il explique :

— Que vous parliez ou non, cela ne changera rien à votre sort si les Justiciers ont décidé de vous tuer. Votre silence, même s'il ne sauvera sûrement pas votre vie, sauvera celle des autres.

Un silence lourd s'installe, que Jonas rompt finalement.

— Je comprendrais que vous ne soyez pas prêts à un tel sacrifice. Ella, si tu penses que cela devient trop dangereux, il est encore temps de te retirer.

— Mais qu'est-ce que tu racontes ? Je n'ai nullement l'intention de rendre les armes avant même de les avoir prises ! J'ai grandi dans ce maudit camp. Mon aide pour passer de la nourriture et former les membres de mon groupe sera des plus utiles. Je ne vais certainement pas vous abandonner ! Je ne suis pas une lâche.

Jonas rassure Ella avec un sourire charmeur, ce même sourire qui me rappelle chaque jour à quel point j'ai de la chance de l'avoir dans ma vie.

— Loin de moi cette idée. Je sais que tu es une jeune femme très courageuse et je serais plus qu'honoré que tu prennes la tête de l'un des groupes. Mais nous devons aussi élargir nos activités. Passer de la nourriture n'est plus suffisant. Je ne veux pas que tu te sentes obligée de nous suivre parce que tu…

— Minute ! coupe Yaëlle. Comment ça, on doit « élargir » nos activités ? Tu entends quoi au juste par là ?

— Il faut stopper le Conseil ! Nous devons faire quelque chose, nous ne pouvons plus laisser nos vies nous échapper. Nos aînés n'ont rien fait, alors c'est à nous de faire bouger les choses. J'espère que nous pourrons un jour libérer les Surplus de cet affreux camp.

— Tu n'es pas sérieux ? s'étonne Yaëlle.

— Bien sûr que je le suis ! Pourquoi crois-tu que j'ai fondé ce cercle ? Ce n'est pas seulement pour donner de la nourriture à quelques Surplus au détour d'une ruelle ou lorsque Calista se rend dans le camp pour la mise à jour du registre. Les Surplus sont des êtres humains comme nous. Nous n'avons pas le droit de les traiter comme des sous-hommes, comme nos esclaves. Certains d'entre nous ont une partie de leur famille, voire toute leur famille, dans le camp. Les Surplus ont le droit d'être libres, et certains Utiles ne sont plus en accord depuis longtemps avec les lois en vigueur dans la Cité. Je cherche simplement un moyen d'offrir à tous une vie meilleure.

— La liberté que tu veux offrir aux Surplus, Jonas, n'est rien d'autre qu'un cadeau empoisonné ! lance Yaëlle, estomaquée. Comment comptes-tu les faire survivre à l'extérieur de la Cité ?

— Je ne le sais pas encore, mais nous trouverons bien un moyen. Je ne dis pas que tout le monde sera libre demain. Je suis quand même réaliste, je sais que cela prendra beaucoup de temps. Mais je suis certain que nous pouvons survivre hors des murailles de la Cité. Il suffit de bien organiser le tout : partir en repérage, trouver un endroit où nous abriter, accumuler des réserves, voler des chevaux, continuer d'expansionner notre cercle… Je sais que nous ne pourrons pas renverser le Conseil, mais nous pourrons l'ébranler et reprendre notre liberté.

— Je crois que cette fois tu vois trop grand, réplique Yaëlle. Très peu de gens nous suivront dans cette entreprise. Et si par miracle personne ne nous dénonce aux Citadins pour trahison, comment feras-tu sortir les Surplus de leur camp ?

— En déclenchant une émeute ? suggère Lycéos.

— Peut-être, répond Jonas, mais nous n'en sommes pas encore là. Cependant, je n'en peux plus de la façon dont le Conseil nous fait vivre. Nous sommes des êtres humains, pas des animaux ! L'instinct de survie ne devrait pas être le seul lien qui nous unit les uns aux autres.

— C'est pourtant tout ce qui reste à certains… constate Ella sur un ton résigné.

— Je ne suis pas de ceux-là, et ce n'est pas l'héritage que je veux laisser à mon fils ! s'écrie Jonas. Brontès et Lucy méritent mieux que de survivre, et nous aussi ! Nous ne sommes peut-être pas encore très nombreux, mais nous faisons un pas dans la bonne direction, un pas vers le changement. Un pas vers la liberté… Et bientôt, nous ferons beaucoup plus que ça !… Ce jour-là, nos vies et la Cité en seront changées à jamais ! Il nous faut simplement un peu de temps, de courage et de volonté. C'est pour cela que j'ai besoin de savoir si vous continuez avec moi, si vous avez bien conscience que nous passons au niveau supérieur ?

Nous acquiesçons tous d'un hochement de tête.

— Si vous voulez renoncer, c'est votre chance de me le faire savoir, continue Jonas.

Aucun de nous ne bouge. Jonas reprend :

— Dans ce cas, nous en avons fini pour ce soir. Il est temps pour vous de rentrer, ce n'est pas le moment d'attirer l'attention. On se retrouve ici la semaine prochaine. Chacun me fera un rapport sur ses activités afin que nous sachions où en est le recrutement. Maintenant que les choses sérieuses commencent, il est important de ne rien changer à vos habitudes et à votre comportement. Je compte sur vous.

Yaëlle, Lycéos et Ella approuvent en silence.

— Faites attention à vous ! leur dit Jonas avant d'étreindre chacun d'eux.

Je suis sur le point de me lever de ma chaise lorsque je sens tout à coup mon crâne se compresser violemment. J'ai tout juste le temps de m'agripper au coin de la table pour trouver un semblant d'équilibre que des images emplissent ma tête.

La vision qui me foudroie soudain me terrifie bien plus qu'elle ne me fait souffrir. Je manque d'air. Cela ne peut pas être vrai… Comme toujours, ma vision n'est pas très claire. Mais je ressens très fortement le chagrin et le chaos qui l'entourent.

Secouée, j'entends des bourdonnements résonner dans ma tête. Je peux voir les lèvres de mes amis bouger, mais aucun son ne parvient jusqu'à moi. Ils semblent tous hors de ma portée comme si j'étais enfermée dans une bulle.

Mon mal de crâne se dissipe peu à peu, mais ma nausée ne s'estompe pas. J'ai besoin de faire le vide une seconde. Je ferme ma paupière et respire profondément.

Lorsque j'ouvre mon œil, Jonas est penché sur moi. Il a sur le visage le même air inquiet qui apparaît chaque fois que l'une de mes visions menace littéralement de me faire éclater le crâne.

— Comment est-ce que tu te sens, ma chérie ?

— J'ai connu mieux... réponds-je d'une voix blanche. Où sont passés les autres ?

Cela m'étonne que mes amis, qui étaient là il y a encore une seconde, aient tous disparu.

Jonas m'explique tendrement :

— Ils sont rentrés. Tu es restée de longues minutes en transe. Parfois, ce phénomène peut se prolonger pendant des heures. Je les ai donc renvoyés chez eux. Allez, viens, tu as besoin de t'allonger un peu, termine-t-il avant de m'aider à me lever.

Nous marchons lentement dans les allées en direction du petit logis qui se trouve dans l'alcôve de la bibliothèque. Lorsque Jonas et moi avons eu Brontès, le Conseil nous a alloué une habitation bien plus grande au cœur de la Cité, mais j'ai refusé d'y emménager. Je vis dans la bibliothèque depuis mon arrivée sur la terre ; c'est entre ces murs que j'ai rencontré tous mes amis, c'est ici que Pénélope s'est éteinte et repose en paix, c'est ici que notre fils a été conçu. Ce petit logis derrière l'alcôve a abrité tout ma vie... Je m'y sens à ma place.

— Yaëlle a laissé Lucy dormir ici, elle ne voulait pas la réveiller, me chuchote Jonas lorsque nous passons à côté du lit de Brontès, dans lequel les deux enfants sont pelotonnés l'un contre l'autre.

À la vue de ce spectacle, mon cœur se serre avant d'exploser dans ma poitrine. Parfois, la vie n'est pas juste, ce que je ne sais que trop bien…

Je détourne mon regard des enfants qui dorment paisiblement. Jonas et moi continuons de progresser jusqu'à notre lit. Je me laisse lourdement tomber sur celui-ci et Jonas s'assoit à côté de moi.

— Tu veux m'en parler ? demande-t-il en passant doucement sa main sur mon front.

— Je…

Ma voix se brise net. Aucun mot ne peut plus sortir de ma bouche. Une superstition idiote me fait croire que tant que je n'aurai pas raconté à voix haute ce que ma vision m'a révélé, rien n'arrivera. Je me contente donc de secouer la tête.

— Très bien, je comprends. Repose-toi, nous en parlerons demain matin quand tu te sentiras mieux, souffle Jonas avant de m'embrasser rapidement sur les lèvres.

Jonas et moi avons établi un *modus operandi*. Je lui parle toujours de mes visions, car les partager avec lui les rend moins lourdes à porter. Et lorsqu'elles sont trop intenses, il me laisse le temps de me remettre et attend que je sois prête à discuter. Il n'insiste jamais pour savoir, c'est toujours moi qui lui parle de mes visions de mon plein gré. Mais cette fois, c'est différent. Je ne peux pas lui dire… Non, c'est impossible !

Ma mâchoire se met tout à coup à trembler dangereusement. Je dois faire un réel effort pour ne pas pleurer. Pleurer ne changera rien à la situation. Si je peux retenir mes larmes, je ne peux rien faire en revanche contre la nausée qui m'a envahie depuis cette maudite vision et qui continue de grandir en moi.

— Je t'aime, Cali, me dit subitement Jonas au creux de l'oreille avant de s'allonger près de moi sur le lit et de me prendre dans ses bras.

Je sais qu'à cette seconde il le pense vraiment ; il m'aime autant que je l'aime. Mais je sais aussi qu'il ne m'aimera pas toujours quoi qu'il arrive. À la seconde où il saura, il ne ressentira plus rien... plus rien que de la colère et du mépris envers moi. Comment pourrait-il en être autrement ?

Je vais lui enlever son fils...

Je suis un monstre !

Je suis un véritable poison... Je vais détruire notre famille, séparer Jonas de son unique enfant, et il ne s'en doute pas le moins du monde. Je dois pourtant le faire même si mon cœur de mère a mal. Je n'aurai pas le choix : je devrai confier Brontès à Yaëlle quand le moment sera venu. C'est ce que m'a montré ma vision ce soir.

J'ignore quand cela arrivera. Je sais simplement que Brontès devra quitter la Cité.

Même si mon cœur en souffre, je dois guetter les signes qui m'indiqueront quand le moment sera venu : le feu, la neige, le sang...

Mais il n'a pas neigé sur la terre des hommes depuis des centaines d'années. La seule chose qui tombe encore parfois du ciel sont les pluies acides.

Même si le troisième œil ne se trompe jamais, j'espère qu'il y aura une exception cette fois. Car lorsque mon chemin croisera les trois signes de ma vision, Brontès nous sera enlevé...

Cette vision a été plus floue que d'habitude. J'ai ressenti, plus que je n'ai vu, que si on espère un jour avoir un avenir à la Cité, le départ de mon fils est indispensable.

Tout ce que j'ai vu, c'est du feu, de la neige et du sang passer constamment en boucle dans mon esprit. Puis ma propre voix a résonné en moi, et je me suis vue de dos, debout au milieu d'un brasier. Je hurlais : « Par les dieux, Brontès ! Ne fais pas ça ou je serai obligée de te tuer ! »

Puis le visage grave et déterminé de Yaëlle a fait face au mien. J'ai entendu sa voix au milieu des crépitements du feu qui nous entourait et détruisait les maisons aux alentours : « Je te promets que je trouverai un endroit où il pourra vivre en sécurité. Je ne rentrerai pas avant d'avoir trouvé, c'est juré. Malgré tout, il restera toujours ton fils. »

Ma voix a lancé, tremblante : « Emmène-le loin d'ici, Yaëlle… »

J'ai alors senti le regard vide et froid de Jonas se poser sur moi. Mais je n'ai pas eu le courage de me retourner pour l'affronter. Je n'ai pas pu me résoudre à croiser ses yeux accusateurs.

Yaëlle m'a soufflé en souriant tristement : « Ne t'en fais pas, tout ira bien… »

— Tout ira bien, me murmure soudain Jonas en passant doucement une main dans mes cheveux alors qu'il s'endort lentement.

Sa voix fait écho à celle de Yaëlle qui hante toujours mon esprit.

C'est une phrase que j'ai en horreur : « Tout ira bien. » Je sais que dès que ces mots sortent de la bouche de quelqu'un, c'est que les choses tourneront mal inévitablement à un moment ou à un autre. Pourtant, cette fois, j'ai envie d'y croire, j'ai besoin de croire que tout ira bien pour la première fois depuis longtemps.

J'ai déjà traversé de douloureuses épreuves dans la vie. Mais perdre mon fils, l'envoyer errer je ne sais où dans le désert en compagnie de Yaëlle, cela me déchire le cœur. Je sais que rien n'arrive sans raison. Lorsqu'un événement doit se produire, il ne faut pas essayer de le provoquer ou de l'empêcher, car cela peut aggraver les choses. Mais je ne peux pas rester là sans réagir en attendant que ma famille se disloque…

Comment Brontès pourrait-il survivre seul dans le désert ?

Notre fils est-il malfaisant ? Va-t-il mettre la Cité à feu et à sang ?

Je ne peux retenir un frisson. Le feu et le sang…

Sera-t-il responsable du chaos que j'ai vu et du chagrin que j'ai ressenti tout à l'heure dans ma vision ? Est-ce que le sang des Titans qui coule dans ses veines le poussera à commettre d'horribles actes ?

Jonas et moi aurions-nous donné naissance à un monstre ? Comment naissent les monstres ? Ils sont sûrement engendrés par d'autres monstres… Cela veut-il dire que, malgré ma part humaine, je suis moi aussi un monstre ?

Des dizaines de questions virevoltent dans mon esprit, m'empêchant de trouver le sommeil. Mais une question m'obsède…

Comment pourrait-il neiger à la Cité ? C'est impensable. Et pourtant, je suis certaine de ce que j'ai vu dans ma vision !

N'y tenant plus, je me glisse doucement hors du lit et me dirige dans la pièce où dort mon fils.

Je le regarde dormir. Il est si calme, si tranquille… Mon cœur est gonflé d'amour pour lui.

Je ne peux pas imaginer que mon petit bonhomme de six ans deviendra peut-être un jour un être malfaisant, ce qui m'obligera à le menacer et à l'exiler, moi, sa propre mère.

Peu importe ce qu'il deviendra ; il est une partie de moi et je serai toujours une partie de lui… Mais si j'ai mis au monde un véritable monstre, malgré sa petite frimousse angélique, je devrai faire ce que m'a montré mon troisième œil.

Mon cœur se brise rien qu'à imaginer ma vie sans Brontès.

— Maman ? murmure mon fils d'une voix endormie en ouvrant doucement un œil.

Je sursaute, légèrement surprise qu'il ait perçu ma présence.

— Ce n'est rien, mon chéri, rendors-toi… dis-je avant d'embrasser son front.

Brontès marmonne quelques mots incompréhensibles. Puis il se retourne dans son lit et se blottit tout contre son amie Lucy qui dort à poings fermés.

Je ne peux plus voir son visage mais cela m'est égal. Sa seule présence m'apaise et me rassure.

Si l'avenir semble incertain et douloureux, il me reste encore le présent…

Mon fils vit avec moi et son père. Pour l'instant, c'est tout ce qui compte…

Peu importe ce qui arrivera dans l'avenir, je dois croire que tout ira bien…

Chapitre neuf
La gorgone endormie

Une année s'était écoulée depuis la vision de Calista au sujet de son fils Brontès, vision qui ne s'était toujours pas réalisée. Et chaque jour passé jusque-là avait été à la fois une joie et une torture pour la cyclope, qui n'avait toujours pas trouvé le courage d'en parler à Jonas. Joie, car son fils bien-aimé se trouvait toujours près d'elle ; torture, car demain serait peut-être le dernier jour avant la séparation.

Calista avait eu besoin d'apaiser son esprit pendant ces longs mois pour ne pas devenir folle et passer tout son temps à analyser les moindres détails de ce que lui avait montré son troisième œil. Elle avait passé de nombreuses heures à effectuer des recherches sur le climat de la Cité ; elle avait découvert que la dernière fois qu'il avait neigé, c'était en 2021. Il n'y avait pas eu le moindre flocon de neige sur la ville depuis cinquante longues années. Et les chances pour que cela se produise à nouveau un jour étaient pratiquement inexistantes… Bien sûr, cela ne voulait pas dire que c'était impossible, mais simplement que les probabilités étaient faibles. Pourtant, la cyclope se raccrochait à cela autant que possible.

« Pas de neige, pas de séparation ; c'est aussi simple que ça », ne cessait de lui murmurer son cœur de mère. Elle n'était pas prête à renoncer à son fils, et elle ferait de son mieux pour qu'il devienne quelqu'un de bien, pour que le mal ne puisse pas le gangréner. Calista n'était pas sûre de ce qu'elle avait vu, et elle ignorait qui était responsable de l'incendie et du chaos qu'elle avait ressenti. La seule chose qu'elle savait avec certitude, à son grand désespoir, était que rien ni personne ne pourrait empêcher sa vision de se réaliser. Pas même elle ! Calista le sentait jusqu'au plus profond de son âme : les événements ariveraient fatalement un jour. Elle ne pourrait que retarder l'inévitable, rien de plus…

Heureusement pour la cyclope, ses activités au sein du Cercle l'occupaient grandement et ne lui laissaient pas beaucoup de temps libre pour ruminer encore et encore cette désolante vision qui avait envahi son esprit.

Même s'ils étaient encore loin d'être à la tête d'une armée, Jonas et ses amis avaient vu leurs rangs considérablement grossir. Leurs activités s'étaient largement diversifiées et étendues, le tout au nez et à la barbe du Conseil.

C'était une véritable révolte qu'ils préparaient. Lycéos et Jonas faisaient de leur mieux pour augmenter leurs effectifs en armes, en en dérobant aux Citadins ou dans l'armurerie de la tour Législtère chaque fois qu'ils le pouvaient, aidés de leurs complices qui avaient joint leur cause. Pour ne pas attirer l'attention, ils n'avaient d'autre choix que de dérober les armes par petites quantités. Les choses se mettaient donc doucement mais sûrement en place. Ils n'avaient pas encore beaucoup de moyens, mais le courage et la volonté étaient des ressources inépuisables dans leur groupe. Étant donné la difficulté de la tâche qu'ils avaient entreprise, ils en avaient plus que besoin ; c'était même quasi vital pour le Cercle.

L'affrontement entre le Conseil et leur clan ne manquerait pas d'éclater, chacun d'eux en était conscient. C'était d'ailleurs dans ce but qu'ils avaient joint le Cercle de la Liberté ; Jonas et ses compagnons avaient baptisé ainsi leur mouvement. Et dès qu'ils seraient prêts, ils se battraient pour leurs convictions et leurs rêves. Chacun, à la hauteur de ses moyens et de ses compétences, apportait sa pierre à l'édifice du Cercle de la Liberté pour préparer au mieux la révolte.

Yaëlle et Ella, qui étaient respectivement Soigneuse et Magicienne, s'absentaient régulièrement, prétextant des randonnées dans le désert afin de dénicher des plantes qui n'avaient survécu qu'à certains endroits. Elles prétendaient en avoir besoin pour affiner leurs potions et leurs remèdes, alors qu'en réalité elles profitaient surtout de leurs balades pour chercher un endroit où abriter les armes que leurs complices avaient dérobées, car il devenait très risqué de conserver leur butin à la Cité. Les membres du Cercle avaient également dans l'idée de faire sortir les Surplus du camp. Il fallait donc trouver un endroit où les évadés seraient ensuite gardés en lieu sûr. Pour l'instant, tout cela n'était encore qu'à l'état de projet, car ils devaient encore augmenter leurs effectifs avant de passer à l'action.

Cela faisait des semaines que Yaëlle et Ella arpentaient le désert. Jusqu'à présent, leurs recherches s'étaient avérées infructueuses car elles n'avaient pas eu l'occasion de s'éloigner à plus de deux ou trois jours à cheval de la Cité. Sans un Sourcier à leur côté, cela leur était impossible de s'aventurer plus loin dans le désert à cause de la chaleur et du manque d'eau. Pour l'instant, aucun Sourcier n'avait rallié les rangs du Cercle. Les Sourciers étaient les Utiles les plus précieux de la Cité, leurs moindres désirs étaient réalisés, alors pourquoi se seraient-ils sentis concernés par la cause de Jonas et de ses amis ? De plus, personne dans le Cercle ne faisait suffisamment confiance à un Sourcier pour lui parler du mouvement de rébellion.

Agir dans l'ombre et ne pas se faire prendre étaient à ce prix : se passer pour l'instant de Sourcier et faire avec les moyens du bord. Mais les deux jeunes femmes ne désespéraient pas de trouver un jour un endroit qui pourrait abriter quelque temps les fugitifs de la Cité et de rallier à leur cause ne serait-ce qu'un seul Sourcier. C'était une tâche ardue et compliquée, mais si quelqu'un pouvait relever un tel défi, c'était bien Yaëlle et Ella.

Calista, quant à elle, continuait d'apporter de la véritable nourriture aux Surplus chaque fois qu'elle le pouvait. Elle en profitait pour se créer des contacts parmi eux pour qu'ils puissent le moment venu prendre aussi part à la bataille.

La cyclope revenait justement de l'une de ses livraisons clandestines lorsque son attention fut attirée par une petite lumière au fond de la bibliothèque. À cette heure-ci, pourtant, plus personne n'aurait dû être sur place. La bibliothèque avait fermé ses portes au public il y avait plus de deux heures. Avant d'aller accomplir sa mission auprès des Surplus, Calista s'était comme toujours assurée que les lieux étaient inoccupés.

Ce ne pouvait pas être Jonas, car il passait la soirée à la tour Légistère avec Brontès.

Il n'y avait pas de réunion du Cercle prévue ce soir, alors qui avait bien pu s'introduire dans la bibliothèque à une heure pareille ?

Calista s'approcha doucement dans l'allée. Elle sortit son sabre, qu'elle gardait toujours bien dissimulé sous sa large et ample cape comme le lui avait conseillé Jonas. Armée, prête à faire face au rôdeur, la cyclope passa lentement la tête au détour d'une étagère pour observer l'intrus à la dérobée.

Un soupir de soulagement lui échappa lorsqu'elle reconnut *l'intrus.* Un large sourire se dessina sur son visage, tandis qu'elle rangeait son sabre dans la doublure de sa cape.

Yaëlle était plongée dans un livre, visiblement très concentrée sur sa lecture, car elle n'entendit pas Calista approcher.

— Bouh ! cria la cyclope en saisissant son amie par les épaules.

— Pour l'amour du ciel, Cali, tu n'es plus une enfant ! hurla Yaëlle, furieuse, en lançant un regard noir à sa compagne. Quand est-ce que tu vas arrêter de faire ça ? On ne bondit pas comme ainsi sur les gens ! Tu as bien failli me faire mourir de peur !

— Seulement failli ? Alors c'est que je perds la main !

— Ce que tu peux être puérile parfois. Je te rappelle que tu es censée être une adulte.

— Je suis désolée, murmura Calista après quelques secondes passées à observer son amie.

— Tu peux l'être, oui, répliqua Yaëlle sans même lever le nez de son livre.

— Comment puis-je me faire pardonner cette blague idiote ?

Yaëlle interrompit immédiatement sa lecture et tourna la tête en direction de Calista.

— Que sais-tu sur les gorgones ? demanda-t-elle, vivement intéressée.

— Je n'en ai pas vraiment fréquenté. Sur l'Olympe, c'était plutôt dieux en toge de soie, arcs-en-ciel et petites licornes !

— Donc, autrement dit, tu ne sais rien sur elles, dit Yaëlle en affichant un air sombre avant de reprendre sa lecture.

— Je n'ai pas dit ça !

— C'est tout comme, marmonna Yaëlle en tournant une page.

— J'ai dit que je n'en avais pas fréquenté, pas que je ne connaissais rien sur le sujet ! protesta la cyclope qui avait à présent toute l'attention de son amie. Je sais qu'il ne faut jamais fixer droit dans les yeux les gorgones sous peine de se retrouver changé en statue de pierre. Leur chevelure est un nid de serpents au venin redoutable et…

— Tu ne m'apprends rien, Cali, l'interrompit Yaëlle. Par hasard, tu ne saurais pas comment en réveiller une ?

— Non… Pourquoi ? s'enquit la cyclope, tout à coup soupçonneuse.

— Pour rien…

Calista jeta un coup d'œil sur son amie qui avait repris sa lecture. Pourquoi Yaëlle montrait-elle soudain un si grand intérêt pour les gorgones ?

Poussée par la curiosité, Calista décida d'apporter encore un peu d'eau au moulin de sa camarade pour voir quelle direction prendrait la conversation.

— Un jour, Athéna a transformé une pauvre jeune fille en gorgone pour la punir d'avoir bafoué l'un de ses temples en y charmant Poséidon, lança-t-elle.

— C'est un grand classique chez les déesses à ce que je vois ! Elles pourraient tout de même renouveler leurs sortilèges une fois de temps en temps !

— Pourquoi dis-tu ça ?

— Pour rien… J'ai lu l'histoire de cette pauvre Méduse, qui a été décapitée par Persée ! Je trouve ça injuste, elle avait déjà été punie pour une faute qui n'était qu'à moitié la sienne. Et là, le bellâtre du coin veut jouer les héros et lui coupe la tête alors qu'elle vivait tranquillement recluse dans une grotte sans faire de mal à personne. Tu veux bien me dire quelle gloire il y a là-dedans ?

— Je ne sais pas. Je n'ai jamais bien compris la morale de cette histoire. Mais de tout temps, les hommes ont eu besoin de héros.

— Quels héros ! répliqua Yaëlle, méprisante. Les humains peuvent être tellement stupides parfois.

— Si les humains sont parfois stupides, les dieux, eux, ont été arrogants plus souvent qu'à leur tour. C'est un peu le rôle d'un dieu d'être imbu de lui-même, lança Calista navrée par cette évidence. Mais pourquoi t'intéresses-tu à cette vieille histoire sur Méduse ? Cela fait des siècles que c'est arrivé.

— Pour rien…

Cette fois, Calista se vexa. Sa compagne la prenait-elle vraiment pour une imbécile ? Yaëlle la menait visiblement en bateau depuis le début de la conversation.

— Pour rien ? tonna-t-elle. Tu me prends pour une idiote ? Tu ne vas pas me faire croire qu'on a cette discussion « pour rien », ni que tu fais des recherches « pour rien » ! Je te connais suffisamment bien pour savoir que tu ne fais jamais les choses sans raison, juste comme ça, « pour rien » ! Alors que se passe-t-il ? demanda-t-elle de son ton le plus sérieux, laissant clairement voir à son amie qu'elle n'avait pas d'autre choix que dire la vérité et tout de suite !

Yaëlle soupira. Son visage se rembrunit.

— Ne fais pas cette tête, on dirait que quelqu'un est mort ! s'exclama Calista.

— C'est presque ça, marmonna la jeune femme en refermant bruyamment son livre.

— Ça ne peut pas être aussi grave…

— En vérité, c'est pire que ça… soupira Yaëlle, défaitiste.

La cyclope grimaça. Rien ne pouvait être pire et plus douloureux que le jour où les parents de Yaëlle les avaient reniées, elle et sa fille Lucy. Quel que soit le problème, Calista et les autres seraient à nouveau là pour aider la jeune femme et son enfant.

— Je suis certaine que tu exagères ; tu as tendance à voir le verre à moitié vide, dit la cyclope avec un sourire d'encouragement. Tant qu'on sera ensemble et tous unis par notre amitié et notre amour les uns pour les autres, tout pourra toujours s'arranger… À cœur vaillant, rien d'impossible ! lui assura-t-elle dans un radieux sourire d'encouragement.

— Je suis d'accord avec toi pour la théorie, mais malheureusement, ce n'est pas aussi simple ! Le problème, c'est qu'on le perd peu à peu, cet amour, et que personne ne semble s'en soucier. Pire, très peu de gens semblent le remarquer. Bientôt, il aura entièrement disparu !

— Mais qu'est-ce que tu racontes ? s'étonna Calista, quelque peu confuse. J'ai remarqué moi aussi depuis quelque temps que certains, surtout chez les Utiles, se montrent moins attentionnés et affectueux avec les autres, avec leur propre famille même, et cela, au fur et à mesure que leur pouvoir personnel augmente. Mais tu dramatises tout de même. On ne peut pas arrêter de ressentir un sentiment, on ne se réveille pas un matin en ayant cessé d'aimer.

— Ce n'est pas le sentiment lui-même que nous sommes en train de perdre. C'est bien pire : nous perdrons sa source !

— Je ne comprends rien à ce que tu racontes ! répliqua la cyclope, furieuse. Et puis je ne vois pas ce que ça a à voir avec notre histoire de gorgone. Si tu ne veux rien me dire, très bien, mais n'essaie pas de m'embrouiller en inventant je ne sais quelle histoire !

— Je ne cherche pas à t'embrouiller le moins du monde, tout est lié. Nous, la Cité, l'amour, la gorgone, Aphrodite…

— Aphrodite ? Mais qu'est-ce qu'elle a à voir avec tout ça ? Tu veux bien reprendre depuis le début ? Je suis complètement perdue…

— C'est en partie à cause d'elle que nous en sommes là, cracha Yaëlle. Si elle avait été moins susceptible, tout irait beaucoup mieux aujourd'hui. Tout ça a commencé il y aura bientôt deux mille ans, en plein cœur de la Grèce antique…

Yaëlle entreprit alors d'expliquer à son amie l'histoire de Théodora, la belle jeune fille qui avait été changée en gorgone par simple jalousie de la part d'Aphrodite, et comment ce sortilège avait entièrement dévasté la vie de Théodora et de sa famille.

Calista réalisa tout à coup qu'elle n'était pas la seule à avoir eu des comptes à régler avec les dieux de l'Olympe. D'autres mortels, comme cette Théodora, avaient aussi dû essuyer la colère des dieux. Un intense élan de sympathie pour cette jeune fille changée en gorgone l'envahit tout à coup. La cyclope ignorait l'existence de celle-ci il y avait encore quelques instants et, pourtant, cela ne l'empêchait pas d'éprouver de la compassion pour elle. Si quelqu'un pouvait comprendre Théodora, c'était bien Calista ! Personne d'autre n'était mieux placé pour savoir à quel point les dieux pouvaient être cruels, égoïstes et doués pour semer le chaos et la confusion dans la vie des êtres qui les entouraient. Leur vengeance tout juste accomplie, ils avaient déjà oublié le prétendu affront qui leur avait été fait… Seuls restaient pris dans la tourmente les êtres que les dieux avaient jugé bon de punir, parfois avec raison, mais le plus souvent à tort…

Et cette pauvre Théodora avait visiblement été punie à tort ! Tout comme la famille de Calista qui avait péri à cause d'une grande injustice. Un violent vague à l'âme gonfla douloureusement la poitrine de la cyclope qui dut lutter contre une subite envie de pleurer.

— Lorsqu'elle a changé Aphrodite en statue de pierre pour se venger, Théodora a emprisonné tout l'amour du monde avec la déesse, expliqua Yaëlle. C'est pourquoi tous les sentiments qui découlent de l'amour, comme la compassion, le pardon, la bonté, sont aussi peu à peu sur le point de disparaître.

— Tu es en train de me dire que si les humains deviennent de plus en plus insensibles et si le monde a sombré en partie dans le chaos, c'est à cause de cette histoire qui a eu lieu il y a presque deux mille ans ?

Yaëlle approuva d'un hochement de tête rapide.

— Comment es-tu au courant de ce qui s'est passé ce jour-là ? Même moi, qui vivais sur l'Olympe, j'ignorais ce qui était arrivé !

— L'une de mes ancêtres, Léandre, était au temple le jour où les événements sont survenus. C'est elle qui a raconté à son fils cette histoire, qui l'a ensuite racontée à sa fille, et ainsi de suite, de génération en génération jusqu'à moi.

— Et comment peux-tu être sûre que justement ce n'est pas que ça, une histoire ?

— C'est toi, la cyclope qui a grandi sur l'Olympe parmi les dieux, qui me demande si mon histoire est vraie ? s'exclama Yaëlle dans un sourire ironique.

Amusée, Calista ne put retenir un petit rire.

— Et puis, j'ai vu la gorgone de mes yeux, confia Yaëlle. Mon père m'a conduite à son chevet il y a longtemps. Elle est à l'abri dans une grotte à plusieurs jours de marche de la Cité. Elle est plongée dans un profond sommeil dont nul n'a réussi à la sortir.

— Rien ni personne n'a su comment lui faire ouvrir les yeux ? s'étonna la cyclope.

— Non, rien ni personne ! Ni la magie ni le bon vieux coup du seau d'eau froide n'ont eu raison de son sommeil.

— Oh !

Secouée, Calista ne trouva rien d'autre à répondre. Elle garda quelques instants le silence, avant de se tourner vers son amie :

— Pourquoi est-ce que tu ne m'as jamais parlé de tout ça avant ?

— Je... je ne sais pas trop... Cela n'a rien à voir avec toi, c'est une affaire de famille.

— Je croyais faire partie de ta famille, murmura Calista, blessée.

— C'est le cas ! lança avec véhémence Yaëlle. Je suis désolée, c'est seulement que l'occasion de te parler de tout ça ne s'est jamais présentée. Et puis, nous avons été tellement occupées toutes les deux avec le Cercle, les enfants, Sébastian...

— Je peux comprendre, l'interrompit la cyclope. Je sais que ta vie n'a pas été facile après la mort de Sébastian. Mais, bon sang, on se connaît depuis plus de dix ans et pas une seule fois tu ne t'es donné la peine d'aborder ce sujet avec moi !

— Eh bien, maintenant tu connais toute l'histoire ! répliqua Yaëlle, piquée au vif par les reproches de Calista.

Les deux amies s'affrontèrent longuement du regard avant que Calista ne brise le silence.

— Est-ce que Jonas est au courant ?

— Non, bien sûr que non. Personne ne le sait. Enfin, je veux dire, tu es la seule à le savoir. Et quand Lucy sera assez grande, ce sera à son tour de prendre soin de Théodora jusqu'à son réveil.

— Et son réveil est prévu pour quand ? demanda la cyclope en croisant lourdement ses bras sur sa poitrine.

— Je ne sais pas... avoua Yaëlle d'un ton affligé.

— Alors, en attendant que mademoiselle la gorgone daigne bien vouloir ouvrir les yeux, que fait-on ?

— On attend... on l'attend !

— Et si Théodora ne parvient pas à délivrer Aphrodite ? Ou bien si elle n'ouvre jamais les yeux et qu'elle dort pour l'éternité ?

— Personne ne dort pour toujours, sauf les morts, et elle n'est pas morte ! C'est pour ça que ma famille prend soin d'elle depuis si longtemps. Théodora a une dette envers nous tous et... ma famille a une dette envers elle. Une fois que tout ça sera réglé, une fois que l'équilibre sera rétabli, les choses iront beaucoup mieux, crois-moi !

— Je ne demande qu'à te croire. Mais, Yaëlle, c'est bien plus qu'une histoire de dette ou une simple affaire de famille ! Si tu dis vrai, si c'est bien cette fille qui est responsable de cette situation, alors c'est l'humanité tout entière qui est concernée. Tu ne peux pas...

— Je le sais très bien, qu'est-ce que tu crois ? coupa sèchement la jeune femme. Sauf qu'il faut être réaliste. Si toute cette histoire arrive jusqu'aux oreilles des membres du Conseil, tu crois vraiment qu'ils ne feront aucun mal à Théodora en apprenant son véritable rôle ? Lorsqu'elle sera de nouveau parmi nous, les choses vont changer ! Et s'il y a une chose que j'ai apprise, c'est que le Conseil n'aime pas les changements, surtout si cela implique la possibilité que ses membres perdent en partie, voire complètement, leur pouvoir sur la Cité. Si on leur parle de la gorgone endormie, elle sera en danger et nous aussi, tu peux en être sûre ! Cali, je t'en prie… Théodora est notre lumière au bout du tunnel.

Calista laissa échapper un soupir de contrariété. Elle savait que son amie avait raison sur toute la ligne. On ne pouvait pas faire confiance au Conseil ! Les seuls en qui elle avait une foi aveugle étaient ses amis du Cercle. Malheureusement, chacun d'eux avait déjà de nombreuses tâches à accomplir pour assurer le bien-être des Surplus et la survie du groupe. Fomenter une révolte demandait du temps et de l'organisation. De plus, il fallait que tout se fasse dans la plus grande discrétion pour ne pas attirer l'attention sur soi ou sur un autre membre du Cercle. Tout le monde faisait de son mieux, mais il était certain que personne n'avait de temps à consacrer à une pauvre petite gorgone endormie.

La cyclope pouvait comprendre à quel point Théodora était importante aux yeux de son amie, et cela, pour plusieurs raisons. Cette jeune fille avait très certainement elle aussi un rôle à jouer dans toute cette histoire. Mais pour l'instant, la Belle au bois dormant ne leur était pas d'une très grande utilité au fond de sa grotte, et Calista n'était pas vraiment d'accord pour attendre l'entrée en scène de cette supposée héroïne. La directrice de la bibliothèque et ses amis étaient là, eux, et ils devaient survivre ;

c'était maintenant qu'ils avaient besoin d'aide ! Ils ne pouvaient pas rester là et espérer qu'un quelconque héros fasse son apparition comme par enchantement…

Les livres étaient peut-être peuplés de vaillants héros qui parviennent toujours à sauver la jolie princesse et les pauvres villageois. Cependant, la réalité était tout autre… Le bien ne l'emportait pas toujours ! Mais il fallait au moins essayer de faire les choses par soi-même. Calista était intimement convaincue que chaque être humain pouvait être tour à tour un véritable héros puis le plus insensible des monstres… Tout n'était qu'une question de choix et de circonstance.

— Est-ce que tu crois vraiment qu'un jour ta gorgone va rouvrir les yeux ? demanda Calista.

— Ce n'est pas MA gorgone, mais oui, je suis certaine qu'elle se réveillera un jour.

— Est-ce qu'à son réveil les choses reprendront leur place ? Je veux dire, est-ce que l'humanité a une chance de redevenir ce qu'elle était ?

— J'espère que l'humanité ne redeviendra jamais comme avant ! Il faut que les choses et les hommes changent. Théodora, en délivrant Aphrodite, nous permettra de faire un premier pas dans cette direction ! Je ne suis pas stupide, je sais très bien que même si Théodora parvient à délivrer Aphrodite, l'amour ne va pas irradier la terre entière en jaillissant du sol. Mais je suis convaincue que ça aidera à changer les choses. Nous avons réellement besoin de la déesse de l'amour.

Calista sourit tendrement à son amie.

— Donc, si tu sais où est la gorgone, j'imagine que tu sais aussi où se trouve Aphrodite ?

— Oui. Comme je te l'ai dit, cette histoire a été transmise de génération en génération dans ma famille. Et l'histoire parle aussi d'une statue de pierre représentant une jeune femme d'une grande beauté...

— Aphrodite... murmura la cyclope.

— Oui, il s'agit d'Aphrodite.

— Mais si tu sais où est Aphrodite, alors pourquoi personne n'a essayé de délivrer la déesse ? s'informa Calista, soudainement fascinée par cette histoire.

— Lorsque Aphrodite a été changée en statue, Athéna est descendue sur la terre des hommes pour expliquer à mon aïeule, Léandre, que seule la personne qui avait jeté le sort pouvait libérer Aphrodite de sa prison de pierre.

— Donc, tant que Théodora est endormie, Aphrodite restera prise au piège dans la pierre...

— En attendant que la gorgone délivre la déesse, Athéna a mis la statue de sa sœur en sécurité dans une grotte dont l'entrée est scellée. Seule la dague d'Aphrodite permet d'y accéder.

— Et tu as cette dague ?

— Non... avoua Yaëlle d'une petite voix.

— Théodora alors ? hasarda la cyclope quelque peu pessimiste.

— J'ai passé des heures à fouiller la grotte, tout comme mon père avant moi et sa mère avant lui. Mais aucun de nous n'a trouvé la moindre trace de cette dague. Et rien ne laisse présager que Théodora l'ait dissimulée ailleurs, ni même qu'elle l'ait eue un jour en sa possession.

— Si j'ai bien compris, même si Théodora finit par se réveiller, l'humanité ne sera pas plus avancée parce que ni la gorgone ni toi ne possédez cette arme ?

— Il faut absolument qu'on retrouve la dague ! Si nous perdons entièrement l'amour, l'espoir disparaîtra lui aussi à son tour... Si l'espoir s'éteint, l'humanité s'éteindra avec lui et il ne restera plus rien de nous...

— Alors nous ferons en sorte que ça n'arrive pas, voilà tout ! assura Calista sur un ton déterminé.

— Nous avons besoin d'un vrai miracle, parce que je ne sais même pas à quoi ressemble cette dague. Mais...

— Mais tu oublies que j'ai grandi avec les dieux, coupa Calista, un sourire en coin. Si tu ne sais pas à quoi ressemble cette dague, pour ma part j'ai un vague souvenir de l'avoir déjà vue à la ceinture d'Aphrodite.

— Tu te moques de moi ? s'écria Yaëlle en se redressant sur sa chaise, tout à coup envahie d'un nouvel espoir.

— Bien sûr que non ! Je me souviens d'avoir vu Aphrodite à la forge avec mes oncles, mon père et Héphaïstos, le dieu de la forge. Ensemble, ils ont élaboré un alliage de foudre et de métal avant qu'Aphrodite ne forge l'arme elle-même. J'étais encore trop jeune pour avoir le droit d'entrer dans l'atelier, mais je passais de longues heures l'œil collé au trou de la serrure pour voir ce qui se passait à l'intérieur.

— Tu veux dire que tu serais capable de reconnaître la dague ? demanda Yaëlle, les yeux brillants.

— Je crois que oui...

— Oh, Cali, tu es une vraie bénédiction du ciel ! cria Yaëlle en se jetant au cou de son amie, manquant ainsi de les faire basculer toutes les deux sur le sol.

— Du calme ! gloussa la cyclope en repoussant doucement Yaëlle. Nous n'avons pas encore trouvé la dague.

— Non, mais on la trouvera !

— Cela me semble un jeu d'enfant ! ironisa Calista. Il faut juste retrouver la dague pour qu'Aphrodite soit libre, et ensuite…

— Euh… En fait, ce n'est pas aussi simple…

— Quoi ? Mais je croyais qu'il fallait simplement mettre la main sur cette fichue dague et attendre le réveil de Théodora ! Tu me caches encore beaucoup de choses ?

— Non ! Après que nous serons entrées en possession de l'arme, il nous faudra ensuite trouver la source de Vie afin d'y plonger la lame pour la purifier et la rendre ainsi indestructible.

— La source de Vie… soupira Calista.

— C'est…

La cyclope la coupa récita d'une traite :

— Une source capable de ramener toute chose à la vie à condition de posséder la dague de la déesse de l'amour et le corps ou l'âme de ce qu'on souhaite ramener à la vie. Mais personne ne sait où se trouve cette source, seule la dague peut nous en indiquer le chemin. Ensuite, Théodora n'aura plus qu'à planter la dague dans la poitrine d'Aphrodite pour lui transpercer le cœur, et la déesse sera de nouveau libre.

Après la mort de toute sa famille sur l'Olympe, Calista avait elle aussi pensé partir à la recherche de la source de Vie. Mais Zeus avait envoyé les corps de ses oncles et de son père très loin dans la voie lactée, là où elle ne pourrait jamais les récupérer. Sans corps, pas de retour possible à la vie. La cyclope avait donc dû renoncer à son projet et faire le deuil de sa famille.

— Est-ce que tu m'aideras tout de même à chercher la dague ? demanda Yaëlle. Tu n'es pas obligée, mais…

Calista s'approcha doucement de sa camarade pour lui prendre la main.

— Je veux t'aider. Je suis prête à tout faire pour que Lucy et Brontès aient un meilleur avenir.

— Merci, chuchota Yaëlle, émue.

— Assez parlé ; maintenant, place à l'action ! s'écria Calista en bondissant sur ses pieds. Puisque apparemment on ne peut rien faire pour réveiller la gorgone, partons à la chasse au trésor pour trouver la dague d'Aphrodite. Peut-être qu'un sort de localisation pourrait nous aider ? suggéra-t-elle en se frottant le menton, signe qu'elle étudiait sérieusement toutes les possibilités.

— Tu sais faire ce genre de choses ? s'étonna Yaëlle.

— Pas vraiment, non. Mais Ella devrait…

— Non, je ne veux pas la mêler à ça ! coupa sèchement Yaëlle.

— Ça ne lui demandera pas plus de cinq minutes. Après tout, la magie, c'est son domaine ! Et puis, d'une certaine façon, nous sommes tous mêlés à cette histoire, Ella autant que les autres.

— Oui, tu as raison. Et je sais que chacun d'entre nous forme un chapitre de cette histoire qui nous lie les uns aux autres. Mais

Ella est appelée à jouer un rôle important dans la Cité, et nous avons besoin qu'elle remplisse sa tâche. Si elle se fait prendre en train de faire de la magie ici, une explication peu convaincante pourrait entacher sa réputation, et le Conseil garderait toujours un œil sur elle, guettant le moindre signe de trahison de sa part. Ella ne pourrait plus agir aussi librement alors qu'il est impératif que le Conseil lui fasse entièrement confiance et qu'il croit en sa loyauté. Il faut nous débrouiller sans elle !

— D'accord, lança la cyclope dans un soupir résigné. La magie, c'est un peu comme la cuisine, il suffit de suivre les indications du livre et de mélanger correctement les ingrédients.

— Parce que tu as l'intention d'agir toi-même ?

— Tu viens de dire qu'il fallait qu'on se débrouille seules. Il faudrait savoir ce que tu veux !

— Je pensais plus à… euh…

— À quoi ? demanda la cyclope en croisant ses bras sur sa poitrine.

— À autre chose que la magie…

— Comme quoi ? Errer dans le désert en soulevant chaque caillou sur notre route pour voir si par bonheur la dague d'Aphrodite ne serait pas cachée dessous ? C'est ce que tu pensais faire ?

— Oui… ou en tout cas quelque chose du genre, confessa Yaëlle.

— Eh bien, ce n'est pas étonnant que personne de ta famille n'ait réussi à mettre la main sur l'arme !

— Hé, on a fait ce qu'on a pu ! rétorqua Yaëlle. Et je te rappelle que ma famille a aidé à construire la Cité. Nous avons surmonté des épidémies meurtrières, des raz-de-marée, des pluies acides, alors excuse-nous d'avoir été un peu distraits ces dernières décennies et d'avoir sauvé quelques vies en plus des nôtres !

— Tu as raison. Je suis désolée. Je sais que ta famille a déjà fait beaucoup et que Lucy et toi entreprendrez aussi de grandes choses, mais il n'empêche que la formule de localisation est notre meilleure chance de retrouver la dague.

Yaëlle grimaça :

— Tu sais que je n'aime pas trop tous ces trucs de magie. Un jour ou l'autre, cela se retourne contre ceux qui ont joué avec !

— Ça tombe bien…

— Qu'est-ce qui tombe bien ?

— Toi et moi ne sommes pas du tout en train de jouer, alors rien ne se retournera contre nous ! lança Calista d'un air complice.

— Tu as très bien compris ce que je voulais dire.

— Arrête de faire la trouillarde ! Tout ira bien ! Après tout, ça ne doit pas être bien sorcier, d'autant que l'on veut simplement lancer un petit sort de localisation. On ne veut pas changer du plomb en or.

— Oui, dit Yaëlle. Et puis, changer le plomb en or, c'est de l'alchimie, ça n'a rien de magique, remarqua-t-elle sur un ton savant.

— Ce que tu peux être agaçante quand tu joues à *mademoiselle je sais tout*, dit Calista avec un sourire en coin. Je dois certainement avoir ce qu'il faut dans mon bureau pour le sort de localisation. Il s'agit de magie de premier cycle, ce qui ne devrait pas nous donner trop de mal, termina-t-elle en faisant signe à sa compagne de la suivre.

La Soigneuse hésita une seconde. La magie et elle n'avaient jamais été très amies. C'était quelque chose qui la dépassait entièrement. Et comme tout être humain qui s'aventure en terrain inconnu, Yaëlle avait tout simplement peur de la manière dont pouvaient tourner les choses.

— Alors, tu viens ou tu restes là à prendre racine ? se moqua Calista.

Ce qu'il y a de bien avec la peur, c'est que ce n'est rien de plus qu'un état de stress causé par une situation ou une personne, et qu'à un moment ou à un autre elle finit toujours par disparaître. C'était le moment pour celle de Yaëlle de la laisser tranquille. En fait, Yaëlle ne ressentait pas vraiment de la peur à l'état pur, mais plutôt une étrange appréhension qui lui serrait le cœur. C'est difficile, pour ne pas dire impossible, d'arriver à accepter quelque chose que l'on ne connaît pas... Mais la jeune femme allait remédier au problème immédiatement !

Elle allait apprendre !

Apprendre pour comprendre... comprendre pour ne plus avoir peur... car on a peur de ce que l'on ne connaît pas.

— J'arrive, dit-elle en emboîtant le pas à la cyclope.

Yaëlle et Calista remontèrent l'allée centrale jusqu'au bureau de la directrice. Une fois à l'intérieur, cette dernière s'assura de bien refermer la porte afin que son amie et elle ne soient pas dérangées. Elle appuya ensuite sa main sur le mur du fond. Yaëlle resta bouche bée lorsqu'elle vit la cloison s'ouvrir en deux et que des étagères entières couvertes de livres, de fioles et d'objets qu'elle n'avait encore jamais vus apparurent.

— Le Conseil sait que tu as ce matériel ici ? interrogea-t-elle en désignant les étagères du menton.

— On a tous nos petits secrets ! ricana la cyclope. Tout ça fait partie de la collection personnelle de Gilbert. Disons que j'ai pris cela pour l'héritage d'un directeur à son successeur. Certains livres sont très intéressants : magie, sortilèges, philtres, incantations, énuméra la cyclope en comptant sur ses doigts.

— Je vois, dit Yaëlle, amusée par l'excitation soudaine de son amie. Et comment as-tu su que ces merveilles se trouvaient ici ?

— C'était écrit dans le journal de bord que m'a remis le Conseil. Mais comme personne n'avait réussi à ouvrir l'objet avant moi, personne n'avait eu connaissance de cette collection privée, ce qui est très bien ! Certains de ces ouvrages sont beaucoup trop précieux pour les laisser entre de mauvaises mains.

— Tu n'as jamais pensé te servir de ces formules ou des objets qui sont là pour renverser le Conseil ?

— Bien sûr que si, avoua Calista, mais Jonas m'a convaincue d'attendre. Même s'il y a des choses étonnantes ici, cela ne suffirait pas à faire flancher le Conseil. Il faut attendre notre heure pour pouvoir frapper fort, car nous n'aurons pas de seconde chance. Mais en attendant, tout ce matériel va nous aider à mettre la main sur la dague que tu cherches, ajouta-t-elle en se saisissant d'un livre haut perché sur une étagère. Il me semble avoir vu quelque chose dans ce livre, marmonna-t-elle en feuilletant rapidement un ouvrage. Ah, voilà, c'est là ! cria-t-elle victorieusement en pointant son index vers le haut d'une page.

Yaëlle s'approcha pour lire par-dessus l'épaule de son amie. Mais elle ne parvint pas à déchiffrer les curieux symboles qui étaient inscrits sur la feuille.

— Je ne comprends rien ! s'exclama-t-elle.

— C'est du grec ancien, répondit Calista sans même lever le nez du livre.

— Et qu'est-ce que ça raconte au juste ?

La cyclope s'éclaircit la voix avant de commencer sa traduction :

— *La dague d'Aphrodite est une dague légendaire qui révélera au mortel qui la possède l'emplacement de la source de Vie, qui a le pouvoir de ramener à la vie toute chose en ce bas monde. La dague possède une lame à double tranchant, taillée pour donner l'impression d'une vague en mouvement. Le manche de la dague représente une paire d'ailes couvertes de plumes d'or et est serti d'un quartz rose en son centre, en forme de cœur.*

— C'est vraiment ce qui est écrit ? demanda Yaëlle, les yeux écarquillés de surprise, en tirant vivement le livre vers elle.

— As-tu appris à lire le grec ancien dans les cinq dernières minutes ? lança Calista sur son ton le plus sérieux.

— Non, pourquoi ? marmonna Yaëlle, un peu perdue.

— Alors rends-moi ce livre, car il ne te sert strictement à rien, dit la cyclope en le retirant des mains de la jeune femme avant de se diriger vers son bureau et de l'y déposer pour ensuite s'emparer d'un fusain.

— Qu'est-ce que tu es en train de faire ? interrogea Yaëlle en s'approchant.

— Je complète le peu d'informations que nous avons sur la dague, expliqua Calista. Dans mon souvenir, voilà à peu près à quoi elle ressemble. Ce n'est pas très éloigné de ce qui est écrit dans le livre, ajouta-t-elle, concentrée sur le croquis qu'elle était en train de dessiner en bas de la page.

— Je croyais que nous étions venues ici pour l'incantation de localisation.

— En effet, dit Calista. Mais ce croquis nous servira de base pour localiser l'arme. La formule se trouve dans le gros livre bleu en haut à gauche, annonça-t-elle tandis qu'elle finissait son dessin. Tu veux bien le descendre, s'il te plaît ?

Yaëlle acquiesça d'un mouvement de tête avant de s'emparer de l'ouvrage et de le rapporter à la cyclope.

— Joli coup de crayon ! s'exclama la jeune femme en déposant le livre près de son acolyte.

— Merci, répondit Calista en admirant son œuvre. Ce n'est pas du grand art mais, pour servir de base à nos recherches, ce sera grandement suffisant, dit-elle en ouvrant le second livre. Formule de localisation… formule de localisation, murmurait-elle au fur et à mesure qu'elle tournait les pages. Ah, la voilà : *Infaillible pour retrouver les objets magiques : formule de localisation,* lut-elle à haute voix.

— Comment cela fonctionne-t-il ? s'enquit Yaëlle en se penchant sur le livre.

— Laisse-moi lire un peu, dit la cyclope en laissant son doigt glisser le long des lignes. Alors, pour ce sort, nous avons besoin d'une carte ainsi que de la représentation physique de l'objet que nous cherchons. Il nous faut également une plume de corbeau, 99 yeux de tritons, une…

— Quatre-vingt-dix-neuf ? C'est idiot comme chiffre. Ça veut dire que l'un des tritons est reparti borgne !

Agacée d'avoir été interrompue dans sa lecture, Calista répliqua :

— Eh bien, au moins celui-là a eu de la chance, car il voit encore quelque chose. Ce n'est pas comme les 49 autres qui sont devenus aveugles !

— Oui, c'est certain. Mais le pauvre n'a plus qu'un œil...

— Crois-moi sur parole : on y voit très bien avec un seul œil, dit la cyclope en pointant son œil.

— Je disais simplement que je trouvais que 99 était un nombre stupide. Il faut toujours que les sorciers fassent les intéressants !

— Ce n'est pas moi qui ai écrit cette formule, mais s'il est dit qu'il faut 99 yeux, il y a une raison. Et ce n'est sûrement pas pour jouer les intéressants que les sorciers ont choisi ce nombre. Bon, est-ce qu'on peut reprendre maintenant ?

— Bien sûr, je t'en prie, encouragea doucement Yaëlle d'un geste de la main.

— Je disais donc 99 yeux de tritons, une toile d'araignée, quatre gouttes de sang d'une jeune licorne, trois...

— Oh, la pauvre bête ! gémit Yaëlle.

— Tu le fais exprès ou quoi ? tonna la cyclope en levant la tête.

— Non, mais je ne peux m'empêcher de penser à la pauvre petite créature qui a été tuée pour qu'on puisse remplir une bouteille de son sang ; c'est si triste, pleurnicha Yaëlle.

— Vous, les humains, vous êtes bien tous les mêmes ! dit Calista, exaspérée.

— Pourquoi dis-tu ça ?

— Parce que vous croyez tous que les licornes sont de gentilles créatures qui gambadent dans les prairies ou sur le mont Olympe.

— Mais c'est toi-même qui m'as dit qu'il y avait des licornes sur l'Olympe ! protesta la chaman.

— Je n'ai jamais dit qu'elles étaient gentilles, seulement qu'elles étaient belles, nuance ! Pour être honnête, ce sont de sales bêtes. Tout le monde pense qu'il n'y a pas plus doux et plus innocent que ces gracieuses licornes blanches. Mais ce sont des voleuses et, pour couronner le tout, elles sont de vrais charognards. Elles mangent tous les animaux qu'elles trouvent. Parfois leurs proies sont encore vivantes quand elles les dévorent. Et lorsqu'elles sont affamées, elles sont même capables de s'en prendre aux humains, surtout les plus jeunes d'entre elles, car ce sont les plus téméraires ! Mais ça, bien sûr, personne ne veut le croire. Elles sont si jolies avec leurs incroyables mèches d'argent et leurs grands yeux bleus. Mais ce sont des démons !

— Beurk ! lâcha Yaëlle dans une grimace horrifiée. Alors je suis bien contente que l'une d'entre elles ait fini dans une bouteille !

— Où en étais-je ? s'interrogea à voix haute Calista en reportant son attention sur le livre, visiblement satisfaite de son petit effet. Ah oui, quatre gouttes de sang d'une jeune licorne, trois ailes de chauve-souris...

Calista interrompit sa lecture et tourna son regard vers sa compagne. Mais Yaëlle ne fit aucune remarque.

— Deux œufs de crapaud, une pincée de sel…

— On prépare une formule ou est-ce qu'on se lance dans la préparation d'une soupe ? ricana Yaëlle qui se sentait de plus en plus à l'aise.

Après tout, la magie pouvait être quelque chose de drôle.

— Bon sang, Yaëlle, j'ai besoin de me concentrer deux minutes, et toi, tu ne peux pas tenir ta langue plus de trente secondes ! cria la cyclope en tournant rageusement la page pour lire la suite de la formule.

« Désolée ! » forma silencieusement sur ses lèvres la Soigneuse.

— Pour finir, il nous faut de la poudre de diamant et du colorant vert. Il est important d'ajouter le colorant à la toute fin de l'opération.

Yaëlle, qui s'apprêtait à émettre un commentaire, y renonça en remarquant l'œil sombre qu'avait posé Calista sur elle.

— Je vais chercher les ingrédients, se contenta-t-elle de lancer en se dirigeant vers les étagères.

Quelques minutes plus tard, Yaëlle revint les bras chargés de pots, de fioles et de bouteilles en tout genre.

— Gilbert devait vraiment être un grand sorcier pour posséder un tel attirail, dit-elle en déposant tout son fourbi sur la table.

— J'imagine que oui, répondit la cyclope qui faisait de son mieux pour retrouver un semblant de calme intérieur.

Yaëlle avait beau être son amie, elle pouvait parfois se montrer épuisante à cause de son habitude de tout commenter.

— Bon, on lance ce fichu sort ou on passe le reste de la nuit à discuter des super pouvoirs de Gilbert ? demanda la chaman qui trépignait d'impatience.

— On lance le sort ! s'exclama la cyclope.

— À la bonne heure !

Calista alla chercher un pilon et un mortier pour écraser les ingrédients et ensuite préparer la mixture. Après avoir réduit en bouillie les yeux de tritons, elle fit de même pour les ailes de chauve-souris et les œufs de crapaud. Puis elle entreprit la hasardeuse tâche de mélanger cette mélasse aux autres ingrédients que Yaëlle avait pris soin de mettre dans un gigantesque récipient en pierre.

— Qu'est-on censé faire quand tout est prêt ? demanda la cyclope à sa voisine en tournant délicatement le mélange d'une main experte.

— Si j'en crois la dernière ligne du livre, une fois la préparation achevée, il n'y a plus qu'à fermer les yeux et à l'appliquer sur ses paupières...

— Pour l'amour du ciel, mais de quoi est-ce que tu parles ? s'écria Calista en ajoutant le dernier ingrédient, soit le colorant vert.

Le liquide verdâtre et huileux était tout juste entré en contact avec le reste du mélange qu'une gigantesque détonation retentit... Un épais nuage vert s'éleva, et l'infâme mixture explosa littéralement au visage de la directrice de la bibliothèque.

— Par les dieux ! hurla celle dont le visage était entièrement recouvert de l'affreux mélange. Mais qu'est-ce qui s'est passé ?

— Je n'en ai pas la moindre idée ! Est-ce que tu vas bien ? demanda Yaëlle, quelque peu inquiète.

— Oui, ça va, ne t'en fais pas, la rassura doucement son amie en s'essuyant le visage du revers de la main.

Soulagée de savoir que sa compagne allait bien, Yaëlle ne put retenir un grand éclat de rire.

— Si tu penses pouvoir faire mieux, ne te gêne surtout pas ! dit la cyclope, vexée, en tendant le livre à Yaëlle.

Mais celle-ci riait tellement fort qu'elle ne pouvait tout bonnement pas saisir l'ouvrage que Calista lui tendait.

— Tu… et… pouf ! mima Yaëlle entre deux éclats de rire en rejouant la scène.

Oui, décidément, la magie pouvait être très amusante. Plus de doute là-dessus pour la Soigneuse.

— Si tu ne peux pas faire mieux que de prononcer des monosyllabes, alors je te prierais de te taire.

— Mais… mais tu… rit Yaëlle de plus en plus fort tandis que Calista finissait d'ôter la mélasse de son visage. Tu n'as pas vu ta tête !

— Et je n'ai aucune envie de la voir, jeta sèchement sa camarade.

— Pourtant, tu devrais, parce que là, crois-moi, on voit bien que tu es verte de rage ! pouffa la jeune femme en plaçant ses mains devant sa bouche pour tenter de contrôler son fou rire.

— Ce que tu peux être puérile parfois, dit la cyclope en levant son œil en direction du plafond, tout en avançant vers le miroir qui se trouvait sur le mur en face d'elle. Mais je suis verte ! hurla-t-elle en se voyant dans la glace.

— C'est exactement ce que je viens de te dire ! rit la chaman à l'autre bout de la pièce.

— Mais comment est-ce que ça a pu arriver ? s'affola Calista, qui se tirait le visage dans tous les sens. Je ne peux pas rester verte, ça non alors ! Par les dieux, est-ce mon imagination ou je scintille vraiment ? demanda-t-elle en se frottant frénétiquement les joues.

— Non, ce n'est pas ton imagination, tu brilles ! confirma Yaëlle. Ça doit être à cause de la poudre de diamant… ajouta-t-elle, maîtrisant peu à peu sa crise de rire.

— J'ai l'air d'un sapin de Noël ! se désespéra la cyclope.

— D'un quoi ?

— J'oubliais que tu ne sais pas ce que c'est, soupira Calista, car on ne fête plus Noël depuis longtemps ici. Mais ce n'est pas important pour le moment ! Le vrai problème, c'est que j'ai la peau verte et brillante !

— Je me demande si tu luis dans le noir, lança Yaëlle qui réprima un sourire en voyant le regard courroucé que lui lança son amie dans le miroir.

— Je n'en sais rien et je m'en moque ! gémit la cyclope en se frottant le visage pour tenter d'atténuer le vert de sa peau. Je ne comprends pas pourquoi ça a mal tourné. J'ai pourtant suivi la formule à la lettre.

Yaëlle prit le livre. Elle revint à la page où figurait le début de la formule puis la tourna.

— Oh, je me disais bien aussi... murmura-t-elle après quelques secondes de silence.

— Qu'est-ce que tu te disais ? interrogea la cyclope en se retournant pour faire face à la jeune femme.

Yaëlle toussota nerveusement avant de se lancer :

— Je trouvais cela plutôt curieux que tu aies besoin de poudre de diamant et de colorant... Mais, finalement, c'est normal puisque tu n'as pas préparé la bonne formule...

— Comment ça, je n'ai pas préparé la bonne formule ?

— Quand tu as tourné la page pour lire la fin de la formule, tu n'as pas fait attention et deux pages sont restées collées. Les deux derniers ingrédients que tu as ajoutés font partie de la formule « Ombre à paupières : un regard hypnotique » !

— Tu te moques de moi, répliqua Calista, estomaquée, en se précipitant vers son amie.

— Regarde par toi-même si tu ne me crois pas : c'est écrit en toutes lettres ! s'écria Yaëlle en lui cédant sa place devant l'ouvrage.

Calista tourna et retourna les deux pages en question comme si elle espérait ainsi pouvoir changer les mots qui étaient inscrits sur les feuilles. Yaëlle avait raison ; il s'agissait bien de deux formules totalement différentes ! Comment avait-elle fait pour ne pas s'en apercevoir, elle qui était toujours si méticuleuse, surtout avec tout ce qui touchait la magie ?

— Tout ça, c'est entièrement ta faute ! tonna tout à coup la cyclope en se tournant vers son amie.

— Ma faute ? répéta Yaëlle en posant son index sur son thorax. Je n'y suis pour rien si tu es incapable de tourner correctement les pages d'un livre. De la part de la directrice de la Grande Bibliothèque, ce n'est tout de même pas très glorieux !

— Si tu avais tenu ta langue au lieu de m'interrompre toutes les trente secondes dans ma lecture, ça ne serait jamais arrivé ! Toi et tes stupides remarques m'avez déconcentrée. Alors, oui, c'est ta faute !

Yaëlle garda le silence quelques instants. Après tout, Calista n'avait peut-être pas tout à fait tort. C'était en partie sa faute si son amie avait raté son sortilège et qu'elle avait à présent la peau verte…

— Je suis désolée… finit-elle par murmurer, sincèrement navrée.

— Tu peux l'être, car j'ai l'air monstrueuse, enfin, je veux dire plus monstrueuse que d'habitude, dit la cyclope qui s'était quelque peu radoucie, touchée par l'embarras évident de sa compagne.

— Si ça peut te consoler, il est écrit ici que cela ne dure pas plus de trois jours.

— Trois jours ? s'écria Calista. Je ne peux pas rester ainsi tout ce temps. Avec cette peau verte, c'est comme si « pratique la magie en douce » était écrit en gros sur mon front ! Si le Conseil me soupçonne de faire des sortilèges, je serai sévèrement punie. Seuls les Magiciens ont le droit de pratiquer ; les ingrédients sont tellement rares et précieux que ces Utiles sont les seuls à pouvoir en profiter ! Je serais châtiée pour avoir dissimulé du matériel qu'ils pensent mériter de droit. Il faut qu'on trouve une solution ! Il y a peut-être une formule pour blanchir la peau ? termina-t-elle en se saisissant du livre.

— J'en doute, dit Yaëlle d'une voix remplie de scepticisme.

— Pourquoi pas ? Après tout, il y a bien une formule pour créer de l'ombre à paupières !

— De l'ombre à paupières magique pour hypnotiser les gens !

— Il doit bien y avoir quelque chose… insista la cyclope en feuilletant frénétiquement le livre.

Après plusieurs minutes de recherche, Calista dut se rendre à l'évidence. Il n'y avait rien pour aider sa peau à retrouver une couleur normale.

— Je suis fichue ! pesta la cyclope au bord de la panique.

— Mais non, tu n'es pas fichue, la rassura son amie d'une voix douce. Il te suffira simplement de garder ton masque quelques jours sur ton visage. Personne ne verra la différence, puisque tu le portes déjà presque toute la journée ! Et les gens devant qui tu ne le portes pas habituellement sont tes amis proches, alors aucun d'entre eux n'ira te dénoncer au Conseil ou aux Citadins ! Tout ira bien, si ce n'est que le genre sorcière de l'ouest du *Magicien d'Oz* te collera à la peau quelques jours. Tu vois, tu t'en sors plutôt bien ! conclut-elle en posant une main sur l'épaule de la cyclope.

— Tu es sûre de ça ?

— Ne t'en fais pas. Si nous arrivons à dissimuler depuis un an déjà au Conseil que nous rassemblons des armes et que nous envisageons de le renverser, je pense que dissimuler ta peau verte pendant deux ou trois jours ne devrait pas être ce qu'il y a de plus compliqué…

— Tu as sûrement raison, approuva Calista d'un hochement de tête.

— Bien sûr que j'ai raison, qu'est-ce que tu crois ? Allez, viens, il est temps de ranger tout ce bazar avant que…

— Ah non, sûrement pas ! Nous n'avons pas terminé, alors il est hors de question d'aller où que ce soit avant d'avoir accompli le sortilège pour retrouver la dague.

— Tu es sûre de vouloir continuer? demanda Yaëlle en fronçant les sourcils.

— Certaine ! lança Calista. Tu ne crois tout de même pas que j'aurai infligé cette teinte verdâtre à mon visage juste pour le plaisir ? Nous allons finir ce que nous avons commencé mais, cette fois, nous allons tout faire dans les règles de l'art ! dit-elle avant d'ouvrir le livre à la bonne page.

Yaëlle alla chercher un nouveau récipient avant de revenir auprès de son amie qui s'était déjà plongée sérieusement dans sa lecture. La jeune femme attendit patiemment que la cyclope achève sa tâche.

— Cette fois, tout ira bien, dit Calista en s'emparant des yeux de tritons. Une fois que le mélange sera prêt, il suffira d'étaler la substance partout sur la carte. Ensuite, nous n'aurons plus qu'à déposer deux petits fils entre la carte et la représentation de la dague pour les relier. Puis le sortilège agira de lui-même en captant l'aura magique de l'objet que nous cherchons.

— Ça a l'air plutôt simple et efficace !

— Mais ça l'est ! assura la cyclope en commençant à mélanger savamment les ingrédients.

— Mais… euh… je ne suis pas sûre de bien comprendre à quoi vont servir les deux fils. Tu es sûre qu'ils font partie de la bonne formule ? Je veux dire…

— Je sais ce que tu veux dire ! Ne t'en fais pas, j'ai vérifié deux fois : les fils font bien partie de *cette* formule. Ils évoquent l'emprise divine sur le fil de la destinée humaine.

— *Le* fil ? Alors pourquoi est-ce qu'il en faut deux ? lança Yaëlle, quelque peu fébrile.

— Calme-toi, voyons, ce n'est rien d'autre qu'un symbole ! Il en faut deux pour établir un lien entre la vie et la mort, entre la réalité et l'inconscient, entre le bien et le mal…

— D'accord, d'accord, j'ai compris l'idée : une entrée, une sortie !

— Voilà, c'est exactement ça ! dit Calista avant de tendre à son amie le récipient qui contenait une étrange gadoue gris satiné à l'aspect gluant.

— Qu'est-ce que tu veux que je fasse avec ça ? interrogea la Soigneuse sur un ton méfiant.

Le sourire aux lèvres, Calista répliqua :

— Tu dois l'étaler sur la carte, qu'est-ce que tu crois ? As-tu pensé que je voulais que tu t'en fasses un masque de beauté ?

— Tu ne peux pas l'étendre toi-même ? demanda la jeune femme, visiblement peu tentée de s'exécuter.

— Certainement pas ! s'insurgea Calista. Il faut bien que tu fasses ta part, j'ai déjà la figure verte, verte à paillettes ! insista-t-elle auprès de son amie en lui appuyant le récipient sur l'estomac pour l'inciter à le prendre. Je ne peux pas risquer de me retrouver en plus avec les mains grises !

— Mais tu as dit que c'était sans risque…

— En principe, oui. Mais…

— Mais ?

— Mieux vaut prévenir que guérir. J'ai déjà payé de ma personne pour ce sortilège ; il n'y a pas de raison pour que je sois la seule à en voir de toutes les couleurs.

— Ha, ha, rit faussement Yaëlle. Très drôle, vraiment très drôle. Non mais, quel humour ! bougonna-t-elle avant de pousser un profond soupir et de capituler. Allez, donne-moi ça, dit-elle en s'emparant vivement du récipient. On ne va tout de même pas passer la nuit là-dessus, ajouta-t-elle en posant le plat sur la table avant d'y plonger les mains. Beurk, c'est dégoûtant ! grimaça-t-elle en sortant une partie du mélange avant de le répandre un peu partout sur la carte.

— Il en faut encore un peu par là, indiqua Calista en pointant un bout de la carte.

— Ce truc est immonde ! se plaignit Yaëlle en replongeant les mains dans le récipient.

La cyclope la réprimanda :

— Ne fais pas tant de manières.

— C'est toi qui me dis ça alors que tu as manqué de t'évanouir tout à l'heure en voyant ton visage !

— Ça n'a rien à voir…

— Si tu le dis, répliqua Yaëlle en déposant le reste du mélange sur la carte. On n'y voit plus rien, observa-t-elle après avoir terminé d'étendre la mixture. Et maintenant, que doit-on faire ?

— Procéder à la touche finale ! clama Calista avant d'ouvrir l'un des tiroirs de son bureau dont elle sortit une bobine de fil pour en couper deux morceaux de même longueur.

— Ce bureau est une vraie caverne aux merveilles ! gloussa Yaëlle. Et toi, tu es pleine de surprises !

— Et voilà ! lança Calista en déposant délicatement les deux fils, l'un vers le haut, le second vers le bas, entre le croquis et la carte couverte de la mélasse qui ferait naître le sortilège.

Après plusieurs minutes d'attente pendant lesquelles il ne s'était rien passé, Yaëlle s'écria :

— Et voilà quoi ? l'interrogea la chaman en levant les mains devant elle après plusieurs minutes.

— Sois un peu patiente, murmura Calista. La magie a parfois besoin de temps pour agir, expliqua-t-elle sans quitter la carte et le croquis du regard.

— Oui, enfin, ça dépend quel genre de magie… parce que le colorant et les paillettes, c'est plutôt à prise rapide d'après ce que j'ai vu, ricana Yaëlle en pointant le visage de son amie.

— Tu vas m'asticoter encore longtemps avec ma couleur de peau ?

— Jusqu'à ce que tu en deviennes verte de rage ! pouffa la Soigneuse.

— Tu me l'as déjà faite tout à l'heure, celle-là, et elle n'est pas plus drôle la seconde fois ! Ce que tu peux être bête parfois ! Nous sommes adultes, alors si tu n'as rien d'autre à dire que : « Les gens seront verts de peur en te voyant, mais au moins ça restera dans le ton » ou encore « Eh bien, ma pauvre, tu as dû en voir des vertes et des pas mûres », tais-toi donc !

— Est-ce que c'est moi que tu as tenté d'imiter ? Permets-moi de te dire que je ne parle pas, mais alors pas du tout, de cette façon ! Qu'est-ce que c'est que cette voix nasillarde sortie d'outre-tombe ? Je ne sais pas qui tu voulais imiter, mais ce n'était certainement pas moi ! conclut la jeune femme, quelque peu vexée.

La cyclope fit rouler son œil en signe d'agacement.

— Oh, ce que tu peux m'énerver quand tu fais preuve d'autant de mauvaise foi !

— Ce n'est pas de la mauvaise foi ; simplement, ce n'était pas moi, voilà tout !

— D'accord, d'accord, ce n'était pas toi. Satisfaite ?

Le sourire qui éclaira le visage de Yaëlle répondit pour elle.

— Maintenant, va donc te laver les mains, suggéra Calista. Ça t'occupera et le temps te paraîtra moins long ! Tantôt, tu ne cessais de geindre car tu craignais que tes mains virent au gris souris ; à présent, tu sembles t'en moquer ! J'ai vraiment du mal à te suivre parfois.

— Je veux rester. Je n'ai pas l'intention de rater ce qui va se passer !

— Et que va-t-il se passer, selon toi ? demanda Calista, intriguée.

— Je ne sais pas au juste, avoua Yaëlle. Mais ça sera magique et inattendu, c'est certain ! La magie est toujours remplie de surprises !

Sur un ton de conspiration, la cyclope souffla doucement à l'oreille de son amie :

— Si tu le dis... Mais si j'étais toi, je prendrais tout de même un peu de temps pour nettoyer mes mains. Après tout, comme tu viens de le dire toi-même, la magie réserve souvent des surprises... Si ça se trouve, tes mains sont en train de devenir invisibles et tu ne t'en rends pas compte...

Yaëlle ouvrit de grands yeux ronds avant de regarder ses mains.

— On dirait... oui, on dirait qu'on commence à voir au travers, non ? demanda Calista d'un air innocent en se penchant sur les mains de la chaman.

— Tu crois ? dit Yaëlle en examinant tour à tour ses paumes.

Calista se contenta d'un léger haussement d'épaules, faisant de son mieux pour réprimer son envie de rire. Puisque Yaëlle l'avait beaucoup taquinée, c'était maintenant à son tour de la chahuter un peu et de rire à ses dépens.

— La couleur gris muraille passe encore. Mais si tes mains disparaissent, ça risque de compliquer les choses. Tu connais beaucoup de Soigneurs qui n'ont pas de mains ?

— Non, aucun... bafouilla Yaëlle d'une petite voix.

— Je pense que tu ferais bien de nettoyer tout ça, alors. Je reste ici pour surveiller l'avancée de notre sortilège.

Yaëlle acquiesça d'un petit hochement de tête avant de se diriger vers le cabinet de toilette au fond du bureau.

Après que son amie eut quitté la pièce, Calista ne put retenir son fou rire. Bien sûr, elle savait que ce n'était pas très gentil de jouer avec les angoisses de quelqu'un, mais cette fois sa camarade l'avait bien cherché.

La cyclope eut tout juste le temps de calmer sa crise d'hilarité que Yaëlle réapparut dans le bureau.

— Est-ce que j'ai manqué quelque chose ? demanda celle-ci en reprenant place près de Calista.

La première envie de la cyclope fut de dire que les pauvres et insignifiantes soixante secondes pendant lesquelles son amie avait quitté la pièce n'avaient pas été suffisantes pour qu'il se passe quoi que ce soit. À quoi s'attendait-elle au juste ? À ce que Pégase le cheval ailé soit arrivé par la fenêtre en indiquant le chemin à suivre pour trouver la dague et que Calista était montée sur son dos pour voler jusqu'à l'endroit indiqué ?

Cette idée fit sourire Calista. Pas seulement parce que plus jeune elle avait effectivement eu la chance de monter sur le dos de ce magnifique cheval, mais parce qu'elle imaginait surtout la tête de Yaëlle si elle lui confiait une chose pareille...

— Alors, j'ai manqué quelque chose ou pas ?

— Par les dieux, Yaëlle ! cria tout à coup Calista, surexcitée, en saisissant son amie par les épaules. C'était incroyable ! Il y a eu des étincelles, et puis... et puis la carte s'est déchirée en deux et un majestueux dragon argenté crachant des flammes d'un bleu azur en est sorti avant de se mettre à voler partout dans le bureau. Ensuite, Pégase est lui aussi sorti de la carte et il s'est joint au ballet aérien du dragon en hurlant qu'il savait où était la dague. Puis c'est à ce moment précis qu'un cortège de fées et de lutins a fait son apparition pour me nommer reine des fées, termina en gloussant la cyclope face au visage surpris et incrédule de sa compagne.

Il fallut un court instant à Yaëlle pour se rendre compte que son amie était tout simplement en train de se moquer d'elle, qu'il n'y avait jamais eu de dragon argenté, de Pégase et encore moins de cortège de fées. Calista avait tout inventé et elle, comme une enfant trop crédule, elle avait failli se laisser prendre au jeu. Ah, ce qu'elle pouvait être naïve parfois !

— Et tu trouves ça drôle ? cracha-t-elle, froissée.

— Drôle, je ne sais pas, mais amusant, ça oui ! Tu aurais dû voir ta tête !

— Ce n'est pas amusant !

— Peut-être pas pour toi, mais pour moi, si ! lança la cyclope, fière d'avoir pris sa revanche.

— Oh, bon sang, regarde ! cria tout à coup Yaëlle.

— Comme si j'allais me faire avoir par cette blague aussi vieille que le monde !

— Je t'assure que ça n'a rien d'une blague, répliqua nerveusement la Soigneuse.

— D'accord. Alors, si je me retourne, qu'est-ce que j'y gagne ?

— La vie ! hurla Yaëlle en poussant son amie sur le côté avant de rouler avec elle sur le sol, juste à temps pour éviter une gigantesque flamme qui leur passa au-dessus de la tête. Est-ce que ça va ? demanda-t-elle à la cyclope.

— Oui, ça va…

— Alors, viens, dit Yaëlle avant de ramper jusque sous le bureau de Calista.

— Mais qu'est-ce qui s'est passé ? demanda la cyclope, une fois à l'abri.

— Je ne sais pas. On était en train de parler et tout à coup une étincelle s'est produite sur la carte, et ce... ce machin a surgi de nulle part, pouf ! expliqua-t-elle en mimant l'explosion en fermant le poing avant de l'ouvrir vivement. D'ailleurs, sais-tu ce qu'est ce monstre hideux ?

Calista se pencha prudemment sur le côté, sortit la tête de sous le bureau et jeta un œil en direction de la table où reposait toujours le livre et les ingrédients qui avaient conduit leur visiteur surprise jusqu'ici.

L'œil de la cyclope s'agrandit de surprise lorsqu'elle découvrit ce qui lui avait valu un aller simple sur le sol.

Un imposant animal était là, grognant et bavant sur la table, toutes les dents dehors. Calista avait peine à croire ce qu'elle voyait... Comment cette créature avait-elle pu arriver jusqu'ici ? La cyclope était littéralement hypnotisée ! « Quel étrange animal ! Décidément, je ne me ferai jamais à son apparence », pensa-t-elle.

La tête de la bête n'était rien de moins que celle d'un beau et majestueux lion blanc. Chaque fois qu'elle ouvrait la gueule, elle laissait s'échapper d'intenses flammes couleur émeraude, qui allaient s'écraser lourdement sur le sol en pierre. Ses grands yeux sombres et profonds étaient aussi ténébreux qu'une nuit sans étoiles. Le reste du corps de l'animal était celui d'une chèvre au long et soyeux pelage noir teinté de doux reflets cuivrés. Une longue et vigoureuse queue d'un vert ardent complétait l'étrange spectacle qu'offrait déjà la créature. Cette queue, formée par la tête et le corps d'un serpent, ne faisait qu'onduler et remonter le long du dos de l'animal, comme si celui-ci essayait d'avaler quelque chose. Calista étira un peu plus le cou pour mieux voir ce qui semblait tant captiver le reptile... Une seconde tête, plus petite celle-là, se trouvait en plein milieu de son dos ! Il s'agissait d'une tête de chèvre ! Arborant deux hautes et tranchantes cornes d'or, la seconde tête pivota tout à coup et croisa le regard de la cyclope, ce qui arracha un petit cri de surprise à cette dernière avant qu'elle ne replonge sous le bureau.

— Ça, ma chère, c'est Chimère, dit-elle à son amie en reprenant sa place près d'elle.

— Quoi ? Non, c'est impossible, les chimères sont…

— Pas *les* chimères, seulement Chimère. Elle est la seule, l'unique !

— Elle ne peut pas être réelle. C'est une créature mythique inventée, une légende comme les… comme les…

— Comme les cyclopes, souffla Calista.

— Oui, voilà, comme les… Mais non, pas comme les cyclopes ! Plus comme les…

— Gorgones ? hasarda la cyclope.

— Oui ! Non ! soupira Yaëlle, agacée.

— Je vais t'expliquer une chose. Si tu peux imaginer une créature, c'est qu'elle existe quelque part ! Et Chimère est bien réelle, crois-moi ; elle est autant en vie que je le suis.

— D'accord, d'accord, j'ai compris le message, mais ça n'explique pas ce qu'elle fait ici, dit Yaëlle d'une petite voix tandis que le rugissement de Chimère retentissait dans le bureau et que le sol vibrait légèrement sous le pas lourd de l'animal qui s'était mis en mouvement.

— C'est elle, la gardienne des désirs irréalisables et de la tentation, dit simplement Calista, comme si cette simple explication à elle seule pouvait justifier la présence d'une telle créature dans la pièce.

Voyant que sa compagne n'avait pas suivi son raisonnement, elle reprit :

— Elle est ici pour nous empêcher de retrouver la dague. Si on veut qu'elle nous indique le chemin à suivre, il va falloir la battre ! Enfin, je crois... chuchota-t-elle pour elle-même.

— Et comment est-ce qu'on peut battre une telle créature ?

Le sourire qui naquit sur le visage de Calista rassura quelque peu Yaëlle. Il était évident que la cyclope connaissait la réponse à cette question.

— Il nous faut du plomb liquide. C'est la seule chose qui peut venir à bout de Chimère sans la tuer sur le coup. Ça la paralysera d'abord suffisamment longtemps pour qu'elle nous donne ce qu'on veut. Ensuite, nous verrons...

— Premièrement, où veux-tu qu'on trouve du plomb liquide et, deuxièmement, comment comptes-tu lui faire avaler ça ? En lui proposant de prendre un verre et de trinquer avec nous ? Parce qu'il est à peu près certain qu'elle n'avalera pas le plomb de son plein gré, surtout si c'est son talon d'Achille !

Calista se lança dans une longue explication :

— Il y a une fiole de plomb liquide sur une des étagères du fond, là où tu as trouvé les ingrédients pour notre formule. Quant à comment lui faire avaler le plomb, ce n'est pas une obligation. Il suffit que le liquide entre en contact avec son sang. Je suis certaine que tu trouveras un moyen de faire ça, Yaëlle, assura la cyclope en serrant la main de sa compagne alors que les pas de l'animal indiquaient clairement qu'il n'était plus très loin.

Autre chose… Chimère n'est pas dotée du don de la parole, mais si nous arrivons à la blesser et qu'elle se sent mourir, elle lira en toi et le don de parler lui sera accordé quelques minutes. Elle en profitera alors pour essayer de te détourner de ton objectif en t'offrant une chose à laquelle tu tiens le plus au monde ! Si tu acceptes son offre, la dague d'Aphrodite sera perdue à jamais, car en échange du souhait que tu pourras réaliser, elle détruira ce que nous recherchions. Et Chimère te fera ensuite peu à peu, jour après jour, sombrer dans la folie pour avoir succombé à la tentation plutôt que d'avoir écouté ta raison.

— Tout un programme ! Mais elle ne réussira pas à me tenter, car la seule chose que je veux vraiment, c'est cette dague pour qu'on ait une chance de sortir Aphrodite de sa caverne. Rien d'autre ne m'intéresse.

— J'ai confiance en toi ; je sais que tu feras de ton mieux ! Maintenant, va prendre la fiole sur l'étagère et…

— Tu n'es pas sérieuse ? l'interrompit Yaëlle.

— Je suis très sérieuse, dit Calista en relâchant graduellement la main de la chaman. Peu importe ce qu'elle me fera, ne t'arrête pas. Si jamais elle me tue, fuis et ne te retourne pas, conclut-elle d'une voix grave.

— Cali, non ! Mais qu'est-ce que tu racontes, je ne vais pas te…

La cyclope s'extirpa si rapidement de sous le bureau que Yaëlle n'eut pas le temps de réagir, coupée en plein milieu de sa tirade.

— Cali ! hurla-t-elle lorsque son amie bondit sur le bureau.

— Je m'occupe de Chimère, occupe-toi de la fiole ! cria la cyclope avant de capter l'attention de l'animal. Si on allait faire un peu d'exercice, toi et moi, proposa-t-elle, ironique, à Chimère en sautant sur le sol, avant de partir en courant en direction de la porte, prise en chasse immédiatement par l'animal.

Calista accéléra sa course dans les allées de la bibliothèque, laissant ainsi le champ libre à Yaëlle.

Lorsque cette dernière fut tout à fait sûre d'être seule dans la pièce, elle se hâta de sortir de sa cachette et courut s'emparer de la bouteille qui contenait le plomb liquide. Il ne lui restait plus qu'à trouver un moyen pour empoisonner Chimère…

Yaëlle pouvait entendre les monstrueux grognements et hurlements de la créature qui poursuivait toujours la pauvre Calista. D'horribles frissons parcouraient la chaman. Elle devait faire quelque chose, sinon son amie finirait bientôt dans l'estomac de la bête ! Oui, elle devait réagir, et vite…

Mais si elle ne trouvait pas même l'ombre d'une idée ? Devrait-elle fuir en laissant Calista derrière elle, ou devrait-elle rester coûte que coûte ? Yaëlle était dépassée par les événements. Tout à coup, elle ne trouvait plus la magie si amusante et sa bonne vieille peur semblait de retour au creux de son ventre.

Tandis que la Soigneuse réfléchissait, Calista, elle, s'était lancée dans une course folle dans les corridors sombres de la bibliothèque. Après plusieurs minutes de cette poursuite effrénée, le cœur de la cyclope s'était mis à battre plus fort. Elle pouvait sentir qu'à chacune de ses foulées Chimère gagnait du terrain. À ce rythme-là, la créature aurait vite fait de la rattraper et de la découper en morceaux d'un simple coup de crocs.

Calista devait redoubler d'efforts pour ne pas que la bête qui courait derrière elle puisse la rejoindre. Son seul avantage sur l'animal était qu'elle connaissait la bibliothèque par cœur et qu'elle pouvait y retrouver son chemin, même dans le noir le plus total. Chaque recoin de cet endroit était son royaume, un royaume où elle vivait depuis plus de dix ans maintenant.

S'il y avait un endroit où elle pouvait disparaître et réapparaître comme un fantôme, c'était bien celui-ci. Calista, toujours poursuivie par son assaillant, tourna subitement sur sa droite et se fondit dans l'obscurité entre deux hauts rayonnages.

Chimère se précipita à sa suite. Une fois au bout de l'allée, l'animal dut se rendre à l'évidence : il n'y avait rien, et surtout pas sa proie !

Le rugissement strident que poussa l'animal indiquait clairement qu'il était furieux d'avoir perdu la trace de la cyclope.

Il n'y avait pourtant ni sortie ni échappatoire...

Reniflant le sol et les étagères autour d'elle, Chimère cherchait en vain Calista... Cette maudite créature à un seul œil et à la peau verte devait bien se trouver quelque part.

Un petit scintillement en haut d'une étagère attira subitement l'attention de la créature...

Furtivement, Chimère s'approcha de l'étagère en question et se dressa agilement sur ses deux pattes de derrière avant de poser celles de devant sur le côté de la bibliothèque en bois et de s'y appuyer de tout son poids. En quelques secondes, l'animal fit basculer le meuble tout entier. Un cri mêlé de peur et de surprise retentit dans la pièce.

Calista, qui avait habilement et rapidement grimpé le long d'une étagère pour se mettre à l'abri des dents acérées de Chimère, perdit l'équilibre sous l'assaut de son assaillant. Elle bascula sur le dos de l'autre côté de l'allée et heurta violemment le sol à l'impact.

— La sale bête ! pesta-t-elle en se relevant tout en frottant vivement tour à tour une de ses hanches et son postérieur. Comment a-t-elle fait pour savoir que j'étais là-haut ?

La réponse s'imposa d'elle-même lorsque Calista croisa son reflet dans la vitrine de reliques qui lui faisait face.

— Oh, bon sang ! soupira-t-elle lorsqu'elle vit son visage briller dans l'obscurité. C'est comme ça que cette bestiole a pu me suivre aussi facilement dans les allées : j'ai l'air d'un vrai lampion d'Halloween !

Tandis qu'elle observait encore attentivement son visage dans le reflet de la vitrine, elle vit apparaître derrière elle, courant à toute allure, Chimère qui se dirigeait droit sur elle.

Pour la cyclope, piégée, la seule issue possible était de remonter l'allée. Elle décida de jouer le tout pour le tout.

« Attends… attends… » se murmura-t-elle pour se donner du courage alors qu'elle pouvait sentir ses genoux presque s'entrechoquer. « Encore un peu », ajouta-t-elle pour éviter de prendre ses jambes à son cou.

Hurlant comme une âme damnée, soufflant comme un taureau en colère, Chimère, les yeux injectés de sang, fonçait sur Calista avec la ferme intention de la piétiner.

« Juste une seconde… marmonna Calista entre ses dents. Maintenant ! » lança-t-elle lorsqu'elle vit, dans le reflet de la vitrine, Chimère bondir dans sa direction. Calista se déporta rapidement sur sa droite. La gigantesque créature s'encastra la tête la première dans la vitrine, la brisant en plusieurs morceaux tranchants qui recouvrirent rapidement le sol. Les étagères à l'intérieur s'écroulèrent une à une sur l'animal, déversant des dizaines d'objets sur lui. Poteries, armes anciennes, boussoles venaient se fracasser sur son crâne et sur celui de sa seconde tête. Affolée, la chèvre n'en finissait pas de bêler.

Plusieurs morceaux de verre avaient coupé la chair de l'animal. Et même si de profondes entailles parsemaient son corps, pas une goutte de sang ne s'échappait de ses vilaines et multiples blessures. Un morceau de verre se balançait dangereusement au-dessus de Chimère qui, furieuse, se débattait pour se dégager de la vitrine qui la retenait prisonnière.

Calista, qui s'était déjà éloignée de l'animal, se saisit d'une longue-vue qui avait glissé par terre et qui se trouvait dans la vitrine quelques secondes plus tôt. Elle la jeta en direction du fragment de verre effilé qui vacillait, encore accroché au montant de la vitrine. La longue-vue atteignit son but du premier coup. Calista ne put retenir un petit sourire, plutôt fière de son lancer. Le tremblement fut si fort que le morceau de verre se détacha et se planta dans l'arrière de la patte de la bête, non sans avoir tranché au passage la tête du serpent qui lui servait de queue et qui gisait à présent sur le sol.

Furibonde, Chimère donna un double coup de tête dans la monture de la vitrine pour se dégager. Tandis que la tête de chèvre y allait de grands coups de corne, la tête de lion arrachait de ses crocs les planches qui la retenaient encore prisonnière. Après encore quelques secousses, les derniers obstacles cédèrent et la créature fut enfin libre…

D'un bond, elle se retourna vivement et cracha une gigantesque flamme d'un vert flamboyant qui embrasa entièrement les rayonnages et les livres qui s'y trouvaient.

— Hé, ta mère ne t'a jamais dit qu'il fallait faire attention aux affaires des autres ? lança la cyclope d'un air contrarié.

Pour toute réponse, Chimère cracha une flamme sur l'étagère voisine, qui s'embrasa tout aussi facilement que la première.

— On dirait bien que non, soupira Calista.

L'immense créature s'approcha alors lentement de la cyclope. Son instinct de fauve se lisait clairement dans ses prunelles.

— Oh non, pitié, tu ne vas pas encore me faire courir ! s'exclama Calista, lasse de jouer au chat et à la souris.

Mais la lueur dans le regard de la bête ne laissait pas le moindre doute. Elle avait bel et bien l'intention de courser sa proie et de lui faire payer son petit tour forcé dans la vitrine, sans parler de la mutilation de sa queue.

Lorsque Chimère sauta dans la direction de la cyclope tout en poussant un rugissement bestial, celle-ci adressa un sourire à son ennemie, plus apparenté à une grimace. Puis elle dit, feignant la résignation :

— Puisque tu insistes…

Et elle détala.

De nouveau prise en chasse, la cyclope ne s'amusait plus du tout. Elle commençait même à trouver le temps long, se demandant ce que Yaëlle pouvait bien faire.

« Bon sang, mais qu'est-ce qu'elle fabrique ? songea Calista. Ça paraît que ce n'est pas elle qui court partout dans la bibliothèque pour occuper cette stupide bestiole. »

Puis elle reprit sa course de plus belle, Chimère grognant et haletant sur ses talons.

Lasse d'attendre, Calista se résolut à rejoindre son amie dans le bureau pour voir si tout allait bien. Elle se mit à courir encore plus rapidement, le souffle court, les joues en feu, les poumons prêts à éclater tellement ils brûlaient.

— Yaëlle ! hurla-t-elle en arrivant non loin de la porte de son bureau qui était restée grande ouverte.

Mais aucune réponse ne parvint aux oreilles de la cyclope.

— Yaëlle, dépêche-toi, cette fois je l'ai vraiment mise en colère ! lança-t-elle sans reprendre son souffle. Mais qu'est-ce que tu fiches ? cria-t-elle encore plus fort pour attirer l'attention de son amie.

Toujours rien…

Calista se précipita alors dans la pièce et referma vivement la porte derrière elle, avant que Chimère n'ait la chance d'y entrer. Mais prise par l'élan de sa course, l'horrible bête heurta de plein fouet la porte qui trembla vivement sous l'impact.

— Un coup de main ne serait pas de refus ! cria-t-elle en se plaquant contre la porte pour la retenir.

Calista jeta un rapide coup d'œil dans la pièce : personne ! Yaëlle n'était plus là.

« Mais où est-elle passée ? » se demanda la cyclope au bord de l'affolement. La chaman n'avait pas pu partir en la laissant seule ici ! C'était impossible ! Et pourtant…

— Yaëlle ? appela-t-elle d'une petite voix.

Mais rien d'autre que les rugissements et les grognements de Chimère de l'autre côté de la porte ne lui arrivait aux oreilles. « Je ne peux pas le croire ! tempêta Calista, furieuse. Je lui avais dit de fuir quand je serais morte, morte ! Pas avant. OK, du calme, ce n'est pas le moment de paniquer. Réfléchis calmement pour trouver un moyen d'infecter cette bête. Comment est-ce qu'Hercule en est venu à bout déjà ? Le plomb, je me souviens, mais ensuite ? Chimère ne saigne que lorsqu'on la blesse à certains endroits... Euh... peut-être à la tête ?... Non, non, pas la tête. Le cœur ? Non, ce n'est pas ça non plus. Si seulement je pouvais attraper ce fichu bouquin sur l'étagère, il doit sûrement y avoir un chapitre sur Chimère. Je suis certaine de l'avoir lu... *Chimère ne saigne pas,* récita-t-elle en essayant de se remémorer le passage du livre. *Chimère ne saigne pas, et ce, dans le seul but de se protéger de ceux qui tenteraient de l'empoisonner avec du plomb. Seul son... son... contient du sang et est vulnérable à l'empoisonnement...* Mais c'est quoi, déjà ? ragea Calista, frustrée de ne pas arriver à s'en souvenir. Maudite caboche ! pesta-t-elle.

Contrariée, Calista tourna la tête en direction de l'étagère où se trouvaient la fiole de plomb liquide et le livre en question. Mais ils n'étaient plus à leur place ! Une angoisse serra le cœur de la cyclope : « Que Yaëlle m'abandonne ici passe encore, mais elle aurait au moins pu me laisser de quoi me défendre », pensa-t-elle.

Chimère fit tout à coup vibrer la porte et Calista eut le plus grand mal à la retenir. Seule face à cette créature, elle ne tiendrait plus très longtemps. Les coups que donnait l'animal étaient de plus en plus forts, et les bras de la cyclope commençaient à fatiguer. C'est alors que les mains de la jeune femme ressentirent une chaleur extrême...

— Ah mais, c'est brûlant ! mugit-elle en retirant vivement ses mains de la porte.

Pour ne pas laisser Chimère entrer, Calista appuya son dos contre la porte et prit appui sur ses jambes, forçant sur ses cuisses pour obtenir plus de puissance. Mais bientôt ce fut au tour de son dos de ressentir cette intense chaleur. « Pas question que je bouge d'ici ! » dit la cyclope en serrant les dents.

Elle pouvait à présent entendre nettement les flammes que crachait Chimère s'écraser les unes après les autres sur la porte noircie, presque entièrement brûlée, qui menaçait de céder à tout instant…

Calista ne savait plus quoi faire. Elle n'eut pas vraiment le temps de réfléchir puisque Chimère se lança une fois encore de tout son poids sur la porte. Cette dernière s'ouvrit violemment, envoyant valser la directrice de l'autre côté de la pièce.

Déchaînée, la bête à tête de lion se rua sur la jeune femme.

Calista tira alors de sous sa cape son sabre à la lame noire. Elle savait très bien qu'elle ne pourrait pas venir à bout de Chimère sans une goutte de plomb, mais il était hors de question qu'elle baisse les bras. Elle ferait de son mieux.

Lorsque l'animal fut tout proche d'elle, la cyclope comprit qu'elle n'avait pas d'autre issue que celle de combattre…

Tandis que la tête de lion poussait des rugissements à n'en plus finir, la tête de chèvre tenta de décocher un coup de corne à Calista, qui para le mouvement de sa lame. D'un geste net et précis, elle trancha les deux cornes d'or de la bête, qui tombèrent sur le sol.

— Tu en veux encore ? s'exclama Calista. D'abord ta queue, maintenant tes cornes. Tu veux vraiment que je continue ? Je te préviens, tu vas le regretter si je me mets en colère ! rugit-elle, emportée par l'euphorie.

Mais son triomphe fut de courte durée…

Chimère bondit littéralement sur la cyclope qui bascula sous la charge. Remuant, se tortillant dans tous les sens, Calista faisait de son mieux pour se dégager de sous l'animal. Elle redressa alors brusquement sa main qui tenait toujours fermement son arme. La lame dévia et perfora le flanc de Chimère de part en part, ce qui eut pour effet d'arracher un hurlement de douleur à la créature. Mais aucune goutte de sang ne coula…

La bête saisit alors le sabre dans sa gueule, l'extirpa de sa plaie avant de l'envoyer voler au loin dans la pièce. L'arme finit sa course plantée dans le mur derrière les combattantes.

Alors que Calista était couchée sur le sol, le souffle coupé par les pattes de Chimère qui comprimaient sa poitrine et meurtrissaient sa chair, une expression de surprise se peignit subitement sur son visage lorsqu'elle fixa le plafond.

Elle devait sûrement être en pleine hallucination ; ce n'était pas possible autrement.

Était-ce vraiment Yaëlle qui était assise sur la poutre du plafond ? Mais comment diable était-elle montée là ? Et pourquoi ne réagissait-elle pas tandis que Calista était en train d'étouffer sous Chimère ?

La chaman adressa alors un rapide clin d'œil à son amie en posant son doigt sur sa bouche, lui indiquant ainsi de garder le silence.

La cyclope détourna alors le regard pour ne pas attirer l'attention de l'animal sur Yaëlle, mais elle suivit tout de même la progression de sa copine du coin de l'œil. Celle-ci s'était laissée glisser jusqu'au bord de la poutre et s'apprêtait visiblement à sauter sur Chimère. La jeune femme était armée d'une vieille épée rouillée que Calista n'eut pas de mal à reconnaître puisqu'elle ornait le mur de son bureau en guise de décoration.

Qu'est-ce que Yaëlle espérait faire au juste avec cette vieille arme rouillée ?

Calista dut réprimer un sourire lorsqu'elle vit son amie recouvrir sa lame du liquide argenté contenu dans la petite fiole qu'elle venait de sortir de sa poche.

D'un coup de sabot, Chimère frappa subitement la cyclope au visage. L'animal s'apprêtait à piétiner entièrement la figure de Calista lorsque Yaëlle lui tomba brutalement sur le dos, brisant ainsi au passage la nuque de la tête de chèvre, qui s'écroula lourdement sur le flanc gauche de la créature. L'animal beugla de douleur et recula vivement, laissant ainsi la possibilité à Calista de s'extirper de sous ses pattes.

Pendant quelques brèves secondes auparavant, Calista avait perdu espoir, elle avait douté de Yaëlle. À sa grande honte, elle avait cru que son amie l'avait lâchement abandonnée à son sort. Mais à présent qu'elle voyait cette dernière à califourchon sur Chimère, luttant pour ne pas perdre l'équilibre pendant que la bête se débattait, oui à présent que son amie la fixait avec une expression de triomphe brûlant au fond de ses prunelles, Calista savait qu'elle avait eu tort et que Yaëlle ne l'avait pas abandonnée un seul instant et qu'elle ne le ferait jamais !

Comment avait-elle pu avoir de telles pensées, comment avait-elle pu prêter de telles intentions à Yaëlle ? Jamais sa meilleure amie ne la trahirait de la sorte. Calista aurait dû savoir que Yaëlle trouverait un plan ! Elle faisait toujours de son mieux pour venir en aide à ses camarades, ce qu'elle prouvait aujourd'hui encore.

Chimère, qui avait toutes les misères du monde à faire descendre Yaëlle de son dos, avait beau se cabrer autant qu'elle le pouvait, il n'y avait rien à faire : son adversaire refusait de lâcher prise.

Lors d'une accalmie de coups et de ruades qui, pourtant, ne dura pas plus de quelques secondes, la jeune femme souleva son épée et la planta en plein milieu du dos de l'animal. Sous le coup, celui-ci cracha une colossale flamme que Calista évita de justesse.

— Tes cheveux ! hurla Yaëlle à son amie, en sautant du dos de la bête qui s'était écroulée sur le sol dans une mare de sang.

Calista s'aperçut alors que la pointe de ses cheveux était en feu.

— Il y a de l'eau dans une bouteille sur l'étagère, cria-t-elle à Yaëlle qui était la plus proche en commençant à frapper ses paumes sur ses cheveux pour tenter d'étouffer les petites flammes.

Yaëlle s'empara d'une bouteille au liquide bleu azur et galopa ensuite droit vers sa camarade. Elle s'apprêtait à verser le contenu de la bouteille sur la chevelure de Calista quand cette dernière s'écria, après avoir reconnu l'étiquette :

— Non, pas celle-là, ce n'est pas de l'eau !

Mais il était déjà trop tard, Yaëlle venait de vider le contenu sur la tête de son amie.

Au contact du liquide bleuté, les petites flammes moururent immédiatement. Mais la chevelure de Calista vira instantanément au bleu.

— Non, non, non ! se désola la cyclope.

— Je t'en prie, c'était un plaisir ! répliqua Yaëlle.

— Ce n'était pas de l'eau, Yaëlle, mais de la teinture pour faire un philtre de pluie ! C'était écrit sur l'étiquette, bon sang ! La bouteille d'eau, c'était celle d'à côté !

— *Aquarius,* lut Yaëlle sur l'étiquette. Comment voulais-tu que je sache que ce n'était pas de l'eau, mais de la teinture ? Tu tiens une teinturerie ou quoi ?

— N'importe quel idiot qui débute en magie sait ce qu'est l'*aquarius,* se moqua une voix derrière les deux amies.

Calista et Yaëlle se retournèrent d'un même mouvement pour découvrir Chimère baignant dans son sang.

— Nous reprendrons cette discussion plus tard, marmonna doucement Calista à l'intention de la Soigneuse.

— Cela ne servira à rien ! s'exclama Yaëlle. Je t'ai sauvé la vie, j'ai empêché tes cheveux de brûler entièrement, même si maintenant ils sont bleus. Alors un simple merci suffira, dit-elle en s'approchant de Chimère.

La cyclope resta bouche bée devant la réplique de sa comparse.

— Il semblerait que tu aies été la plus forte, jeune fille, reconnut Chimère lorsque Yaëlle arriva à sa hauteur.

— Je suis désolée, je ne voulais pas en arriver là. Mais vous alliez faire du mal à mon amie et j'ai besoin de…

— De trouver quelque chose que tu veux ! acheva l'animal. Je sais, c'est pour cela que je suis là. Lorsque le sort de localisation est invoqué, je viens avec lui, car nous sommes liés. Je suis la gardienne des désirs irréalisables.

— Et de la tentation, crut bon de préciser Calista.

Chimère ne répondit pas, se contentant de fixer la cyclope quelques instants. Puis elle tourna son attention vers la jeune femme :

— Tu as réussi à faire couler mon sang et à m'empoisonner avec du plomb. Comment as-tu su où frapper ?

— J'ai lu dans un des livres de Calista ce qu'avait fait le héros Bellérophon en t'affrontant. Comme je n'avais pas de flèches à ma disposition, j'ai adapté le procédé avec ce que j'avais sous la main. Il ne me restait plus ensuite qu'à te viser au...

— Au foie, bien sûr, dit Calista en se frappant le front.

Dans l'affolement, la cyclope n'était pas parvenue à s'en souvenir, mais à présent cela lui revenait très nettement.

— Quoi qu'il en soit, tu m'as battue, reprit Chimère, alors demande-moi ce qui te tient à cœur. C'est la règle.

— Je voudrais... je veux... hésita Yaëlle.

— Je sais ce que tu veux ; je l'ai lu à l'instant dans ton cœur. Ce que tu souhaites vraiment, c'est le retour de ton amour perdu. Je peux le ramener vers toi...

— Ah oui ? murmura Yaëlle, le cœur battant.

— Bien sûr, car je suis la gardienne des désirs irréalisables. Je suis la seule à pouvoir exaucer ton souhait. Tu m'as invoquée pour ça, non, obtenir ce que tu désires ?

— Oui, souffla la jeune femme.

La simple idée de pouvoir retrouver Sébastian lui fit chavirer le cœur.

— Penser à soi de temps en temps n'est pas un crime, assura Chimère. Tu te bats depuis longtemps pour améliorer la vie des autres, mais qui se bat pour améliorer la tienne ? Sébastian, lui, saura prendre soin de toi. Tu lui manques tellement, il voudrait tant être ici avec toi... murmura-t-elle d'une voix douce.

— Je voudrais qu'il soit là, moi aussi, répondit Yaëlle avec des sanglots dans la voix.

— Je peux vous réunir. Je peux te donner la famille que tu mérites... et tu ne seras plus jamais seule.

— Yaëlle, non, je t'en prie ! lança la cyclope d'une voix étranglée.

Tout à coup, face à l'offre que venait de faire Chimère à son amie, Calista se sentit impuissante, inexistante même. Jamais Yaëlle ne pourrait refuser une telle proposition. Qui pourrait l'en blâmer ? Sûrement pas elle !

Avoir une chance de retrouver son grand amour, de former une famille, de donner un père à Lucy, tout ça était bien plus important et avait bien plus de valeur que cette stupide dague. Après tout, Yaëlle avait déjà fait de nombreux sacrifices ; elle avait le droit de penser d'abord à elle avant de penser aux autres et d'être un peu heureuse. Du moins pour quelque temps, puisqu'elle finirait par sombrer dans la folie chaque jour un peu plus pour avoir succombé à la tentation. Puis la culpabilité la briserait. Mais avant cela, elle aurait passé de longs mois aux côtés de Sébastian.

Tout a un prix en ce bas monde. Un jour ou l'autre, il faut payer. Calista pouvait aisément comprendre que cette fois, quel que soit le prix, Yaëlle était prête à le payer pour connaître un peu de répit et de bonheur auprès de sa famille.

— Je...

Yaëlle ravala ses mots et Calista retint son souffle.

Un court silence tomba sur la pièce, seulement troublé par la respiration forte et irrégulière de Chimère.

— Alors, que souhaites-tu ? demanda l'animal agonisant.

— Je souhaite que tu m'indiques l'endroit où trouver la dague d'Aphrodite, lança la jeune femme d'une voix ferme et déterminée.

— Tu en es certaine ? demanda Chimère, les yeux écarquillés de surprise. Sébastian et toi, ensemble de nouveau, cela ne compte-t-il pas plus à tes yeux qu'une vieille dague perdue depuis des siècles ?

— Je veux savoir où se trouve cette arme. C'est ce que je souhaite, c'est mon désir le plus cher. Je veux cette dague et rien d'autre !

— Très bien. Dans ce cas, apporte-moi la carte.

Yaëlle alla chercher la carte qui était restée sur la table près du livre, puis elle la déposa devant la créature qui bougea péniblement sa patte avant pour placer son sabot sur un point du parchemin. Dès que le sabot de Chimère entra en contact avec la mélasse grisâtre, celle-ci disparut instantanément. L'endroit indiqué par la bête était à présent marqué d'une fourche. Le papier semblait brûlé à cet endroit.

— C'est ici que tu trouveras ce que tu cherches, murmura l'animal, avant que sa tête ne s'écrase brutalement sur le sol et que ses yeux ne se ferment.

— Oh mon dieu ! cria la chaman en recouvrant sa bouche de ses deux mains. J'ai tué Chimère ! Je n'avais jamais tué personne avant…

— Mais non, calme-toi, personne n'a tué personne !

— Elle est morte, regarde par toi-même ! dit Yaëlle en désignant le corps de l'animal.

— Elle n'est pas *morte* dans le sens où tu l'entends. Chimère ne meurt pas vraiment. C'est une sorte de démon immortel ; elle revient toujours à la vie. C'est le principe même d'une chimère, tu sais. C'est de là que vient l'expression « poursuivre une chimère », parce que tu n'atteins jamais ce que tu poursuis. Dans ce cas-ci, c'est exactement la même chose. Bellérophon l'avait lui aussi affrontée et *tuée,* et bien d'autres avant nous ont également affronté Chimère. Certains sont devenus rois grâce à elle, certains ont perdu la vie parce qu'elle a été la plus forte, et d'autres ont trouvé leur âme sœur. D'ailleurs, pourquoi as-tu refusé son offre de retrouver Sébastian ?

— Parce que la dague est plus importante, chuchota Yaëlle au bord des larmes.

— Ça, c'est la *bonne* réponse, celle qu'il faut donner pour passer pour un héros. Mais quelle est la véritable raison ?

— Sébastian était l'amour de ma vie et, quand il est mort, j'ai perdu une partie de moi ! J'ai cru mourir avec lui, mon cœur a presque cessé de battre. Je ne voulais pas lui infliger la même chose, la même douleur en me regardant mourir à mon tour. Tu m'avais mise en garde en me disant que je deviendrais peu à peu complètement folle si j'acceptais l'offre de Chimère. J'ai tout simplement refusé de briser le cœur de Sébastian, comme il a brisé le mien. Même si ce n'était pas intentionnel, ça n'en reste pas moins douloureux. Ça fait trop mal et je voulais leur épargner ce trou béant dans le cœur, à lui et à Lucy...

— Je suis tellement désolée, souffla la cyclope avant d'attirer son amie tout contre elle pour lui donner une douce étreinte.

— Nous avons tous des choix à faire ; certains sont plus difficiles et douloureux que d'autres, mais nous devons apprendre à vivre avec, expliqua Yaëlle en mettant doucement fin à l'accolade. Toutefois, je dois avouer que si tu ne m'avais pas mise en garde contre Chimère, je crois que j'aurais succombé…

— Et j'aurais compris, dit Calista avec un triste sourire sur le visage.

Le fait que son visage ait viré au vert, qu'elle luisait dans le noir et que ses cheveux étaient bleus, tout ça n'avait soudain plus d'importance pour Calista. Dans quelques jours, tout serait redevenu normal pour elle, mais la peine de Yaëlle n'aurait pas disparu et Sébastian ne serait toujours pas de retour…

Un court silence passa entre les deux amies. Puis la jeune femme s'éclaircit la voix avant de demander :

— Alors tu as vraiment cru que je t'avais laissée seule ici, face à ce monstre, et que je ne reviendrais pas ? lança-t-elle dans l'espoir de changer de sujet.

Calista se prêta au jeu, voyant bien que Yaëlle avait lutté contre elle-même pour ravaler ses larmes.

— Oui, j'ai cru que tu étais partie, rit la cyclope, presque gênée d'avoir douté de sa camarade.

— J'avoue que j'y ai pensé, gloussa Yaëlle, amusée par l'expression de Calista qui feignait d'être fâchée. J'y ai pensé une petite seconde, et puis je me suis dit que Jonas serait sûrement furieux contre moi et qu'il me ferait vivre l'enfer. Alors j'ai décidé de rester ! termina-t-elle avant d'offrir un franc sourire à son amie.

— Je suis certaine qu'il appréciera le geste !

— C'est ce que je me suis dit aussi.

— Tu aurais tout de même pu me faire part de ta présence, la réprimanda gentiment Calista.

— Je ne voulais pas te distraire, et ce n'était franchement pas le moment de discuter des détails de mon plan ! L'important, c'est que tout a fonctionné et que maintenant nous connaissons l'emplacement de la dague, dit-elle avant de ramasser la carte. On s'est donné assez de mal pour le savoir ! ajouta-t-elle en jetant un coup d'œil au parchemin.

— Bon, voyons un peu… dit la cyclope en se penchant sur l'épaule de son amie.

— Es-tu sûre que l'endroit déterminé par Chimère est bon ? demanda Yaëlle, perplexe.

— Pourquoi ça ne pourrait pas être là ?

— Parce que c'est au milieu de nulle part.

— Mais nous vivons au milieu de nulle part ! lança Calista dans un petit rire.

— Exact. Mais là, c'est le nulle part de notre nulle part.

— C'est l'endroit que nous a indiqué Chimère en tout cas.

Yaëlle jeta de nouveau un œil sur la carte :

— À pied ce serait beaucoup trop long, et à cheval on risquerait de faire mourir de soif les bêtes. Nous ne pouvons pas partir dans le désert pendant cinq jours, parce que j'estime que c'est le temps que ça nous prendrait pour nous rendre sur place, voire peut-être même plus. Sans Sourcier, pas la peine de penser une seule seconde à entreprendre un tel voyage.

— Tu as raison. Il faut qu'on trouve une autre façon de voyager.

— Sauf que nous ne disposons d'aucun autre moyen !

— Peut-être pas...

— Tu as l'intention d'y aller comment, au juste ? En volant, peut-être ?

— Absolument ! Nous irons par les airs ! s'écria la cyclope, un sourire radieux sur le visage. Il ne nous faudra pas plus de trois heures pour faire l'aller-retour.

— Par les airs ? pouffa Yaëlle, moqueuse. Et depuis quand as-tu hérité d'une paire d'ailes invisibles ?

— Depuis qu'Icare m'a appris comment avoir des ailes ; mais elles ne sont malheureusement pas invisibles, loin de là même, dit Calista en fronçant le nez.

— J'ai souvent tendance à oublier d'où tu viens. Mais sans vouloir te vexer, on sait tous comment a fini l'histoire d'Icare : il s'est brûlé les ailes et il est mort noyé, englouti par les eaux de la mer dans laquelle il est tombé.

— Nous ne ferons pas la même erreur, voilà tout ! Nous éviterons simplement d'aller flirter de trop près avec le soleil.

— Tu es vraiment sérieuse : tu as des ailes ?

— Bien sûr !

— Évidemment, j'imagine qu'il va encore falloir user de magie pour les obtenir.

— Oui mais rassure-toi. La formule est limitée dans le temps : après quelques heures, on perdra nos ailes.

— Et si la formule tourne mal et qu'on les garde pour toujours ?

— J'ai déjà le visage vert et les cheveux bleus, alors crois-moi sur parole : ce n'est pas une paire d'ailes qui va m'arrêter !

— Je veux bien le croire. Mais on ne peut pas partir maintenant.

— Pourquoi pas ? demanda la cyclope.

— On ne peut pas laisser cet endroit dans cet état, et je n'ose pas imaginer les dégâts que Chimère a dû faire dans la bibliothèque. Sans parler du fait que son corps trône en plein milieu de ton bureau. Si jamais quelqu'un le voyait, il serait difficile d'expliquer au Conseil ce que faisait le cadavre d'un animal mythique ici.

— En effet, cela risquerait d'être compliqué. Mais ça n'a aucune importance.

— Pourquoi dis-tu cela ? Tu fais une attaque chaque fois qu'un livre n'est pas rangé à sa place, et là tu vas me faire croire que ça ne te dérange pas, alors que cette créature a presque démoli la bibliothèque…

— Ce qu'il y a de bien avec Chimère, c'est que tous les dégâts qu'elle a causés s'estompent peu à peu après qu'elle a quitté les lieux. Tout rentre dans l'ordre quelques heures seulement après son passage. Donc, sous peu, il n'y aura plus la moindre trace de sa venue. Et c'est tant mieux !

— Ça m'a l'air super, sauf que Chimère est encore là ! rappela Yaëlle en pointant la dépouille de la créature.

— Plus pour très longtemps, assura Calista, car son corps va disparaître de lui-même ; d'ailleurs, si tu regardes de plus près, le phénomène a déjà commencé, conclut-elle en désignant les pattes de l'animal.

— Il lui manque une patte arrière et une patte avant, observa la chaman.

— Oui, et bientôt il ne restera plus rien d'elle. Donc, tu vois, nous pouvons partir tout de suite pour aller récupérer la dague !

— Peut-être que nous pourrions attendre demain matin ? Une journée de plus ou de moins, ça ne changera rien. Le début de la soirée a déjà été assez riche en émotions !

— L'obscurité est notre meilleure alliée !

— Cali, tu es phosphorescente dans le noir…

— Je dissimulerai mon visage, voilà tout. Et puis, nous passerons tellement vite au-dessus de la Cité que personne n'aura le temps de nous remarquer. L'avantage de voyager de nuit, c'est que nous ne risquons pas de nous brûler les ailes, puisque le soleil n'est pas encore levé ! Sans parler du fait que notre absence sera beaucoup moins remarquée que si nous partons en plein jour.

— Mais les enfants vont…

— Jonas va s'occuper d'eux. Lucy a l'habitude de rester dormir ici avec Brontès. Nous en avons seulement pour quelques heures. Je suis certaine que nous serons de retour pour leur souhaiter une bonne nuit.

— Bien, je vois que tu as réponse à tout. Cela veut dire qu'une fois encore tu gagnes.

— On part ? l'interrogea la cyclope, l'œil brillant de malice.

— On part ! confirma Yaëlle.

— Parfait ! Donne-moi le temps de prendre une ou deux choses et nous nous mettons en route, dit la cyclope qui alla retirer son sabre du mur et le glissa sous sa cape.

Puis elle se dirigea vers son bureau et se saisit d'une feuille.

— Mais qu'est-ce que tu fais ? demanda Yaëlle en s'approchant.

— Je vais écrire un petit mot pour Jonas. On ne peut pas partir sans le prévenir. Il se ferait du souci s'il ne nous trouvait pas à la bibliothèque.

La chaman acquiesça d'un hochement de tête.

— Que penses-tu de : *Partie dans le désert avec Yaëlle. Éviterons le danger et les ennuis autant que possible. N'oublie pas de faire souper les enfants. Je t'aime, Cali,* proposa la cyclope.

— Je ne suis pas certaine que ce mot l'empêche de paniquer, si tu veux mon avis… Tu veux le rassurer ou bien qu'il envoie les Citadins à notre recherche ?

— Tu as raison, je ne peux pas lui écrire ça, grimaça la cyclope. Mais que veux-tu que je lui dise ? *Partie faire un beau bouquet de fleurs des champs et un repas champêtre avec Yaëlle. Espérons nous faire de nouveaux amis en chemin. N'oublie pas de faire souper les enfants.* Il ne croira pas une seconde à cette histoire, soupira-t-elle.

— Tu peux simplement lui écrire : *Dois m'absenter avec Yaëlle. Serons vite de retour. N'oublie pas de faire souper les enfants. Je t'aime, Cali.* C'est tout de même moins angoissant comme message, non ?

Calista félicita Yaëlle :

— C'est même très bien ! Tu sais que tu es douée ? ajouta-t-elle en griffonnant à la hâte le message que venait de lui dicter son amie avant d'abandonner la feuille sur le coin de son bureau.

Elle savait très bien que le premier endroit où Jonas viendrait la chercher à son retour, ce serait dans cette pièce. Il ne pourrait donc pas rater la note qu'elle venait de rédiger.

Calista se dirigea ensuite vers une étagère et y prit un petit pot en verre, qui abritait une sorte de gelée rouge, et le glissa dans sa poche, avant de refermer les deux cloisons du mur qu'elle avait ouvertes à son arrivée. Elles avaient reformé une cloison parfaitement droite et longiligne sans le moindre défaut visible.

— Montons sur le toit de la bibliothèque, chuchota la cyclope en saisissant son amie par le bras.

— Qu'est-ce que tu veux qu'on aille faire là-bas ? demanda celle-ci, étonnée.

— Il faut bien qu'on prenne un peu d'élan pour notre premier vol, non ?

— Finalement, ce n'est peut-être pas une si bonne idée.

— Tu as raison. Ce n'est pas une bonne idée…

— Ah, tu vois !

— C'est une excellente idée ! s'exclama Calista qui ne put retenir un rire amusé devant l'air horrifié de Yaëlle. Voyons, ce n'est pas toi la grande spécialiste du « tout ira bien » ? dit-elle en quittant son bureau, tenant la jeune femme d'une main et la carte de l'autre. Alors c'est le moment de me prouver que ta doctrine est infaillible.

Au pas de course, les deux amies parcoururent la bibliothèque et se dirigèrent vers la petite alcôve où vivaient la cyclope et sa famille. Entrant en toute hâte, elles traversèrent le logis. D'un pas décidé, Calista alla tout au fond du salon et ouvrit, à côté d'un énorme fauteuil, une porte dérobée que Yaëlle n'avait jamais remarquée jusqu'à ce jour.

Une grande volée d'escaliers s'offrit alors à la vue de la chaman. Calista entraîna sa compagne à vive allure dans une longue ascension.

Après avoir monté plus d'une centaine de marches, Yaëlle et Calista se retrouvèrent sur le toit de la bibliothèque.

— C'est vraiment haut ! remarqua Yaëlle lorsqu'elle se pencha pour regarder en bas.

— Je sais, mais c'est dans notre intérêt, figure-toi, lança Calista qui plia soigneusement la carte et la rangea dans la doublure de sa cape avant d'extirper de sa poche le petit pot en verre qu'elle agita fièrement sous le nez de son amie.

— Rouge… murmura la jeune femme d'un air amusé. Tu ne crois pas que le visage vert et les cheveux bleus, c'est suffisant pour aujourd'hui ? Des ailes rouges, ça risque tout de même de faire un peu trop, ricana-t-elle en imaginant déjà l'allure qu'aurait Calista avec deux immenses ailes écarlates.

— Ce que tu peux être bête parfois ! répliqua la cyclope tout en ouvrant le pot en verre. La couleur de la potion n'a pas toujours à voir avec le résultat.

— Si tu le dis, répondit Yaëlle dans un gloussement étouffé. Et comment est-ce que ce baume est censé fonctionner ?

— C'est un gel prêt à être utilisé. Il n'y a qu'à l'appliquer à l'endroit où l'on veut avoir des ailes et cela se fait presque tout seul. Cela dit, quelquefois l'apparition des ailes peut être un peu douloureuse, surtout la première fois…

— Génial ! soupira Yaëlle. Pourquoi les choses ne peuvent-elles jamais se faire facilement et sans douleur ? Il faut toujours que ce soit compliqué ou monstrueusement déplaisant.

— Je n'ai pas dit que cela allait être monstrueux, mais il n'est pas à exclure que ce soit *un peu* douloureux. Est-ce que tu veux commencer ou est-ce que je passe la première ? demanda-t-elle à son amie qui n'avait pas l'air très décidée.

— Je t'en prie, à toi l'honneur, dit Yaëlle en s'inclinant légèrement devant la cyclope.

Sans plus de cérémonie, Calista ouvrit le pot et retourna le couvercle qui était muni d'une spatule. La cyclope trempa celle-ci dans la mixture, puis tendit le pot à Yaëlle qui s'en saisit prudemment.

De sa main libre, Calista étira suffisamment sa cape pour glisser la spatule entre ses deux omoplates. Elle appliqua le gel sous son omoplate droite puis fit de même sous la gauche. Délicatement, elle replaça le couvercle sur le pot et recula de quelques pas.

L'attente ne fut pas longue avant qu'un bruit de tissu déchiré se fasse entendre et que deux grandes ailes d'un bleu nuit apparaissent dans le dos de la cyclope sous les yeux médusés de sa partenaire de vol.

— À mon tour ! s'écria celle-ci comme une enfant surexcitée, impatiente à l'idée de posséder elle aussi une majestueuse paire d'ailes.

Calista déploya ses ailes pour les dégourdir quelque peu et les fit rapidement battre pour les défroisser.

— J'avais oublié à quel point elles étaient lourdes, souffla-t-elle dans un mouvement d'épaules.

— Parce que ce n'est pas ta première fois ?

— Non. J'ai souvent volé avec Icare avant son dernier grand plongeon. Mais ne t'en fais pas, c'est presque aussi simple que de marcher.

Yaëlle approuva d'un hochement de tête avant d'imiter son amie et d'appliquer à son tour le gel magique dans son dos.

Tandis que Calista rangeait le pot, Yaëlle commença à ressentir de vives brûlures sur sa peau. Grimaçant, frottant frénétiquement son dos pour tenter d'apaiser la brûlure, elle retira vivement sa main lorsqu'elle sentit une bosse apparaître sous sa paume.

— Est-ce que ça va ? s'enquit Calista, inquiète, lorsqu'elle vit sa compagne se plier en deux.

— Je croyais que ça devait être *un peu* douloureux, rugit Yaëlle que la douleur rendait furieuse. Là, j'ai l'impression qu'on me déchire la peau de l'intérieur.

— C'est exactement ce qui est en train de se passer, confirma la cyclope d'un air entendu. Ne t'en fais pas, cela ne durera pas très longtemps.

Et comme pour lui donner raison, un dernier pic de douleur déchira la chair à vif de Yaëlle, puis plus rien. La jeune femme venait d'obtenir ses ailes.

Curieuse, Yaëlle tourna la tête par-dessus son épaule pour jeter un coup d'œil sur ses ailes. Mais lorsqu'elle les aperçut, elle ne put masquer sa déception.

— Mais qu'est-ce que c'est que cette chose ? dit-elle en secouant doucement ses ailes pour tenter de les déployer.

Deux petites ailes d'un brun doré, semblables à celles d'un moineau, ornaient son dos.

— Elles sont ridiculement petites ! se plaignit-elle, admirant les belles ailes soyeuses de Calista. Pourquoi est-ce que je me retrouve avec ces deux ailes de poulet tandis que tu as l'air d'un archange descendu du paradis ?

La cyclope ne put retenir un large sourire amusé.

— Parce que moi j'ai déjà volé de nombreuses heures tandis que toi tu es novice.

— Ce n'est vraiment pas juste ! gémit Yaëlle, envieuse. Et comment est-ce que je suis censée planer avec ces ailes microscopiques ?

— La taille des ailes n'a aucune importance ; il te suffit de bien maîtriser ce mouvement, expliqua Calista en agitant ses ailes d'avant en arrière. Ensuite, tu dois te laisser porter par les courants d'air. Vas-y, essaie, encouragea la cyclope en battant des ailes de plus en plus rapidement.

De mauvaise grâce, Yaëlle imita son amie. Ses ailes étaient certes petites, mais la chaman se rendit vite compte qu'elles étaient rapides et vigoureuses, ce qui lui redonna le sourire.

— C'est parfait, on dirait que tu as fait ça toute ta vie ! s'écria Calista qui, à force de battre des ailes, avait quitté le sol.

— C'est peut-être très drôle de battre des ailes, mais je ne vole toujours pas.

— Regarde par terre, dit simplement Calista.

La Soigneuse s'aperçut alors que ses pieds se trouvaient à quelques centimètres du sol.

— Je vole, je vole ! s'émerveilla-t-elle, surexcitée, avant de perdre le contrôle de ses ailes et de retomber les quatre fers en l'air.

— Le secret pour ne pas perdre la maîtrise de ses ailes, c'est de ne surtout pas laisser ses émotions prendre le dessus, émit Calista en atterrissant gracieusement à côté de son amie.

— Frimeuse ! marmonna celle-ci entre ses dents.

— Entraîne-toi encore quelques instants, puis nous nous mettrons en route.

Yaëlle s'exécuta. Après un moment, se sentant en confiance, elle se déclara prête à partir. Les deux compagnes s'approchèrent du bord du toit.

— Est-ce que tu veux y aller la première ? s'informa la cyclope, un sourire moqueur plaqué sur le visage.

— Non. Toi, vas-y d'abord.

— Comme tu voudras. Mais je ne serai pas là pour te rattraper si tu tombes à pic !

— D'accord, d'accord, je passe la première ! soupira Yaëlle.

— Ouvre tes ailes, conseilla la cyclope lorsque sa camarade fut prête à sauter.

Yaëlle prit une grande inspiration avant de sauter courageusement dans le vide, sous le regard attentif de Calista.

Dans l'affolement et la précipitation, Yaëlle, encore peu habituée à ses ailes, s'était mise à battre frénétiquement des bras dans le plus idiot des réflexes, ce qui n'eut évidemment pas l'effet escompté. La jeune femme amorça alors une longue descente à pic. Son cœur qui battait à tout rompre et le vide sous ses pieds lui donnèrent la nausée. Sa chute n'en finissait pas. L'impact avec le sol lui semblait imminent…

— Bats des ailes, pas des bras ! cria Calista.

Mais son conseil ne sembla pas être d'une grande utilité.

— Oh, bon sang, ce n'est pas possible ! grogna la cyclope en sautant rapidement derrière la chaman.

Plongeant elle aussi en piqué, la tête la première, les bras le long du corps pour gagner de la vitesse, Calista ne quittait pas Yaëlle du regard. Fendant l'air telle une flèche volant vers sa cible, elle n'était plus très loin de son amie, mais elle n'était pas encore suffisamment proche pour pouvoir la rattraper et l'empêcher ainsi de s'écraser.

Voir Yaëlle en train de chuter à une vitesse vertigineuse et ne pas pouvoir la rejoindre commençait à angoisser sérieusement la cyclope. Et Calista n'avait aucune envie de voir sa camarade percuter le sol.

Battant vigoureusement des pieds pour se propulser plus rapidement, Calista arriva enfin à rejoindre Yaëlle, puis la dépassa un peu.

— Cali ! hurla Yaëlle, terrifiée, en apercevant son amie passer près d'elle.

— Je suis là, la rassura cette dernière en la rattrapant vivement par la taille.

Et avant qu'elles ne percutent toutes les deux le sol, la cyclope déploya ses ailes. L'appel d'air qui résulta de cette action leur évita l'écrasement et leur fit reprendre un peu de hauteur.

Ouvrant ses ailes plus largement, Calista fournit un réel effort pour reprendre un peu d'altitude, ses bras toujours enroulés autour de la taille de son amie.

— Est-ce que tu vas bien, Yaëlle ? s'inquiéta-t-elle lorsqu'elle réussit enfin à stabiliser son vol.

— Waouh, c'était génial ! s'esclaffa la jeune femme avant de rire aux éclats.

Calista poussa un profond soupir de soulagement ; cette réaction, c'était tout Yaëlle ! Quelques secondes auparavant, elle était terrorisée et maintenant le fiasco de l'aventure semblait l'amuser au plus haut point !

— Mais qu'est-ce qui t'a pris de battre bêtement des bras ? Tu t'en sortais pourtant très bien sur le toit. Que s'est-il passé ?

— Je crois que j'ai paniqué. Mais on s'en moque !

— Non, on ne s'en moque pas ! Tu as tout de même failli finir écrasée sur le sol.

— Mais ce n'est pas arrivé ! Et tout fonctionne !

— Qu'est-ce qui fonctionne ? Pas ta technique de vol en tout cas, c'est certain !

— Ma doctrine fonctionne, Cali ! La preuve : tout va bien !

— Tout va bien grâce à moi, pas grâce à ta stupide doctrine. C'est moi qui t'ai rattrapée pendant que tu imitais un caillou en plein vol.

L'air ravi, Yaëlle lança :

— Peut-être, oui. Mais le fait est que tout va bien, et c'est ce qui compte ! Il faut toujours avoir confiance !

Calista secoua la tête d'un air désabusé.

— Essaie plutôt de voler à nouveau, au lieu de dire n'importe quoi. Je ne vais sûrement pas te porter pendant tout le trajet. Quand tu te sentiras prête, nous ferons un nouvel essai.

Après quelques minutes, Yaëlle dit :

— OK, je suis prête, lâche-moi !

— Et n'oublie pas que tu dois battre l'air avec tes ailes, pas avec tes bras ! rappela Calista avant de lâcher son amie.

Mais la cyclope avait tout juste desserré sa prise que Yaëlle disparut entre les nuages, dans une nouvelle imitation du caillou volant.

— Ce n'est pas possible ! pesta Calista qui s'apprêtait à plonger pour rattraper son amie.

— Ha, ha, je t'ai bien eue ! hurla tout à coup Yaëlle en surgissant des nuages juste sous le nez de Calista. Regarde-moi ça, un vrai petit oiseau ! gazouilla-t-elle en battant fièrement des ailes.

Très à l'aise, Yaëlle prenait manifestement plaisir à voler. Elle dansait littéralement dans le ciel étoilé, multipliant cabrioles et roulades dans les airs. Elle s'amusait comme une petite folle.

— Tu vois que tout va bien ! rit Yaëlle en faisant une autre pirouette.

— Alors, espérons que ça dure, dit Calista en battant plus rapidement des ailes. Il faut vraiment se mettre en route cette fois si on veut avoir une chance de rentrer avant le lever du soleil demain matin.

Montant encore plus haut dans le ciel, Yaëlle et Calista entreprirent enfin leur mission de récupérer la dague d'Aphrodite. C'était à elles de tenir leur rôle dans cette histoire en attendant que la gorgone endormie puisse un jour accomplir le sien grâce à leur aide…

Chapitre dix

Le sacrifice du sang

Étrangement, le vol se passa sans le moindre problème. Cependant, durant tout le temps qu'avait duré notre déplacement, je n'avais pas quitté une seule seconde Yaëlle du coin de l'œil. Je ne m'étais toujours pas remise de sa superbe prestation du caillou volant !

Si mon amie avait clairement trouvé cela très drôle après coup, cette mésaventure ne m'avait pas arraché un seul sourire. Je n'ai jamais été une adepte du : « Aie confiance et tout ira bien ! » C'est une philosophie de vie à laquelle j'ai du mal à adhérer.

— C'est encore loin ? me demande tout à coup Yaëlle que je sens doucement faiblir.

— Je crois que nous sommes presque arrivées à destination, dis-je après avoir vérifié notre itinéraire.

— On dirait bien que tu as raison, approuve-t-elle en désignant la haute montagne qui se dresse devant nous.

— La carte indique qu'il s'agit de la plaine des Rocheuses.

— Je me demande bien pourquoi on lui a donné ce nom. Il faut être aveugle pour ne pas voir que c'est une montagne et non une plaine !

Je ne commente pas cette remarque. Je suis bien trop occupée à étudier l'endroit pour me lancer dans un débat sans importance sur le nom de cette plaine qui n'en est pas une.

L'endroit semble désert. Lorsque nous nous rapprochons, je constate que la voie des airs était effectivement un choix des plus judicieux. Cela nous a évité de prendre des risques inutiles en grimpant une pente abrupte, bordée de rochers noirs et tranchants, qui surplombe un gigantesque précipice.

La route devient de plus en plus sinueuse et, dans cette obscurité, je suis presque certaine que Yaëlle et moi aurions eu toutes les peines du monde à atteindre notre but. Mais je réalise alors que nous devons trouver un endroit où nous poser et que ça ne sera pas facile, d'autant plus que l'idée d'enseigner cette manœuvre à Yaëlle ne m'a même pas effleuré l'esprit. Toutefois, si elle ne descend pas trop à pic, elle devrait arriver à limiter la casse. Mais pour éviter qu'elle panique, je tais mon inquiétude.

— Il est temps de commencer à amorcer notre descente, annoncé-je. Je passe la première. Contente-toi de faire comme moi, dis-je avant de piquer doucement vers le sol.

Alors que je sens une petite brise me caresser le visage, je replie notre carte avant de la ranger.

— Ça risque de secouer un peu, mais rien de très inquiétant, rassure-toi.

— La dernière fois que tu m'as dit ça, j'ai failli me retrouver aplatie comme une crêpe au pied d'une bâtisse, me fait remarquer Yaëlle, un rictus amusé sur le visage.

Je lui rends simplement son sourire avant de cesser de battre des ailes et de me laisser planer jusqu'à notre point de chute. Je jette un coup d'œil par-dessus mon épaule pour m'assurer que mon amie est toujours derrière moi. Mais alors que je m'apprête à l'encourager pour qu'elle me rattrape, je la vois soudain passer à côté de moi à vive allure.

— Ralentis, ou cette fois tu vas vraiment t'écraser en beauté !

Mais Yaëlle ignore mon conseil et plonge de toute sa longueur en direction de la plateforme que je lui ai indiquée tout à l'heure. Je la vois tout à coup refermer ses ailes et glisser ses bras le long de son corps avant de pousser un petit cri de plaisir.

Je suis effarée par un tel comportement. Je n'arrive pas à croire qu'elle mette sciemment sa vie en danger. Comment peut-elle faire une chose aussi stupide ? Je sens mon cœur remonter dans ma gorge quand je réalise que cette fois je suis beaucoup trop loin pour pouvoir la rattraper. Yaëlle devra se débrouiller seule… La voir foncer si rapidement en direction du sol m'impressionne, mais cela me met tout de même hors de moi. Pendant quelques secondes, je me demande si elle n'a pas tout simplement perdu la raison. Puis, à quelques mètres du sol, je la vois déployer soudainement ses petites ailes et se laisser entraîner par son poids jusqu'à terre. Mais elle a réagi trop tard. Alarmée, je fonce droit dans sa direction en constatant que son corps est allongé, inerte, devant l'entrée d'une grotte. Je me pose non loin d'elle avant de rabattre mes ailes et de courir dans sa direction. Lorsque j'arrive près de Yaëlle, je m'aperçois qu'elle respire toujours et qu'elle fixe le ciel, les yeux grands ouverts, un sourire satisfait sur le visage. Lorsqu'elle me voit me pencher au-dessus d'elle, son sourire s'agrandit encore puis elle me lance :

— Hou, hou, c'était vraiment trop génial ! Quand est-ce qu'on recommence ?

J'hésite alors entre la prendre dans mes bras ou la frapper. Je décide de faire l'un et l'autre… Je lui tends la main pour l'aider à se relever. Une fois qu'elle est debout – elle me sourit toujours, visiblement très fière de sa prouesse –, je la frappe violemment sur l'épaule.

— Ça, c'est pour t'être conduite comme une idiote ! dis-je en guise d'explication.

— Aïe, tu m'as fait mal ! grogne-t-elle en se frottant vigoureusement l'épaule.

— Tu aurais eu encore bien plus mal si tu t'étais écrasée sur les roches tranchantes qui bordent ce chemin.

Je ne peux alors retenir un petit sourire en coin avant de la prendre dans mes bras.

— Et ça, c'est pour t'en être si bien sortie. Quel style ! Mais ne t'avise pas de recommencer.

La libérant de mon étreinte, je peux la voir effacer de son visage un petit sourire satisfait.

— Et maintenant, que doit-on faire ? s'informe-t-elle en époussetant ses vêtements.

— Il me semblerait logique de pénétrer dans la grotte juste derrière nous. Mais l'ennui, c'est qu'aucune de nous n'a pensé à prendre de quoi éclairer la caverne.

— Mais avec ton visage phosphorescent, on y verra sûrement comme en plein jour ! me chahute Yaëlle.

— Tu exagères tout de même un peu. Je scintille légèrement, c'est vrai, mais je suis loin d'égaler le phare d'Alexandrie.

— Il faudra donc nous contenter de ce *léger* scintillement pour regarder où nous allons mettre les pieds, réplique-t-elle dans le simple but de se moquer avant de se diriger vers l'entrée de la caverne.

D'un mouvement d'épaules résigné, je lui emboîte le pas.

— Prête ? lui demandé-je sur un ton déterminé.

Pour toute réponse, la chaman se contente d'un petit hochement de tête m'indiquant ainsi qu'elle est prête à me suivre. Ouvrant la marche, je pénètre dans la grotte. Une semi-obscurité nous y accueille ; il semble n'y avoir rien d'autre qu'un long chemin recouvert de terre et de poussière. Plus nous nous enfonçons dans cet antre, plus la pénombre s'intensifie.

— Bouuuuu ! murmure Yaëlle d'une voix caverneuse.

— Tu crois vraiment que c'est le moment de plaisanter ? lancé-je lorsque je la sens agiter ses bras autour de moi.

— Quel meilleur moment que maintenant, alors que nous sommes dans une caverne humide et sombre, pour imiter un fantôme ? dit-elle le plus sérieusement du monde.

— Tu auras tout le temps de te prendre pour un fantôme lorsque tu seras morte, alors arrête, s'il te plaît.

Je me tais quand j'entends Yaëlle pousser une autre plainte macabre.

— Je t'ai déjà demandé de cesser, la réprimandé-je sèchement. Tu es vraiment pire que Brontès et Lucy réunis.

— Mais ce n'est pas moi ! proteste Yaëlle.

— Et puis quoi ? Tu vas bientôt me dire que nous ne sommes pas seules et que…

Je m'interromps en plein milieu de ma phrase : le lugubre gémissement vient encore de se faire entendre.

— Tu vois bien que ce n'est pas moi ! crie Yaëlle, triomphante.

— Alors, si ce n'est pas toi, ça veut dire que…

— Que nous ne sommes pas seules… achève la chaman d'un ton inquiet.

Par pur réflexe, je passe ma main sous ma cape pour vérifier que mon sabre est toujours à sa place.

J'entends alors Yaëlle déglutir fortement :

— Peut-être qu'à la Cité nous ne sommes pas libres, mais au moins nous y sommes en sécurité, ce qui n'est pas le cas ici.

— Ne t'en fais pas, nous sommes en sécurité, la rassuré-je en tapotant mon sabre.

— C'est facile à dire pour toi, puisque tu es armée !

— Dans ce cas, je suppose que c'est à moi de passer devant ?

— Très bonne idée, me confirme mon amie qui reste derrière moi.

J'avance prudemment. Plus Yaëlle et moi nous rapprochons du fond de la grotte, plus les angoissantes plaintes se font entendre. J'aperçois alors de la lumière, ce qui me permet de mieux distinguer les alentours. Lorsque mon amie et moi sommes suffisamment proches, je me rends compte que la source de lumière provient d'un feu de camp qui brûle au milieu d'une grande salle naturelle.

Trois créatures étranges et identiques nous font face.

— Des goules ! murmurons-nous d'une même voix.

Élancées et décharnées, les trois goules sont campées sur leurs longues jambes musclées, le dos légèrement voûté. Leur peau grise pratiquement nue craquelle de toute part, totalement desséchée par l'aride chaleur du désert. Pour tout vêtement, elles ne portent qu'une imitation de jupe grossièrement taillée dans une affreuse toile de jute.

Leurs longues chevelures couleur sang, mal entretenues et ternes, leur donnent l'air encore plus sale et mal en point.

Trois paires d'yeux noirs et sans âme posent un regard menaçant sur nous. Mais nous ne pouvons détourner notre attention des crochets acérés qui font office de doigts à ces créatures.

— On ne risque rien, car les goules ne dévorent que les cadavres, me murmure Yaëlle à l'oreille.

— C'est vraiment rassurant, merci ! dis-je dans un petit rire nerveux tandis que les trois goules avancent lentement dans notre direction.

— Regarde ! me dit tout à coup Yaëlle en m'envoyant un léger coup de coude dans les côtes.

Rien qu'en voyant le visage de ma compagne rayonner, je comprends immédiatement sur quoi elle tente d'attirer mon attention. Et j'en ai la confirmation lorsque, suivant son regard, j'aperçois la dague d'Aphrodite à la ceinture d'une des trois goules. Échangeant un rapide regard, Yaëlle et moi savons ce qu'il nous reste à faire…

— Voyez ce qui nous arrive là ! s'exclame l'une des goules. Je ne suis pas pour le mélange des races ; regardez-moi ça, elle ne ressemble à rien ! Qu'est-ce que tu es censée être au juste, ma pauvre ? Une cyclope ? Une harpie ? Une ogresse ? Ce n'est pas très clair tout ça ! Ce mélange de couleurs est vraiment imbuvable ! dit la goule en se moquant ouvertement de moi.

— Ce qui est clair, en revanche, c'est qu'elles sont très moches toutes les deux, glousse l'une de ses compagnes comme une vieille hyène hystérique.

— Cette peau verte est vraiment immonde… renchérit la troisième goule.

— Je me demande si elle a aussi le pouce vert, lance la première goule, provoquant ainsi l'hilarité de ses acolytes. Le moins qu'on puisse dire, c'est que ton apparence me rend verte de peur ! ajoute-t-elle, se croyant visiblement très drôle.

— Si tu crois que tu es la première à me faire ces blagues idiotes, tu te mets le doigt dans l'œil, lancé-je, venimeuse.

— Si tu ne veux pas qu'on fasse des blagues sur ton apparence, alors tu ne devrais pas sortir avec une tête pareille ! me rétorque la goule qui détient la dague et qui semble être la meneuse.

— C'est sûr que toutes les trois vous êtes de véritables beautés ! intervient Yaëlle, un sourire moqueur sur le visage.

— Si vous venez chez nous pour nous manquer de respect, personne ne vous retient, crache l'une des deux goules restées en arrière.

— Nous ne sommes pas venues ici pour une visite de courtoisie, dis-je pour capter l'attention des trois créatures.

— Et est-ce qu'on peut savoir ce qui vous amène ici ? nous interroge la chef du groupe.

— Ça ! répond Yaëlle en désignant la dague à la ceinture de son interlocutrice.

La goule ne peut retenir un éclat de rire sarcastique :

— Et vous croyez vraiment que je vais vous la donner parce que vous débarquez de nulle part ?

— Et si je te la demandais poliment, est-ce que j'aurais de meilleures chances de l'obtenir ? réplique la chaman sur un ton ironique.

— Tu peux toujours essayer ! suggère l'une des goules.

— Est-ce que je pourrais avoir la dague, s'il te plaît ? demande Yaëlle très respectueusement en levant les yeux au ciel.

— Non, tu ne peux pas, pauvre idiote ! tranche la porteuse de la dague.

— On aura au moins essayé, dis-je dans un mouvement d'épaules nonchalant, tout en imaginant un stratagème pour dérober l'objet.

— Si tu veux cette arme, il faudra te battre pour l'obtenir, précise la goule.

C'est alors que, sans prévenir, les trois créatures hurlantes et toutes les griffes dehors bondissent dans notre direction. Cela nous oblige, Yaëlle et moi, à reculer d'un pas pour maintenir une certaine distance entre nous et nos adversaires.

— Heureusement que tu m'as prévenue qu'on ne risquait rien, lancé-je, pince-sans-rire, à ma compagne avant de me saisir de mon sabre.

— J'ai dit qu'elles ne risquaient pas de nous manger vivantes, je n'ai jamais prétendu qu'elles ne nous tueraient pas, me précise gentiment mon amie.

— Dans ce cas-là, tout s'explique, répliqué-je avant de lui tendre mon arme.

Les goules, qui grognent toujours dans notre direction, semblent attendre le moment opportun pour nous bondir dessus et nous réduire en lambeaux de leurs puissantes griffes meurtrières.

— Et toi, comment comptes-tu te défendre ? me demande Yaëlle en saisissant la garde de mon sabre.

— Ne t'en fais pas, je me débrouillerai très bien avec mes ailes, assuré-je. Occupe-les juste quelques instants, le temps que je leur dérobe la dague, et nous quitterons cet endroit aussitôt après, murmuré-je avant de passer à l'action.

Déployant largement mes ailes, j'oblige ainsi les goules à reculer à leur tour. Je profite de leur inattention pour voler rapidement en direction de celle qui arbore la dague à sa ceinture. Malheureusement pour moi, la goule est plus vive que je ne l'aurais pensé. Elle brandit l'arme avant de me la planter dans le bras lorsque je passe près d'elle. Je grimace de douleur et serre les dents pour ne pas crier lorsque la lame ressort.

La créature bondit alors en direction de Yaëlle qui semble l'attendre de pied ferme.

Je suis prise en chasse par les deux goules restantes qui courent après moi, la bave aux lèvres, avec l'intention très évidente de me tuer pour me dévorer. Heureusement, mes ailes me permettent de rester hors de la portée des deux furies qui sautent et grognent de rage de ne pouvoir m'atteindre. Profitant que l'une d'elles s'éloigne pour tenter de grimper sur les parois de la caverne, je pique sur la seconde restée seule près du feu de camp vers lequel je la bouscule. Mon attaque porte ses fruits car la créature perd l'équilibre et se fait dévorer par le brasier qui la ramènera en enfer.

Au milieu des hurlements de douleur de la goule en feu, j'entends le bruit des lames qui s'entrechoquent. Je vois alors que la chef commence à prendre le dessus sur Yaëlle. Sans réfléchir, je vole à toute allure en direction du combat. Je saisis la goule par ses longs cheveux pouilleux et la propulse de toutes mes forces à l'opposé de mon amie. Sans laisser le temps à la goule de reprendre ses esprits, je la rejoins à tire d'aile.

Du coin de l'œil, je vois la troisième goule se jeter sur Yaëlle.

— Comment vient-on à bout de ces saletés ? hurle mon amie tout en agitant frénétiquement son sabre devant elle pour empêcher son adversaire de s'approcher.

— Tranche-lui la tête. C'est toujours le truc le plus efficace avec les monstres, conseillé-je à Yaëlle.

Redoublant de bravoure et de courage, je vois la chaman raffermir sa prise sur le sabre avant de le diriger vers la goule qu'elle manque de peu.

Tandis que je prends encore un peu de hauteur, je vois la meneuse fulminer à la suite de mon intervention. Elle saute tout en se déplaçant sur les parois de la grotte à l'aide de ses griffes, avant de se jeter dans le vide, droit dans ma direction. Elle brandit à deux mains la dague, que j'évite de justesse, mais qui accroche tout de même un bout de ma tunique, la déchirant au passage.

La goule retombe lourdement sur le sol. Mais forte de son quasi-succès, elle se prépare à repartir à la charge lorsqu'un hurlement attire son attention et la mienne. Je comprends alors que Yaëlle a réussi à blesser son adversaire mais que, tout comme moi, elle n'en est pas encore venue à bout. Il faut reconnaître que ces créatures sont plutôt coriaces.

Je peux voir la jeune femme se battre comme une lionne, distribuant coups de sabre et coups de pied, n'épargnant pas sa rivale qui parvient tout juste à lui rendre ses coups. Pourtant, dans une attaque sournoise, je vois la goule se baisser subitement et ramasser quelque chose sur le sol avant de le lancer aux yeux de Yaëlle, ce qui aveugle momentanément cette dernière.

Je crie pour prévenir mon amie :

— Attention, Yaëlle, recule !

M'obéissant sur-le-champ, la chaman bondit en arrière, évitant ainsi le coup de griffe mortel que son adversaire a tenté de lui porter au cou. Yaëlle récolte au passage de belles égratignures, mais cela vaut mieux que de se faire arracher la gorge…

Après m'être assurée d'un coup d'œil que Yaëlle va bien, je reporte mon attention sur la porteuse de la dague. Immobile au centre de la pièce, celle-ci agite nonchalamment l'arme sous mon nez. Elle semble avoir compris qu'elle n'a pas besoin de se fatiguer à me courir après, car elle sait que je veux l'objet. Et pour l'obtenir, je n'ai pas d'autre choix que d'aller le chercher dans la main de sa propriétaire…

Alors que nous nous affrontons du regard quelques secondes, un hurlement déchirant nous parvient aux oreilles. Je vois la goule qui me fait face frissonner d'horreur et détourner brièvement les yeux. Je vois la tête ensanglantée de sa congénère rouler jusqu'à ses pieds. Mon adversaire comprend alors qu'elle est l'unique survivante de son trio.

Je profite de cette seconde d'inattention pour plonger sur elle et lui arracher la dague des mains. Mais sa surprise est de courte durée. Elle riposte immédiatement en me gratifiant d'un coup de griffe qui m'atteint au mollet. Cependant, la douleur ne m'empêche pas de m'éloigner et de voler promptement à la rencontre de Yaëlle.

— Il est grand temps de quitter les lieux, dis-je à ma compagne en lui montrant la dague avant de la mettre en sûreté dans la doublure de ma cape.

Tandis que je vole à vive allure vers la sortie, Yaëlle se met à courir derrière moi jusqu'à perdre haleine. Alors que nous avons pratiquement atteint la sortie de la grotte, un rugissement bestial et désespéré résonne derrière nous. Je peux entendre le pas de course lourd mais rapide de la goule qui tente de nous rattraper. Pour m'assurer que nous avons toujours une longueur d'avance, je jette un coup d'œil par-dessus mon épaule. Je reste muette de surprise lorsque j'aperçois la silhouette de la créature qui se rapproche de plus en plus. Après quelques secondes, Yaëlle et moi sortons enfin de la caverne. Mais cela ne signifie par pour autant que notre poursuivante ne nous traquera pas jusqu'à l'extérieur.

Alors que la chaman et moi sommes à présent à mi-chemin entre la grotte et le précipice, la créature parvient à son tour à l'extérieur. Elle hurle d'une voix empreinte d'émotion :

— Meurtrières ! Monstres ! Vous avez tué mes sœurs...

Ces simples mots me glacent le sang, pour la simple et bonne raison qu'ils ont un fond de vérité.

Après une course effrénée, Yaëlle déploie ses ailes et me rejoint en vol. Nous nous éloignons rapidement sans nous retourner, poursuivies par les hurlements de notre adversaire vaincue...

Après quelques minutes d'un vol silencieux, encore sous le choc l'une et l'autre à cause de la bataille, Yaëlle laisse éclater sa joie.

— Nous avons enfin la dague ! crie-t-elle, émue.

Elle pose alors sur moi son doux regard, guettant une réaction de ma part. Elle laisse s'écouler quelques secondes avant de froncer les sourcils et de me demander d'une voix grave :

— Quelque chose ne va pas ? Tu es blessée ?

— Tout va bien, réponds-je d'une voix blanche.

— Je ne suis pas aveugle, je vois bien que quelque chose cloche, insiste-t-elle.

Puis, après un moment de silence, elle ajoute d'une voix incertaine :

— Ne me dis pas que tu es touchée par la mort de ces deux monstres ?

Je lance d'un air absent :

— En d'autres circonstances, ça aurait pu être moi, le monstre…

Sur ces mots, nous nous envolons dans la nuit sombre. Nous avons accompli notre mission, mais à quel prix…

Une fois de retour à la Cité, je m'active. Après avoir mis la dague d'Aphrodite en sécurité dans mon bureau, m'être assurée que le corps de Chimère a entièrement disparu et préparé un lit de camp pour Yaëlle, qui ne peut se balader en ville avec une paire d'ailes dans le dos, je me dirige, épuisée, vers ma chambre. Je n'aspire qu'à une chose : dormir.

Lorsque je pénètre dans la pièce, Jonas est là. Assis dans notre lit, il est en train de feuilleter distraitement un livre, une ride d'inquiétude sur le front. C'est alors qu'il lève la tête et m'aperçoit dans l'encadrement de la porte.

— Mais que t'est-il arrivé ? me demande-t-il, visiblement partagé entre son inquiétude devant mes blessures apparentes et son envie de rire à la vue de mon visage vert, de mes cheveux bleus et des ailes dans mon dos.

— Rien de spécial, disons que la soirée a été plutôt longue, murmuré-je dans un sourire, avant de venir m'allonger tout près de lui. Mais ne t'en fais pas, je vais bien. Ce ne sont que quelques égratignures. Yaëlle me soignera demain.

Jonas me taquine gentiment :

— Comment ça, rien de spécial ? Tu as la peau verte et les cheveux bleus, chérie, et tes vêtements sont en lambeaux. Et quand je t'ai quittée ce matin, il me semble que tu n'avais pas d'ailes dans le dos. Je n'aurais jamais cru que le travail de directrice de bibliothèque puisse être aussi salissant.

À bout de forces, je n'ai pas le courage de répondre à sa boutade qui, malgré la fatigue, m'arrache tout de même un faible sourire alors que mes yeux commencent déjà à se fermer. Je parviens néanmoins à souffler :

— Est-ce que tu as pensé à faire souper les enfants ?

— Oui, rassure-toi, et ils dorment depuis longtemps, me dit-il en me caressant tendrement les cheveux tout en déposant un doux baiser sur mes lèvres.

Apaisée, je m'endors.

▼

Après de longues heures de repos, je m'éveille peu à peu. J'entends la porte s'ouvrir et une petite voix m'appelle timidement :

— Maman, est-ce que tu dors encore ?

La pièce est encore plongée dans une semi-pénombre grâce aux épais rideaux. Je sens que mon fils hésite à entrer. Je fais de mon mieux pour ne pas rire lorsque je l'entends approcher lentement et qu'il s'assoit au bord du lit.

— Je n'ai plus sommeil, maman, et puis mon ventre a faim ! s'exclame-t-il. Réveille-toi, ajoute-t-il en me secouant doucement. En plus, on va être en retard. Aujourd'hui, c'est le jour de la lecture. C'est ton tour de lire aux enfants Surplus et tu as promis de m'emmener.

Je ne bouge toujours pas. Je peux sentir ses grands yeux bleus brûlant d'impatience posés sur moi.

— Tu pourrais répondre quand je te parle, finit-il par bougonner, vexé de ne pas avoir réussi à attirer mon attention.

— Je ne peux pas te répondre puisque je dors, expliqué-je, à présent parfaitement réveillée.

— Même pas vrai que tu dors ! glousse-t-il, amusé, lorsque mes bras se glissent autour de sa taille pour le faire basculer avec moi dans le lit, avant que je le couvre de baisers, ce qui le fait rire encore davantage.

Après qu'il m'a embrassée à son tour, je le vois froncer les sourcils, perplexe.

— Mais tu es…

— Verte, oui, je sais ! dis-je en posant délicatement mon front contre le sien.

Il caresse alors ma joue de sa fine main.

— C'est drôle, on dirait que tu brilles un peu… lance-t-il sur un ton réjoui.

— Ne t'en fais pas, mon chéri, maman ne va pas rester comme ça pour toujours.

Il se penche alors à mon oreille pour murmurer :

— C'est dommage, parce que j'aime bien ! Tu ressembles à l'image de mon livre, celle de la fée des bois…

Touchée et étonnée par ce beau compliment, je lui ébouriffe tendrement les cheveux. Après avoir partagé un câlin avec Brontès, je lui demande de quitter la pièce le temps de me préparer, lui promettant de vite le retrouver dans la cuisine pour le déjeuner. Une fois mon fils sorti, je me lève. Mon premier réflexe est d'aller contempler mon reflet dans le miroir. Je constate alors avec plaisir que mes cheveux ont retrouvé leur couleur normale, que mes ailes ont entièrement disparu et que mon visage semble un peu moins vert que la veille.

— Finalement, tu ne t'en tires pas si mal ! dis-je à mon reflet avant de me détourner de la glace.

Après m'être rafraîchie et avoir enfilé des vêtements propres, je me dirige vers la cuisine où Jonas et Brontès m'attendent.

— Où sont passées Lucy et Yaëlle ? demandé-je à mon mari.

— Elles sont rentrées chez elles puisque les ailes de Yaëlle ont elles aussi disparu, m'annonce-t-il. Mais notre amie a laissé ça pour toi, ajoute-t-il en me remettant une petite boîte métallique.

Il précise :

— C'est pour que tes blessures cicatrisent plus rapidement.

Je sais que Jonas n'insistera pas pour savoir ce que Yaëlle et moi avons fait la veille. Mais tel que je le connais, il doit être dévoré par la curiosité. Nous échangeons un petit sourire complice… avant qu'il ne se penche vers moi pour m'embrasser.

— Beurk, c'est vraiment dégoûtant ! s'exclame notre fils en grimaçant.

— Je suis sûr que tu changeras d'avis avec le temps, lui assure son père avant de lui passer la main dans les cheveux, les ébouriffant au passage.

Brontès pousse alors un soupir de désespoir :

— Pourquoi est-ce qu'il faut toujours que les adultes fassent ça ? grogne-t-il en recoiffant ses cheveux d'une main experte.

Amusés, Jonas et moi ne pouvons nous empêcher de rire.

— On ferait mieux d'y aller, maman, si on ne veut pas être en retard, me dit mon garçon impatient. Est-ce que tu as déjà choisi l'histoire que tu vas lire cette fois ?

Je grimace, prise en faute… Avec tout ce qui s'est passé hier, cette histoire de journée de lecture aux enfants Surplus m'est complètement sortie de la tête. Je n'ai pas encore sélectionné le livre que j'apporterai aujourd'hui.

— Alors ? m'interroge Brontès, suspendu à mes lèvres.

— Alors rien. Je me suis dit que tu voudrais peut-être choisir l'histoire.

Un sourire radieux illumine le visage de mon fils qui bondit de sa chaise et part en courant en direction de la bibliothèque.

— Je reviens tout de suite ! se sent-il obligé de me préciser.

Après que Brontès a quitté la pièce, Jonas y va d'un énorme fou rire.

— Tu avais oublié, n'est-ce pas ?

Je me mords alors nerveusement la lèvre inférieure. Mon époux prend cela pour une confession, ce qui le fait rire encore plus.

— Tu es incroyable ! murmure-t-il avant de m'embrasser tendrement.

— Mais vous le faites exprès, vous deux ! s'écrie une petite voix derrière nous. Je ne peux pas vous laisser seuls deux minutes. Allez, maintenant ça suffit ! lance mon enfant avant de me tirer par la main.

Je place mon masque sur mon visage puis, sans plus attendre, Brontès et moi nous mettons en route, sa petite main tenant fermement la mienne.

Nous nous dirigeons vers le camp lorsque je remarque l'énorme livre qu'a pris mon fils.

— Tu sais, je ne pense pas que nous aurons le temps de le lire entièrement, expliqué-je. Il est vraiment très gros, ce livre.

— Ce n'est pas grave, m'assure-t-il en secouant la tête avant de serrer l'ouvrage un peu plus contre lui.

Je parviens alors à déchiffrer le titre du roman qu'il porte si précieusement : *L'appel de la forêt*.

J'ai toujours pensé que Brontès était un peu jeune pour apprécier réellement cette histoire, mais il semble vouer une réelle fascination aux grands espaces que décrit l'auteur.

Nous sommes à présent devant l'entrée du camp. Les deux Citadins qui gardent le portail me réclament poliment mais fermement mon laissez-passer ainsi que celui de Brontès. Je leur tends donc mon laissez-passer de couleur verte, puis je leur montre celui de couleur blanche de Brontès, ce qui me rappelle que celui-ci sera aussi amené un jour à subir le test de passage. Lucy s'y soumettra dans quelques mois.

— Je ne comprends vraiment pas pourquoi tu viens perdre ton temps avec ces enfants-là, crache, méprisant, l'un des Citadins en me rendant les laissez-passer.

— Certains d'entre eux deviendront peut-être des Utiles, réponds-je.

Il n'a pas besoin de savoir que je suis touchée par les conditions misérables de ces enfants et de leurs parents. Même s'il est parfois difficile de dissimuler mes émotions, c'est à ce prix que notre révolte a des chances de réussir.

Je ne m'attarde pas auprès des Citadins. Je reprends Brontès par la main, et nous pénétrons dans le camp. Tandis que nous marchons d'un pas rapide en direction du baraquement où doit avoir lieu la lecture, un hurlement familier me glace tout à coup le sang.

— Où est le démon à la peau verte ? crie la goule comme une furie.

C'est impossible ! Comment a-t-elle fait pour me retrouver et pénétrer dans l'enceinte de la Cité ? Même si mon visage est dissimulé sous mon masque, j'ai la désagréable impression que la créature peut voir mon expression de panique. Tandis que quelques Citadins armés se précipitent sur elle, la goule les balaie d'un geste rageur. Ils prennent alors la fuite, effrayés par les griffes mortelles de leur adversaire. Ils courent rapidement vers le portail, qu'ils referment derrière eux. J'entends l'un des gardiens vociférer :

— Qu'elle les dévore, ces fichus Surplus !

Mais les Surplus n'intéressent pas la goule. Je sais qu'elle est là pour moi…

Cependant, j'ai le fol espoir qu'elle ne me reconnaîtra pas. Après tout, mes cheveux ne sont plus bleus, mon visage est dissimulé sous mon masque et mes ailes ont disparu. Je ne ressemble plus au *démon* qu'elle recherche…

Mais mon espoir est de courte durée. La goule s'approche de moi, un sourire carnassier sur le visage. J'ai alors le réflexe de placer Brontès derrière moi.

— Te voilà ! me dit-elle dans un souffle rauque.

Mais comment a-t-elle pu me suivre jusqu'ici ? Et comment a-t-elle fait pour me reconnaître ?

Comme si elle lisait en moi, la goule me gratifie d'un sourire victorieux avant de me lancer :

— Vous suivre, ton amie et toi, a été un véritable jeu d'enfant. Vous étiez blessées, je n'ai eu qu'à humer votre sang. Les pauvres murailles de cet endroit n'auraient pu me résister. Une fois à l'intérieur de ces murs, votre odeur était de plus en plus forte…

Je reste sans voix devant la détermination dont a fait preuve cette créature. Après tout, la grotte se trouve à presque cinq jours de marche ! Elle a parcouru cette distance en quelques heures seulement.

— Tu ne pensais pas pouvoir m'échapper, n'est-ce pas ? La mort de mes sœurs ne restera pas impunie.

— Mais qu'est-ce qu'elle raconte, maman ? me demande Brontès.

— Tiens donc, *maman*, ah oui ! dit la goule sur un ton intéressé.

Je frissonne d'horreur en voyant très clairement dans son regard ce qu'elle envisage de faire à mon enfant.

— N'y pense même pas, lui dis-je de mon ton le plus menaçant.

Une fois encore, nous nous affrontons du regard. Je me demande comment je vais pouvoir m'en sortir cette fois. Comment nous tirer de là sans que personne soit blessé ?

J'aperçois alors un groupe de Surplus tenter de me venir en aide. Ils n'ont pas le temps de nous atteindre qu'une barrière de feu se dresse entre eux et nous. Nous sommes tous les trois peu à peu encerclés par les flammes que la goule a fait surgir simplement en frottant frénétiquement ses griffes les unes contre les autres. Je sens la petite main de Brontès agripper fermement le tissu de ma tunique. Même s'il ne dit rien, je sais qu'il est mort de peur.

Je sors alors mon sabre de sous ma cape pour livrer le combat. Mais lorsqu'elle aperçoit mon arme, la goule semble devenir folle, presque enragée.

— Meurs ! hurle-t-elle en bondissant dans ma direction.

Je pousse fermement Brontès plus loin derrière moi, pour éviter qu'il se retrouve mêlé au combat.

— Tu ne pourras pas éternellement le protéger, ricane mon adversaire en jetant un regard de convoitise sur mon fils.

— C'est là que tu te trompes ! crié-je, furieuse. Et crois-moi, tu devras d'abord me tuer avant de pouvoir arracher un seul cheveu de sa tête, dis-je en prenant une position de défense.

— Si tu y tiens vraiment, ça peut toujours s'arranger ! raille la goule en se mettant à courir droit sur moi à une vitesse vertigineuse.

La créature fonce à toute allure dans ma direction. Je l'attends de pied ferme. Cette fois, elle n'en réchappera pas ! J'y veillerai...

Lorsque la goule est suffisamment près de moi, je tente de lui porter un coup sur le flanc gauche. Mais elle anticipe mon attaque et esquive mon assaut, avant de me porter un coup de griffes à hauteur du visage, m'arrachant ainsi mon masque.

— Tiens tu n'es plus verte ! s'étonne mon adversaire. Dommage, j'avais fini par m'y faire !

Sa tirade tout juste achevée, je grimace lorsqu'elle me porte un deuxième coup. Contrairement à moi, elle a parfaitement évalué la distance pour pouvoir me blesser. Ma chair brûle lorsqu'elle retire ses longues serres de ma peau. La blessure n'est pas mortelle, mais elle est profonde. Je sens mon sang couler lentement sur ma peau. Malgré la douleur, je m'assure de toujours me trouver entre mon assaillante et mon fils, assurant ainsi la protection de Brontès, car il n'a absolument rien à voir dans toute cette histoire.

— Maman ! crie subitement Brontès, affolé lorsqu'il se rend compte que je suis sérieusement blessée.

— Ce n'est rien, ne t'en fais pas, lui dis-je pour tenter de le rassurer – sans grand succès si j'en juge par l'air effrayé de son visage.

Ma rivale revient alors à la charge. Cette fois, je me montre plus rapide et habile qu'elle, et ma lame entaille sérieusement son avant-bras. Mais mon triomphe est de courte durée, puisqu'elle parvient à me désarmer d'un coup de pied que je n'ai pas vu venir. Heureusement pour moi, j'ai le réflexe de bondir immédiatement sur la goule qui, surprise par mon assaut, ne peut qu'encaisser mes coups de poing à répétition. Toutefois, je ne peux pas continuer à la frapper ainsi indéfiniment, car j'ai besoin de mon arme pour mettre un point final à cet affrontement. Je pousse donc mon ennemie loin de moi, espérant ainsi gagner les quelques secondes qui me permettront de récupérer mon sabre. Son expression est froide et pleine de rage, et son visage porte les traces des rencontres répetées avec mes poings. Même si ce n'est qu'une petite victoire, je suis plutôt fière de moi.

Je m'apprête à mettre la main sur mon arme lorsque tout se passe en un éclair : une seconde je suis debout et, celle d'après, je me retrouve au sol. On m'agrippe violemment par les cheveux. La goule m'oblige ainsi à me relever.

— Il me semble que tu avais trouvé ça très drôle hier soir.

Je grimace et serre les dents sous la douleur. Un poing s'abat dans mon estomac. Des points noirs brouillent ma vision tandis que je manque de suffoquer. Par les dieux, ce que c'est douloureux…

— Arrête de faire du mal à ma maman ! hurle tout à coup Brontès dans mon dos avant de laisser tomber son livre sur le sol.

— Sinon quoi ? le provoque la goule, en tournant la tête dans sa direction.

Brontès ne trouve rien à répondre, ce qui a pour conséquence de faire rire la créature aux éclats :

— Je me disais bien aussi, dit-elle avant de reporter son attention vers moi.

Elle m'empoigne plus fortement et me retourne brutalement pour que nous nous fassions face.

Je sens l'une de ses griffes glisser doucement sur ma joue et m'entailler la pommette, pendant qu'elle resserre son étreinte sur mon cou sous les yeux horrifiés de mon fils.

Je vois le petit corps de Brontès se mettre à trembler de rage... Il se saisit d'une énorme pierre et se précipite vers la goule et moi. Parvenu près de nous, il soulève la roche au-dessus de sa tête avant de l'abattre aussi fortement que lui permettent ses bras dans le dos de mon assaillante. Le coup n'est certainement pas assez fort pour qu'elle perde connaissance, mais néanmoins cela est suffisant pour qu'elle relâche sa prise sur moi. Je peux alors me dégager.

Furieuse, elle hurle à mon garçon :

— Espèce de petit monstre !

Mais avant que je ne puisse esquisser le moindre mouvement, ses énormes mains s'emparent de Brontès et en font leur prisonnier. Mon cœur me remonte dans la gorge. Il me faut quelques secondes avant de pouvoir m'extirper de ma paralysie momentanée et de bondir sur mon arme.

Je la vois lentement resserrer sa prise sur la gorge de mon fils.

— Maman… murmure Brontès d'une voix étranglée.

— Par les dieux, Brontès ! hurlé-je, affolée.

Je sais que la goule joue avec moi. D'un simple coup de griffe, elle pourrait le décapiter. Mais au lieu de ça, elle saisit délicatement entre ses phalanges un cheveu de Brontès avant de le lui arracher.

Un sourire provocateur naît sur son visage.

— Ne fais pas ça ou je serai obligée de te tuer, la menaçé-je froidement.

— Oups, regarde ce que j'ai fait ! dit-elle en plaçant sa main devant sa bouche d'un air faussement navré.

Puis elle relâche sa prise sur le petit et l'envoie durement sur le sol. Elle en profite pour lui décocher un coup de pied, ce qui arrache un cri de douleur à Brontès.

Mon répit est de courte durée car la goule m'annonce d'un air menaçant :

— Je m'occuperai de lui plus tard ; je dois d'abord en finir avec toi.

Je tente de m'approcher de Brontès pour me mettre entre lui et notre assaillante, mais le démon ne me laisse pas le loisir de l'atteindre, me stoppant dans mon mouvement d'un cruel coup de genou dans les reins. Brontès pleure silencieusement. Ce spectacle me brise le cœur.

— Je commence à me lasser de tout ça, soupire mon opposante en resserrant à nouveau ses mains sur ma nuque.

Son emprise est ferme et déterminée. Je comprends que la partie prend fin en sentant craquer mes os sous la pression que leur inflige la goule. Mon sabre glisse lentement de ma main. La créature attrape mon arme au vol et la lance de l'autre côté du cercle de flammes.

— Lâche-moi… Tu… tu ne peux pas faire ça devant mon fils ! Tu ne peux pas me tuer, il a besoin de moi…

Je la supplie sans la moindre retenue, espérant l'atteindre, espérant faire appel à son humanité, à son cœur, peut-être.

— Est-ce que tu crois que ça me préoccupe que ton petit trésor grandisse sans sa chère maman chérie ? me demande-t-elle sèchement. Laisse-moi te dire que je n'en ai strictement rien à faire !

— Pitié… que je murmure.

Lorsque quelqu'un est sur le point de mourir, il est prêt à négocier sa vie à n'importe quel prix. La fierté et la dignité volent en éclats, pour ne laisser place qu'à l'instinct de survie.

— Est-ce que tu as eu pitié de mes sœurs, toi ? Non…

Cette fois, je sais que c'est bel et bien la fin… La goule ne me laissera pas la moindre chance.

Je suis tout à coup habitée par l'énergie du désespoir, mon corps est envahi de rage. Je me mets à donner des coups de coude à mon assaillante pour tenter de me dégager, mais sans le moindre succès. Je ne veux pas mourir, pas ici, pas comme ça, et surtout pas devant mon fils…

Pourtant, je ne peux rien faire.

— Te voilà seule, sans ton amie à tes côtés, et tu as perdu ton arme ; que te reste-t-il maintenant ? me demande la goule en approchant son visage du mien d'un air menaçant.

— Moi ! répond une voix derrière mon bourreau.

Je ne peux retenir un soupir de soulagement lorsque je reconnais la voix de Jonas. Pour nous rejoindre, mon époux a dû bravement affronter les flammes.

— Papa ! hurle Brontès en apercevant Jonas.

— Voilà qui devient intéressant ! s'exclame la créature, visiblement ravie par la tournure que prennent les choses. J'étais sur le point de te tuer, mais à présent j'ai changé d'avis. J'ai une bien meilleure idée : tu vas partager ma souffrance, me murmure-t-elle à l'oreille avant de me jeter au sol.

Avant que Jonas n'ait le temps de faire quoi que ce soit, la créature saute sur lui par surprise et le fait tomber.

Je comprends alors ce que veut la goule ; je n'ai plus la moindre valeur à ses yeux. Ce qu'elle souhaite à présent, c'est tuer Jonas.

Je suis de nouveau libre, mais Jonas, lui, est aux prises avec ce démon. Ils roulent par terre ; des grognements de douleur s'élèvent tandis qu'ils échangent de violents coups.

La goule prend le dessus et brandit ses griffes en haut de la tête de Jonas. Dans un réflexe de défense, il repousse la main de son assaillante, évitant ainsi qu'elle ne lui porte un coup fatal. Ils s'engagent dans un puissant bras de fer. La créature essaie de lacérer le cou de Jonas avec ses griffes, alors que lui tente par tous les moyens de rester hors de leur portée.

Je me relève aussi vite que possible, puis ramasse la pierre dont s'est servi Brontès pour frapper l'adversaire. Une fois que je l'ai en main, je m'approche des combattants et imite mon fils…

J'attends le moment opportun et frappe la goule une première fois de toutes mes forces. Elle est choquée et prise de court, mais elle est toujours sur Jonas et refuse de lâcher prise. Je lui donne un second coup, mais cette fois jusqu'à ce qu'elle tombe à la renverse. Mon époux est enfin libéré de ce corps à corps mortel.

Jonas se lève avec difficulté et nous nous enfuyons. Il me prend la main alors que nous courons tous deux en direction de notre fils. Malheureusement, il semble que je n'aie pas frappé assez fort notre tortionnaire puisqu'elle se relève presque immédiatement pour nous prendre en chasse. Elle nous rattrape rapidement.

Jonas est envoyé violemment au sol. La goule l'écrase de tout son poids. Cette fois, cependant, Jonas semble avoir l'avantage : en roulant sur le côté, il a réussi à inverser sa position avec celle de l'assaillante. Même si la goule se débat, il parvient tout de même à la maintenir sous lui. Mais quand elle dégage un de ses bras, elle tente d'attaquer Jonas. Pour éviter le coup, celui-ci recule, donnant ainsi le champ libre au démon qui, ramenant ses jambes contre sa poitrine, prend appui pour projeter mon mari suffisamment loin pour se libérer entièrement.

La créature se redresse et commence à courir dans ma direction. Mon premier réflexe est de prendre mon fils dans mes bras. Jonas ne la laisse pas aller bien loin ; il l'immobilise avant qu'elle ne m'atteigne.

Entrant dans une colère noire, la goule plante ses griffes dans le torse de Jonas. Quand elle les retire, un geyser de sang inonde notre adversaire qui fait pivoter mon mari vers moi avant de lui briser la nuque d'un geste sec.

Je ne peux retenir un hurlement mêlé de rage et de terreur. Je me précipite sur Jonas et serre son corps sans vie tout contre moi. On dit que les yeux sont le reflet de l'âme… J'ai bien peur qu'en cette seconde Jonas n'ait plus d'âme. Ses yeux sont vides et sombres ; ils n'ont plus la moindre étincelle. Aucun signe de vie ou d'humanité ne semble habiter mon époux…

Je sais à présent que je l'ai perdu : Jonas est mort, je viens de perdre l'amour de ma vie. Aucun mot ne pourra jamais être assez fort pour exprimer ce que je ressens.

Mon regard tombe alors sur la couverture du livre abandonné quelques minutes plus tôt par mon fils. Un détail que je n'avais pas remarqué capte mon attention : l'illustration représente un paysage recouvert de neige…

Mon cœur rate un battement avant de repartir sur un rythme erratique. Pendant une brève seconde, je sens mon esprit quitter mon corps tandis que je découvre, horrifiée, que tous les signes de ma vision sont là…

Feu…

Sang…

Neige…

Mon visage ruisselle de larmes. Je lève la tête vers la meurtrière : un rictus indécent est figé à jamais sur sa figure alors que sa tête glisse jusqu'au sol. Par-dessus le corps décapité de la créature qui s'affaisse, je vois le visage déterminé de Yaëlle, mon sabre à la main, et le cercle de flammes, qui meurt en même temps que sa créatrice.

J'ai le plus grand mal à relâcher mon étreinte sur Jonas, mais il est temps pour moi de me séparer de mon fils. Je me lève et rejoins d'un pas tremblant Brontès, qui pleure à chaudes larmes. L'ironie de la chose me blesse cruellement : Jonas vient de le sauver et moi je dois l'abandonner. Ça n'a vraiment aucun sens, je ne veux pas perdre mes deux amours. Mais, résignée, je m'exécute car je sais que le troisième œil a toujours raison.

Je serre Brontès quelques instants sur mon cœur avant de glisser doucement sa petite main dans celle de mon amie qui me regarde, les yeux brouillés de larmes.

— Emmène-le loin d'ici, Yaëlle... imploré-je d'une voix basse.

Elle me regarde, surprise. Visiblement, elle ne comprend pas.

— C'est le troisième œil, murmuré-je pour toute explication, la voix tremblante de sanglots.

Elle semble soudain saisir ce qui se passe car elle proteste vivement :

— Tu ne vas tout de même pas te séparer de ton enfant sans même savoir pourquoi, tout ça parce que ton stupide don te l'a fait entrevoir. Tu ne peux pas agir ainsi, Cali, me supplie-t-elle, submergée par la douleur d'avoir perdu son meilleur ami.

Je peux comprendre le trouble qu'elle ressent, car moi-même je fais de mon mieux pour ne pas me laisser dévorer par ma colère et mon chagrin afin de faire ce qu'on attend de moi.

D'une voix presque éteinte, je me contente de dire :

— Je t'en prie... Le troisième œil a toujours raison...

Je vois l'expression de son visage se radoucir peu à peu. Yaëlle comprend que j'ai besoin d'une alliée et que mon cœur est en morceaux, tout comme le sien.

Compatissante, elle me rassure :

— Je te promets que je ne rentrerai pas avant d'avoir trouvé un endroit où il pourra vivre en sécurité. Malgré tout, il restera toujours ton fils. Je suis désolée que tu doives faire un tel sacrifice, murmure-t-elle en posant une main sur mon épaule.

— Certains sacrifices en valent la peine… dis-je d'une voix résignée avant de m'agenouiller face à mon fils.

Je regarde Brontès droit dans les yeux :

— Tu vas partir quelque temps avec tante Yaëlle, mon chéri. Sois gentil avec elle et bien obéissant.

— Oui, maman, me répond-il en reniflant fortement avant de glisser ses petits bras autour de mon cou pour une dernière étreinte.

Puis il me souffle au creux de l'oreille :

— Il est mort, papa, hein ?

— Oui, chéri, lui dis-je en resserrant davantage mon étreinte, faisant de mon mieux pour ne pas éclater en sanglots, mais sans succès.

Je sens alors la petite main de mon fils caresser doucement mes cheveux avant qu'il ne me chuchote :

— Ne pleure pas, maman. Maintenant, papa est devenu une étoile comme grand-père Brontès.

À ces mots qui se veulent pourtant réconfortants, mes pleurs redoublent. Je viens de réaliser que je suis de nouveau en train de perdre ma famille…

— Si ça peut te rendre moins triste, tu peux venir avec nous, me propose Brontès avec toute sa naïveté d'enfant. N'est-ce pas, tante Yaëlle, que maman peut nous accompagner ? ajoute-t-il en se tournant vers la jeune femme.

Gênée, celle-ci ne dit rien ; elle détourne simplement les yeux.

— Je dois rester ici, car j'ai encore des choses à faire à la Cité, déclaré-je. Ce voyage est juste pour toi et tante Yaëlle.

— D'accord, mais quand est-ce que je vais revenir à la maison ?

J'ai l'impression de prendre un coup en plein cœur ! Sa question est simple, pourtant je ne trouve pas les mots, je ne sais pas comment lui expliquer tout ce qui en train de nous arriver, de lui arriver, pour la simple et bonne raison que je ne sais pas à quoi tout cela nous conduira. Comment expliquer une situation à un enfant alors qu'on ne la comprend pas soi-même ? C'est tout bonnement impossible…

— Je… je ne sais pas, chéri. Tu pars pour un long voyage. Je te promets que tout ira bien, mais il faudra te montrer fort.

Un petit sourire illumine alors son visage, car il sait que je ne prononce jamais ces mots. Alors, s'ils viennent de sortir de ma bouche, c'est qu'ils sont forcément vrais.

— Oui, je serai fort, m'affirme-t-il d'un petit hochement de tête courageux avant de m'embrasser.

— Ne t'en fais pas, tout ira bien… souffle Yaëlle, un triste sourire sur le visage.

— Tu devrais peut-être emmener aussi Lucy… lui conseillé-je en me redressant.

— Est-ce qu'elle était dans ta vision ? s'informe-t-elle d'un air grave.

— Non, mais…

— Mais rien du tout. Si ton troisième œil n'a rien dit sur elle, elle reste avec toi. Elle n'a rien à craindre, elle est faite pour être une Utile. Je descends de la lignée Naturelle, et son père était un Utile lui aussi.

— Oui, mais un Composite, lui rappellé-je. Et n'oublie pas que Sébastian et Gaak ont des Surplus dans leur famille.

— Ne t'en fais pas pour Lucy, je sais ce que je fais.

Nous échangeons un regard silencieux et je comprends qu'elle est sur le point de s'en aller. Elle m'interroge du regard pour savoir si je veux embrasser mon fils une dernière fois. Je secoue la tête négativement car, si je me laisse aller une fois de plus, je n'aurai plus ni la force ni le courage nécessaires pour le laisser partir, quoi qu'en dise mon troisième œil. Je me contente de passer tendrement une main sur la joue de Brontès avant de déclarer :

— N'oublie jamais que je t'aime.

— Je t'aime aussi, maman, me souffle-t-il d'un ton sérieux, comme s'il sait que c'est la dernière fois qu'il me dit ces mots.

Yaëlle se met alors en route, entraînant Brontès à sa suite. Je ne sais pas ce qui attend mon garçon, mais j'espère sincèrement que sa vie sera épargnée et qu'il sera heureux.

Je le suis des yeux et regarde sa petite silhouette s'éloigner tandis qu'il se retourne plusieurs fois pour me faire au revoir de la main.

Pour la première fois de ma vie, je comprends ce qu'a ressenti Apollon en perdant son fils. C'est tellement douloureux que je crois que je pourrais en mourir. J'ai l'impression qu'un millier de lames transpercent ma chair et que mes sentiments me rongent de l'intérieur et attaquent mon cœur, ne m'offrant aucun répit entre peine et souffrance. J'ai la désagréable sensation de perdre le contrôle et que mon être tout entier va succomber à cette tristesse immense qui serre si fort mon cœur…

À présent, je suis certaine d'une chose : oui, on peut mourir de trop aimer !

Je suis à nouveau seule…

Pour la deuxième fois de ma vie, je viens de perdre toute ma famille. Il ne me reste rien d'autre qu'une immense solitude qui commence à peser lourd sur mes épaules. Je ne veux plus jamais ressentir le moindre sentiment humain, c'est trop douloureux. Si libérer les hommes est au prix de mon sacrifice de mère, je ne suis pas sûre que j'aurais accepté ce combat si j'avais su ce qu'on allait exiger de moi ! Pourquoi, après toutes ces années, suis-je encore influencée par mon troisième œil ? Ma vie serait peut-être plus simple si j'écoutais mon cœur et non mon œil ! Pourquoi éloigner mon fils de moi ? Parce que lui aussi à un rôle à jouer dans toute cette histoire ? Ne pourrait-il pas écrire un nouveau chapitre en restant à mes côtés ?

Je déraisonne…

La souffrance m'empêche de penser de façon claire et rationnelle.

Seule, perdue, anéantie, je me traîne jusqu'à la dépouille de Jonas. Une fois près du cadavre, mes jambes me lâchent subitement et je m'effondre sur le sol, à ses côtés. On pourrait presque croire, si ce n'est le sang qui recouvre sa chemise, qu'il est endormi et que, d'un instant à l'autre, il va ouvrir les yeux et me sourire.J'attend de longues minutes. Mais rien ne se passe, rien d'autre que mon cœur qui se brise pour toujours…

Chapitre onze
Lucy

Six mois s'étaient écoulés depuis le drame qui avait bouleversé la vie de la cyclope. À présent, plus rien n'était pareil.

Elle était passée de l'état d'épouse et de mère à celui de veuve sans enfant… Calista, la femme de Jonas ; Calista, la mère de Brontès. Maintenant, elle était seulement Calista.

La cyclope avait tout simplement perdu une partie de son identité, une part d'elle-même.

Yaëlle avait quitté la Cité pendant des semaines entières. Son absence avait duré si longtemps que Calista s'était même demandé si son amie n'était pas morte…

Durant l'absence de la chaman, Calista s'était occupée de Lucy. Avoir un peu de compagnie lui avait fait le plus grand bien. Cela l'avait empêchée de ruminer constamment son chagrin et ses idées noires.

Lorsque la jeune femme était enfin rentrée, ni elle ni Calista n'avaient parlé de ce qui s'était passé après le départ de Yaëlle et de Brontès. La chaman s'était contentée d'un vague : « C'est fait, il est en sécurité. » Elle aurait été bien en peine de fournir des détails, car la seule chose qu'elle se rappelait de son voyage, c'était que Brontès était en lieu sûr. Mais elle n'aurait su dire où exactement…

Par chance, Calista s'était bien gardée de s'informer sur l'endroit où se trouvait son fils. Pas par manque d'intérêt, mais simplement parce qu'elle avait peur que, durant un moment de faiblesse, elle coure le chercher.

La cyclope était reconnaissante à son amie d'avoir éloigné son petit, car elle-même aurait été incapable d'agir, troisième œil ou pas !

Pendant son long voyage, Yaëlle avait découvert un bien étrange secret. Après des jours et des jours de marche, après avoir essuyé une violente tempête de sable qui les avait désorientés, le jeune garçon et elle étaient arrivés devant un épais brouillard qu'ils avaient traversé avant de découvrir deux hautes tours de marbre rose et vert reliées en leur centre par une voûte de cristal, entourées d'un magnifique lac d'azur aux reflets d'argent : c'était l'entrée de l'Aquapole.

Yaëlle avait été surprise de découvrir qu'il existait une autre ville que la Cité. Mais elle était repartie assurée que Brontès serait parfaitement heureux là. Si le troisième œil de Calista les avait indirectement conduits à l'Aquapole, c'était à n'en pas douter parce que le destin de Brontès se trouvait là. Mais Yaëlle avait à peine quitté le brouillard qui entourait l'Aquapole que sa mémoire avait commencé à lui jouer des tours. Pourquoi était-elle ici déjà ? Elle n'en avait pas la moindre idée. Comme était-elle arrivée là ? Elle n'en avait aucun souvenir. Tout ce qu'elle savait, c'est qu'elle devait rentrer chez elle, à la Cité. Et c'est ce qu'elle fit, munie d'une ample réserve d'eau dont elle ignorait complètement la provenance mais qu'elle fut ravie d'avoir avec elle pour l'aider à affronter ces arides jours de marche dans le désert.

Peu de temps après son retour à la Cité, Yaëlle s'était vu offrir un siège au Conseil des Justiciers. La mère de la jeune femme avait succombé à une longue maladie. Comme le voulait la tradition, son siège fut alloué à son aîné. Il revenait donc de plein droit à Yaëlle.

Le seul événement heureux des derniers mois avait été le mariage d'Ella avec Lycéos. Même si cela avait littéralement arraché le cœur de la cyclope, voir ses compagnons convoler à leur tour avait été une grande joie.

Pendant que ses amis, jeunes mariés, profitaient de leur nouveau bonheur, Calista se tenait occupée nuit et jour pour ne pas sombrer dans la déprime ou la folie, dépensant la moindre once de son énergie pour le Cercle de la Liberté. C'était certes un peu macabre, mais ainsi elle avait l'impression de partager quelque chose avec Jonas et de sentir sa présence à ses côtés.

Malgré son chagrin, les jours passaient. Et aujourd'hui, Lucy fêtait ses dix ans.

La veille, Lucy, surexcitée à l'idée de découvrir son don d'Utile, n'avait pratiquement pas fermé l'œil de la nuit, empêchant du même coup sa mère de dormir elle aussi.

— Je me demande quel genre d'Utile je vais être. J'aimerais bien faire de la magie comme Ella, ce serait vraiment trop *cool,* dit la fillette avec envie.

— Être Soigneur, ce n'est pas mal non plus, dit Yaëlle.

— Je sais que papa et toi vous faites partie de cette catégorie. Mais moi, je préférerais vraiment être une Magicienne ou une Sourcière. Les Sourciers mènent vraiment une belle vie à la Cité.

— Et s'il s'avère que tu ne possèdes aucun don ? lança subitement Calista qui était venue visiter Yaëlle et sa fille à la tour Légistère.

Dans un froncement de sourcils similaire, Yaëlle et Lucy dévisagèrent la cyclope.

— Pourquoi est-ce que je n'aurais aucun don ? demanda la fillette, vexée.

— Je suis désolée, ma chérie, s'excusa Calista. Je ne sais pas ce qui m'a pris de dire une chose pareille. Bien sûr que tu auras un don ! Après tout, tu descends d'une grande lignée d'Utiles, termina-t-elle, mortifiée d'avoir proféré une telle énormité devant l'enfant.

— Lucy, tu ferais mieux d'aller finir de te préparer, intervint Yaëlle avant de déposer un rapide baiser sur le front de sa fille. Le Conseil ne va pas tarder à se réunir pour t'évaluer.

Sans se faire prier, Lucy disparut dans sa chambre.

— Je peux savoir ce qui t'a pris de lui dire une chose pareille ? grogna la chaman, une fois qu'elle se fut assurée que son amie et elle étaient seules.

— Je suis vraiment navrée. Je n'aurais jamais dû parler ainsi devant la petite. Mais cela fait déjà des jours que je t'entretiens de mon mauvais pressentiment et que tu n'en fais aucun cas.

— Est-ce que tu as eu une vision ?

Calista hésita à mentir à son amie, puis se ravisa :

— Non, je n'ai pas eu la moindre vision. C'est juste une impression.

— Je suis sa mère, Cali. Je crois que si quelque chose n'allait pas, je le sentirais. Je ne prendrais pas le risque de faire enfermer ma propre fille.

Une dispute était sur le point d'éclater entre les deux amies lorsque Lucy revint, ce qui les empêcha d'aller plus loin.

— Je suis prête.

Yaëlle jeta un regard contrarié à la cyclope avant de rejoindre sa fille.

— Tante Calista ne nous accompagne pas ? demanda la fillette de plus en plus excitée à la perspective de devenir une Utile.

— Non, elle ne peut pas venir, répliqua Yaëlle sèchement. Elle n'est pas autorisée à assister à l'épreuve.

— Je ne peux peut-être pas t'observer depuis la salle du Conseil, mais je resterai dans le couloir pour t'attendre, dit Calista en avançant d'un pas, bien décidée à suivre Yaëlle et Lucy jusqu'au cent unième étage.

Puis toutes trois se dirigèrent vers l'ascenseur. Survoltée, Lucy jacassait sans fin. Elle ne remarqua pas l'air bougon de sa mère.

Après un rapide trajet, Calista accompagna Yaëlle et Lucy jusqu'aux portes de la salle du Conseil avant de souhaiter bonne chance à la fillette qui disparut avec sa mère.

Lucy n'était pas sa fille, mais Calista la considérait presque comme telle. Si Yaëlle semblait confiante sur l'issue du test, le prenant pour une simple formalité, la cyclope, elle, sentait une angoisse tenace lui écraser le cœur. Faisant les cent pas dans le couloir, Calista ne cessait de marmonner pour garder son calme : « Tout ira bien… Tout ira bien… »

Après quelques minutes qui semblèrent durer des heures, la porte de la salle s'ouvrit. Calista vit passer dans le couloir l'Innocent, suivi de la jeune Lucy qui ne put s'empêcher d'adresser un petit signe de la main à sa tante lorsqu'elle passa près d'elle. L'air serein et confiant qu'affichait la fillette réconforta momentanément la cyclope.

Après un court instant, Calista vit remonter l'Innocent. Elle sut que l'épreuve de Lucy avait commencé. Déambulant de long en large dans le couloir, anxieuse, elle se demandait comment s'en sortait sa petite protégée.

La réponse ne fut pas longue à arriver. La porte de la salle du Conseil s'ouvrit en grand et Yaëlle déboula précipitamment, une partie des membres du Conseil derrière elle. Comprenant ce qui venait de se passer, Calista emboîta le pas à sa camarade.

Elle la rattrapa au bas de l'escalier. Et ce qui pour l'instant n'était encore qu'un doute se transforma en réalité quand elle entendit son amie crier :

— Non, vous ne pouvez pas me la prendre !

Ouvrant la porte de la salle comme une furie, la chaman se rua à l'intérieur. Lucy courut se réfugier dans les bras de sa mère :

— Je suis désolée, maman, je suis désolée d'avoir raté mon test, dit-elle avant d'éclater en sanglots.

Elle n'eut pas le temps d'en dire plus que deux Citadins s'emparaient vivement d'elle, ce qui déclencha les hurlements et la colère de Yaëlle.

— Vous ne pouvez pas, non, vous ne pouvez pas ! ne cessait-elle de répéter au comble de l'émotion jusqu'à ce qu'elle perde connaissance.

— Maman ! cria Lucy, inquiète, tandis que les deux Citadins la traînaient de force à l'extérieur de la pièce pour l'isoler avant de la conduire au camp.

Calista se précipita sur son amie avant de crier à l'intention de Lucy :

— Ne t'en fais pas, je vais m'occuper de ta mère.

Lorsque Yaëlle ouvrit les yeux une heure plus tard, Calista se trouvait à son chevet.

— Comment te sens-tu ? demanda la cyclope d'une voix douce.

— Lucy… murmura la jeune femme, parfaitement remise du malaise que lui avait causé son trop-plein d'émotion.

— Allez, viens, je t'emmène voir ta fille, proposa Calista en aidant la Soigneuse à se mettre debout.

Un sourire radieux illumina alors le visage de Yaëlle. Mais elle et Calista savaient pertinemment que chaque seconde leur serait comptée. À peine auraient-elles franchi la porte de l'infirmerie que les Citadins, n'osant les arrêter, préviendraient aussitôt le Conseil.

D'un pas rapide et décidé, les deux amies sortirent de la pièce avant de remonter le couloir à grandes enjambées, ne prêtant pas la moindre attention aux gardes postés devant l'infirmerie.

Les jeunes femmes bifurquèrent sur la droite pour se rendre dans la salle d'attente où les enfants qui avaient échoué le test de passage, devenant ainsi automatiquement des Surplus, étaient mis en transit avant d'être envoyés au camp.

Calista et Yaëlle n'étaient plus qu'à quelques mètres de la salle lorsqu'elles aperçurent un énorme Citadin faisant barrage devant la porte, les obligeant à s'arrêter.

— Je n'ai pas mon sabre avec moi, murmura la cyclope à son amie. Les armes sont interdites dans l'enceinte de la tour Législère. Le gardien ne nous laissera jamais entrer.

— Ce n'est certainement pas cette grosse brute qui m'empêchera de voir ma fille ! cracha Yaëlle, remplie de détermination.

Calista resta sans voix face au spectacle que lui offrit la chaman.

Yaëlle se saisit d'un imposant vase antique qui faisait partie de la décoration et le jeta de toutes ses forces en direction du Citadin qui le reçut en plein visage. L'homme s'écroula sous la violence du choc. Yaëlle et Calista comblèrent les quelques mètres qui les séparaient de la porte en courant et enjambèrent le Citadin qui entravait le passage. La cyclope ouvrit la porte. Elle et sa compagne pénétrèrent dans la salle d'attente.

Calista fut accueillie le regard de glace de Lucy. Mais lorsque la fillette se rendit compte que sa mère suivait sa tante, un sourire illumina son visage d'enfant. Pendant une seconde, ses yeux remercièrent Calista.

Mère et fille se précipitèrent dans les bras l'une de l'autre.

— Oh, ma chérie, est-ce que tu vas bien ? demanda Yaëlle en passant une main sur le visage de sa fille.

Lucy hocha la tête.

— Je suis tellement désolée, mon cœur, si tu savais… murmura Yaëlle au bord des larmes.

— Je ne comprends rien à toute cette histoire, maman. C'est impossible que j'aie raté mon test, n'est-ce pas ? C'est une erreur ! Je suis ta fille et je fais partie de la lignée Naturelle.

L'air perdu, Yaëlle regarda Calista, ne sachant quoi dire à Lucy. Elle n'arrivait toujours pas à réaliser qu'elle n'avait eu aucun pressentiment de ce qui allait se passer, contrairement à la cyclope.

— Je suis bien une Utile, n'est-ce pas ? dit la fillette, tremblante de sanglots.

— Elles sont ici ! cria tout à coup une voix.

Puis quelqu'un ouvrit la porte derrière Calista, ce qui projeta cette dernière en avant.

Yaëlle resserra encore plus ses bras autour de sa fille.

— Mais qu'est-ce qu'elle fiche ici ? grogna l'un des Justiciers. Calista, qu'est-ce qui se passe ?

Les membres du Conseil, quelques Citadins et Lycéos – celui-ci, intrigué par tout le raffut, avait suivi la petite horde – entrèrent les uns à la suite des autres dans la salle d'attente.

Deux Citadins se dirigèrent droit vers Yaëlle qui recula d'instinct, Lucy toujours serrée contre elle. Elle ressemblait à une lionne prête à tout pour défendre son petit.

— Yaëlle, lâche la petite sans faire d'histoires, souffla l'un des Citadins en avançant prudemment vers elle comme si elle était armée.

— Non, vous ne pouvez pas me la prendre ! protesta la jeune femme en agitant la tête.

— Tu sais très bien que les règles s'appliquent à tous, dit l'un des Justiciers, peu compatissant.

Tout à coup, les choses basculèrent. L'un des Citadins s'empara vivement de Lucy qui se mit à hurler et à se débattre comme un vrai petit diable. Yaëlle, retenue par un second garde, ne pouvait se dégager. En moins d'une minute, Lucy fut entraînée à l'extérieur de la pièce.

— Cali, ne les laisse pas prendre ma fille ; Cali, s'il te plaît, rattrape Lucy ! hurla Yaëlle en se débattant.

La cyclope savait que la requête de son amie était impossible.

— Cali, je t'en prie...

Le visage de Yaëlle était ravagé par le chagrin et ses yeux suppliaient Calista de faire quelque chose.

— Calista, aide-moi... cria-t-elle encore avant de se laisser glisser sur le sol, obligeant ainsi le Citadin à relâcher sa prise.

— Tu ne peux rien y faire, souffla Lycéos à l'oreille de la cyclope, dévastée par son impuissance.

Tout à coup, Calista, révoltée par le spectacle, se sentit investie d'une mission. Elle sortit en courant de la salle, prenant le Citadin en chasse dans le long couloir.

Elle pouvait encore entendre Lucy crier et pleurer...

Au détour du couloir, elle aperçut la fillette, qui se débattait toujours comme un véritable petit démon enragé, ce qui ralentissait grandement la progression du Citadin. Cela offrait une chance à Calista de pouvoir les rattraper.

La cyclope n'était plus qu'à quelques mètres d'eux lorsqu'elle sentit soudain qu'on l'arrêtait en pleine course. Surprise, elle eut le réflexe de frapper son assaillant qui maintenait une prise tellement forte sur sa taille qu'il l'empêchait presque de bouger. La cyclope eut comme une impression de déjà-vu… Mais ce n'était pas le moment pour elle de se laisser envahir par de lointains souvenirs.

Furieuse, elle jeta un rapide coup d'œil par-dessus son épaule : Lycéos !

— Qu'est-ce que tu fiches ? grogna-t-elle. Lâche-moi tout de suite ! On ne peut pas les laisser emmener Lucy !

— Cali, calme-toi, tu ne ferais qu'empirer les choses ! Je n'ai aucune envie que tu te fasses arrêter et enfermer dans ce maudit camp toi aussi.

— Mais Lucy… répliqua la cyclope qui faisait toujours de son mieux pour que Lycéos la libère enfin.

— Nous récupérerons Lucy, je te le promets. Mais nous interviendrons de la *bonne* façon. C'est déjà bien assez compliqué ainsi, sans prendre en plus le risque de se faire emprisonner ou tuer ! Tu comprends ?

— Qu'est-ce que tu entends par « bonne façon » ?

— En tout cas, certainement pas ce que tu es en train de faire là ! argumenta le jeune homme. Tu dois te calmer, d'accord ?

Calista cessa de se débattre.

— Je peux te lâcher maintenant ? s'enquit Lycéos.

La cyclope acquiesça d'un mouvement de la tête.

— Yaëlle a besoin de nous, elle a besoin de toi, dit le jeune homme avant de la relâcher. Si tu es toi aussi enfermée dans ce camp, nous serons bien avancés !

Lycéos avait au moins raison sur un point, convint Calista. Son amie avait besoin d'elle, tout comme elle avait pu compter sur l'aide de Yaëlle à la mort de Jonas.

Le jeune homme avait tout juste relâché sa prise sur Calista que celle-ci détala plus vite que son ombre. Elle reprit sa course derrière Lucy. Mais il était trop tard ; le Citadin et la petite fille étaient déjà dans l'ascenseur.

Poussée par la colère et le désespoir, elle courut jusqu'à l'escalier et descendit en trombe, sautant de marche en marche. Ses jambes menacèrent plusieurs fois de céder, mais cela n'avait pas la moindre importance. Lorsqu'elle arriva enfin au pied de la tour, Calista scruta rapidement les environs. Il ne lui fallut pas plus de quelques secondes avant d'apercevoir le Citadin qui était déjà loin devant et qui traînait toujours la fillette par le bras.

Elle courut néanmoins après eux, même si elle savait déjà que jamais elle ne pourrait les rattraper. La cyclope hurlait le prénom de la fillette, espérant ainsi par miracle que cette dernière l'entendrait…

Épuisée, Calista commença à ralentir le rythme. Elle était sur le point d'abandonner lorsqu'elle s'aperçut que Lucy s'était retournée et qu'elle criait son prénom. Les appels de sa nièce lui déchiraient le cœur…

Poussée par l'énergie du désespoir, la cyclope tenta de gagner encore quelques mètres pour rejoindre la fille de Yaëlle. Mais la distance à parcourir était trop grande.

— Ne t'en fais pas, Lucy, je viendrai te chercher, je te le promets ! lança la cyclope à bout de souffle.

Calista n'était pas certaine que l'enfant l'avait entendue avant de disparaître au coin de la ruelle.

Puis elle s'écroula à genoux sur les pavés, les poumons en feu.

« Lucy aurait dû partir avec Brontès, elle n'aurait pas dû rester ici ! » n'arrêtait pas de répéter une petite voix dans sa tête.

Calista aurait dû écouter son instinct et insister un peu plus auprès de Yaëlle pour que la fillette ne passe pas ce stupide test !

Tout ce gâchis, toute cette peine, Calista s'en sentait en partie responsable. Mais quoi qu'il lui en coûte, elle ferait de son mieux pour sortir Lucy de ce mauvais pas.

De son mieux...

Calista ne put retenir un petit rire nerveux.

Elle savait très bien que *faire de son mieux* ne serait pas suffisant. Non, cette fois-ci, elle devrait se surpasser, elle devrait exceller ! L'ennui était que bien souvent l'excellence était longue et difficile à atteindre, exigeant de nombreux sacrifices...

Et Calista en avait tout simplement assez de toujours devoir renoncer, de toujours devoir sacrifier quelque chose ou quelqu'un...

L'avenir de la Cité et celui des hommes étaient au prix de ces sacrifices, mais la perte de Lucy était le sacrifice de trop !

Il fallait que cela s'arrête ! Elle ne pouvait pas laisser une autre famille être brisée comme l'avait été la sienne... Ce ne serait pas juste !

La scène qui venait de se jouer dans la tour Légistère – les larmes de Yaëlle, les hurlements de Lucy – lui avait renvoyé son passé en pleine figure. Calista pensa alors à son père... à son fils... à Jonas...

Une bouffée d'angoisse l'envahit subitement…

Et si c'était la dernière fois qu'elle avait vu Lucy ?

Une terrible inquiétude lui broya le cœur, un terrible doute lui glaça le sang. Comment pourrait-elle sauver Lucy alors qu'elle n'avait pas su protéger sa propre famille ?

Tandis que sa vue se brouillait de larmes, elle porta son regard en direction du camp des Surplus et de ses hauts barbelés.

— Lucy… murmura la cyclope d'une voix blanche, cruellement blessée par cette nouvelle épreuve qui lui martelait le cœur.

CHAPITRE DOUZE
Empoisonné

« Ne t'en fais pas, je viendrai te chercher, je te le promets ! »

Voilà presque dix années que cette promesse non tenue me hante. Après que Lucy nous a été arrachée, Yaëlle est tombée dans une profonde mélancolie. Pendant des mois, elle n'a plus été que l'ombre d'elle-même.

Ella et Lycéos avaient fait de leur mieux pour la soutenir ; ils s'étaient montrés parfaitement adorables et prévenants avec elle. Mais ni l'un ni l'autre n'avaient la moindre idée de ce que cela pouvait faire de perdre son enfant…

Yaëlle et moi avions toujours été très proches. Mais à présent nous étions liées par la même douleur qui ravageait nos cœurs de mères.

Comme je tenais à jour le registre de la Cité, cela avait été pour moi un véritable crève-cœur d'annoter près du prénom de Lucy : *Surplus.* Cela s'était avéré presque aussi difficile que le jour où j'avais dû écrire près de celui de Jonas : *Décédé.* Et faire de même pour Brontès. Je sais bien que mon fils n'est pas mort, mais je ne pouvais pas noter : *Porté disparu,* sinon les Citadins se seraient mis à sa recherche.

Même si mon fils n'est pas auprès de moi, je parviens néanmoins à le sentir vivre…

Je ne sais pas ce qu'il fait de sa vie, mais je sais qu'il est en vie ! Et j'ai confiance en Yaëlle. Elle m'a juré que Brontès était en sécurité et je la crois. Pas besoin d'un troisième œil pour ressentir cela, l'instinct maternel suffit !

Même après toutes ces années, je ne sais pas vraiment pourquoi j'ai dû me séparer de mon fils. Son absence me déchire littéralement les entrailles. Je sais que chacune de mes visions a une raison d'exister. Je ne les comprends pas toujours, mais je ne les échangerais pour rien au monde. Bien sûr, je me passerais volontiers des atroces migraines et autres douleurs qu'elles déclenchent. Mais elles font partie de moi, elles sont tout ce qui me reste de mon héritage de cyclope. Je me demande parfois si mon fils possède lui aussi ce don... À son âge, mes premières visions s'étaient déjà manifestées.

Les dons que nous possédons ne sont pas toujours héréditaires. À preuve : Lucy...

Notre pauvre Lucy était enfermée dans le camp des Surplus depuis bientôt dix ans. Si Yaëlle a été grandement dévastée par cette épreuve, Lucy, elle, s'est rapidement acclimatée à son nouvel environnement : une simple question de survie. La fillette n'avait pas eu la chance de pleurer la perte de sa famille et de ses amis, les Citadins qui surveillaient le camp ne lui en avaient pas laissé le temps. Elle était devenue une Surplus à la seconde même où elle avait échoué son test. Lucy n'était plus rien, plus personne ; elle avait perdu tous ses privilèges, surtout celui d'être considérée comme un être humain...

Plusieurs fois, Ella, Lycéos et moi, révoltés, avions eu l'envie de soulever le Cercle de la Liberté pour forcer les portes du camp et libérer ainsi Lucy et les autres Surplus. Mais il nous fallait être réalistes. Nous étions encore loin de pouvoir tenir tête au Conseil. En quelques minutes, ses membres auraient stoppé notre mouvement et nous aurions tous été arrêtés ou tués...

Yaëlle, elle-même, en était consciente.

— En ne voulant sacrifier personne, on finit par sacrifier tout le monde ! avait-elle dit un jour, lasse de nous entendre élaborer une fois encore un plan impossible à exécuter, lui donnant ainsi de faux espoirs de retrouver sa fille.

Après nous avoir regardés tour à tour avec tendresse, elle avait repris d'une voix résignée :

— Je sais que vous faites tout cela pour m'aider, mais je ne peux plus le supporter. Chaque fois que l'un de vos plans avorte, j'ai l'impression de perdre à nouveau ma fille. Si Lucy doit être l'un des sacrifiés, alors qu'il en soit ainsi... Je ne suis pas la seule à avoir perdu ma famille, avait-elle conclu en me serrant doucement la main.

— Mais... avait protesté Ella.

— C'est à ce prix que se remporte parfois la victoire ! s'écria Yaëlle. Cali et moi avons dû faire des sacrifices, mais Lycéos et toi devrez certainement en faire aussi. Je ne vous le souhaite vraiment pas... Si cela arrive, rappelle-toi ceci : sacrifier quelques personnes peut permettre d'en sauver des centaines ! C'est peut-être dur, mais tout ce que nous entreprenons dans la vie a un prix. Je ne dis pas ça pour me donner bonne conscience ou pour vous déculpabiliser de ne rien pouvoir faire pour Lucy... Les choses sont ainsi faites, voilà tout ! Certains doivent être enfermés pour que d'autres soient libres ; certains doivent mourir pour que d'autres puissent vivre. Lorsque le jour de la révolte sonnera, je serai en première ligne. Et croyez-moi : ils payeront pour m'avoir pris ma fille, marmonna-t-elle en serrant rageusement les poings.

Même si les mots de la chaman avaient été durs, celle-ci avait raison...

En ne voulant sacrifier personne, on sacrifierait tout le monde ! À compter de ce jour, Ella, Lycéos et moi n'avions plus jamais parlé de l'éventualité de libérer Lucy, du moins devant Yaëlle. Et nous redoublions d'efforts pour trouver de nouveaux alliés et rassembler suffisamment d'armes et de vivres.

Même si cela était relativement pénible pour moi, je me rendais le plus souvent possible au camp des Surplus pour prendre des nouvelles de Lucy et lui faire passer un peu de véritable nourriture que sa mère mettait de côté pour elle.

Yaëlle refusait de m'accompagner. Voir sa fille enfermée là-bas lui était insupportable. Elle ne pouvait rien faire pour aider Lucy... Aucun d'entre nous ne le pouvait, d'ailleurs, du moins pour l'instant. Et si Yaëlle s'était rendue trop souvent au camp, le Conseil n'aurait pas vu cela d'un très bon œil. Cela aurait même pu éveiller des soupçons à son égard.

J'étais l'une des seules personnes à avoir accès au camp aussi souvent que je le souhaitais. Puisque je tenais le registre de la Cité, je devais me rendre au camp plusieurs fois par semaine pour noter les morts et les naissances survenus chez les Surplus et, une fois par année, les mariages.

Le registre était un véritable passe-droit pour moi... Grâce à lui, je suis devenue l'intermédiaire privilégiée entre Yaëlle et Lucy : je communiquais des nouvelles de l'une à l'autre, cajolait l'une comme l'aurait fait une mère et embrassais l'autre comme l'aurait fait une fille.

Après plusieurs années d'enfermement, Lucy en avait pris son parti... et même le nôtre car, au nez et à la barbe des Citadins, elle recrutait des Surplus en qui elle avait toute confiance pour grossir les rangs du Cercle de la Liberté. Elle nous assurait ainsi des alliés qui nous aideraient de l'intérieur le jour venu...

Elle s'était même trouvé un bras droit, Connor – un jeune garçon qui, par bien des côtés, me rappelait Jonas –, pour mener avec elle cette guérilla qui représentait leur seul espoir de retrouver un jour leur liberté perdue.

Très rapidement, Connor et Lucy s'étaient entichés l'un de l'autre. Et l'année suivante, ils s'étaient mariés.

Étant donné que Yaëlle faisait partie du Conseil, elle avait pu se rendre au camp pour bénir les unions des Surplus. Ni la mère ni la fille n'avaient esquissé le moindre geste l'une envers l'autre ; elles avaient tout juste échangé quelques regards. C'est ce que j'avais vu alors que je retranscrivais le nom de tous ceux qui se mariaient cette journée-là. Mais j'avais tout de même remarqué que Lucy et Yaëlle n'avaient cessé de lutter pour retenir leurs larmes…

Elles étaient si proches qu'elles auraient presque pu se toucher, et pourtant, à cette seconde, un monde les séparait.

Un monde que nous ne tarderions pas à réduire en poussière…

Quelques mois plus tard, le premier enfant de Connor et de Lucy était venu au monde.

Lorsqu'un jour un Citadin était venu nous prévenir que Lucy allait avoir son bébé, Yaëlle n'avait pas hésité une seule seconde. Étant une chaman, l'une de ses tâches consistait à mettre les enfants au monde chez les Surplus comme chez les Utiles. Bien sûr, un autre chaman aurait pu assister Lucy mais, pour être honnête, lorsqu'il s'agissait d'aider les Surplus, pour une raison ou pour une autre, les volontaires ne se bousculaient pas au portillon.

Yaëlle s'était donc précipitée auprès de sa fille. Comme elle occupait un siège au Conseil depuis de nombreuses années, personne n'avait osé lui faire la moindre réflexion en face, mais les commérages étaient allés bon train… ce dont Yaëlle se moquait ! Un geste en dix ans envers sa fille ne lui ferait pas perdre son siège au Conseil. Et tout ce qui comptait, c'était Lucy et le bébé qui était sur le point de naître.

Yaëlle et moi-même, présente sous le couvert d'inscrire la naissance dans le registre, avions pu assister à la naissance de la nouvelle génération.

Lucy accoucha en quelques heures d'un magnifique petit garçon.

Lorsque mon amie et moi avions vu cette petite frimousse aux yeux noirs et brillants, une petite étincelle d'espoir s'était rallumée en nous. Assister à la venue au monde d'une nouvelle vie nous rappela que les miracles existaient encore et qu'il suffisait parfois d'y croire.

Attendrie, j'avais observé le charmant portrait de famille qu'ils offraient. Son petit-fils dans un bras, l'autre tendrement posé sur sa fille, Yaëlle donnait l'impression d'être revenue à la vie.

Malheureusement, les retrouvailles familiales avaient pris fin seulement quelques minutes après la naissance du bébé. Yaëlle avait doucement embrassé sa fille puis son petit-fils, sous le regard méprisant d'un Citadin qui n'avait pourtant pas osé critiquer un membre du Conseil des Justiciers.

Après que la chaman et moi avions quitté le camp, à contrecœur, Yaëlle m'avait semblé pendant de longues minutes encore plus éteinte et abattue que lorsque nous étions arrivées. Laisser sa famille derrière elle une nouvelle fois était aussi douloureux que la toute première fois où elle avait perdu Lucy. Une larme s'était aventurée sur sa joue, chassée d'un mouvement rapide de la main. Puis Yaëlle s'était alors tournée vers moi. Arborant subitement un sourire confiant, elle avait soufflé :

— Je suis certaine que ce petit homme changera les choses. Il le porte en lui.

Je l'avais regardée un instant, pas vraiment certaine de ce qu'elle voulait me faire comprendre.

Devant ma confusion évidente, son sourire s'était agrandi.

— Solan, avait-elle simplement murmuré comme pour me mettre sur la voie.

— Je sais qu'il s'appelle Solan. Mais je ne…

J'avais soudain eu un déclic :

— Celui qui fraiera un chemin.

Mon amie avait approuvé d'un hochement de tête, me signifiant ainsi que j'avais vu juste en pensant à la signification du prénom de son petit-fils.

Solan…

Je n'avais pu m'empêcher de sourire. Si on y réfléchissait bien, c'était plutôt logique ! Lucy, la lumière, avait engendré Solan, celui qui fraiera un chemin…

Prédiction ou non, cette note d'espoir avait sa place, surtout si elle redonnait le sourire et l'envie de croire en des jours meilleurs à Yaëlle.

La chaman n'avait pas été la seule à recevoir une nouvelle lueur d'espoir dans sa vie…

Quelques mois après la naissance de Solan, Ella et Lycéos étaient à leur tour devenus les parents d'une ravissante petite fille qu'ils avaient prénommée Ismahan.

La vie vous fait parfois des petits clins d'œil. Le destin vous encourage à ne pas renoncer en vous offrant des moments de joie auxquels vous raccrocher quand le chaos semble s'installer.

Tout comme pour Solan, Yaëlle et moi avions aussi assisté à la naissance d'Ismahan.

La Soigneuse avait aidé Ella à mettre son bébé au monde et j'avais consigné la naissance de l'enfant dans le registre.

Contrairement aux naissances qui se déroulaient chez les Surplus, le chaman qui avait mis l'enfant d'un couple Utile au monde était invité à rester auprès du bébé et de la famille autant qu'il le désirait.

Si Yaëlle n'avait pu tenir Solan que quelques minutes dans ses bras, cela ne fut pas le cas pour Ismahan, qu'elle berça longuement sous le regard ravi mais épuisé d'Ella.

Lorsque Lycéos, rayonnant, avait glissé sa fille dans mes bras, mon cœur avait explosé dans ma poitrine.

Quand les deux petits yeux teintés d'or d'Ismahan s'étaient posés sur moi avant qu'elle ne pousse un petit babillage comme pour me dire bonjour, comme si elle m'avait reconnue, une vision s'était emparée de moi… Mais curieusement, il n'y avait eu ni étourdissement ni chute ; tout juste une légère migraine. Peu coutumière du fait, j'avais d'abord douté que cela puisse être une vision, croyant simplement que j'étais soumise à une trop forte émotion…

Mais peu à peu le visage d'Ismahan s'était brouillé. Et mon troisième œil m'avait fait voir la silhouette d'un petit garçon aux cheveux blancs.

J'avais d'abord cru reconnaître mon fils Brontès avant de remarquer que les yeux de cet enfant n'étaient pas bleus. Cela ne pouvait donc pas être lui. Mais la ressemblance entre les deux garçons était sans équivoque. Le bambin, âgé d'environ trois ans, semblait prendre plaisir à courir partout. L'endroit autour de lui ressemblait à un épais brouillard rose et vert.

Puis une voix féminine très douce avait résonné dans mon esprit :

— Viens, Devdas, papa nous attend.

Le garçonnet avait interrompu sa course avant de rebrousser chemin en direction d'une femme qui m'était inconnue. Celle-ci tendait une main vers le petit pour l'encourager à revenir vers elle rapidement.

— Maman ! avait-il crié avant de se jeter dans ses bras.

— Bon sang, Brontès avait raison ! marmonna la jeune femme pour elle-même avant de soulever son fils du sol. Tu deviens grand et lourd…

— Je deviens fort comme papa, grrr ! avait répliqué Devdas en levant ses petits bras pour accompagner son grognement.

La jeune femme avait éclaté d'un rire cristallin avant de déposer un baiser sur la joue de l'enfant aux cheveux blancs.

Un petit-fils…

J'avais un petit-fils ! Quelque part sur cette terre, j'avais une famille !

Mille questions avaient alors envahi mon esprit. Où vivaient mon fils et les siens ? Serions-nous réunis un jour ? Si eux avaient survécu hors de la Cité, cela signifiait-il donc qu'il était possible pour nous d'y parvenir aussi ?

Tandis que le visage d'Ismahan me revenait plus clair peu à peu, j'avais aperçu une dernière chose... Je n'avais pu m'empêcher de sourire lorsque j'avais découvert la dernière image de ma vision... Bientôt, le jeune Devdas aurait une petite sœur. Oui, j'allais bientôt avoir une petite-fille...

— Cali ? Cali, est-ce que ça va ? m'avait demandé Lycéos en posant doucement sa main sur mon épaule.

— Oui, ça va, ça va même très bien, avais-je répondu avant de serrer Ismahan un peu plus fortement sur mon cœur, tandis que la petite gloussait de plaisir sous mon étreinte.

Solan et Ismahan étaient venus agrandir notre petit clan. Et bien qu'issus de deux familles différentes, ils ne suivraient bientôt qu'une seule et même destinée...

▼

Je suis perdue dans mes souvenirs de ces dix dernières années lorsque Yaëlle arrive en courant et entre dans mon bureau sans prendre la peine de frapper.

— Combien de fois devrai-je le dire ? La bibliothèque n'est pas une piste de course ! Et mon bureau n'est pas un moulin !

Je viens de lui répéter mon refrain pour la millième fois au moins, avec un petit rictus amusé au coin des lèvres. Mais lorsque je vois l'air grave et le teint pâle de mon amie, mon sourire meurt sur mes lèvres.

— Il faut que tu viennes à la tour Législère tout de suite, m'ordonne-t-elle, le souffle court et le regard affolé.

— Que se passe-t-il ? demandé-je en me levant rapidement de mon siège.

— Lycéos ne va pas bien du tout ! m'explique Yaëlle tandis qu'elle tente de reprendre son souffle. Il a eu… des problèmes lors de sa sortie dans le désert.

— Quel genre de problèmes ?

— Le genre qui risque de lui être fatal !

D'un geste rapide, je jette ma cape sur mes épaules avant de suivre Yaëlle qui est déjà repartie au pas de course.

Il y a dix ans, après avoir tué les trois goules des Rocheuses, Yaëlle et moi avons pensé que la grotte où elles vivaient pourrait faire un excellent repaire pour nous accueillir quelque temps si les choses tournaient mal après la révolte. Nous y avons donc peu à peu dissimulé quelques armes et des vivres, comprenant surtout des pilules alimentaires, en attendant le moment du soulèvement qui, à présent, était proche…

Ella, Lycéos, Yaëlle et moi avions décidé qu'il était grand temps de passer à l'action et de mener à bien cette révolte. Mais visiblement quelque chose a mal tourné durant la dernière visite de contrôle de Lycéos…

Nous traversons la Cité au pas de course. Il ne nous faut pas plus de quelques minutes pour arriver au pied de la tour Législère et nous y engouffrer.

— Qu'est-il arrivé à Lycéos ? demandé-je à Yaëlle sur un ton nerveux, tandis que l'ascenseur gravit les étages.

— Il s'est fait piquer par un scorpion de feu alors qu'il rentrait à la Cité.

Je dévisage mon amie. Je suis horrifiée par ce qu'elle vient de me dire, car la piqûre du scorpion de feu est mortelle.

— J'ai fait de mon mieux, dit-elle d'une toute petite voix, mais ça ne suffira pas… Il a déjà perdu connaissance depuis des heures, son corps est presque entièrement paralysé et sa fièvre ne fait que monter. Je peux seulement retarder encore un peu l'effet complet du poison pendant quelques heures, rien de plus ! S'il survit encore une journée, cela sera un véritable miracle.

J'aimerais protester, lui dire qu'elle a tort, mais nous savons toutes les deux qu'elle a raison. Alors à quoi bon nier l'évidence ?

— Tu es la meilleure chaman de la Cité, Yaëlle. Si tu ne peux rien faire, je ne pourrai rien non plus.

— Je le sais, mais Ella t'a fait demander. Peut-être qu'elle souhaite que nous soyons tous là pour… Enfin… tu vois…

— Oui, je vois très bien, murmuré-je, terrifiée à l'idée de perdre encore un être cher.

Mon cœur se serre lorsque l'ascenseur stoppe et que les portes s'ouvrent. Yaëlle et moi nous engouffrons dans le couloir, marchant d'un pas rapide dans le plus grand silence. Lorsque nous arrivons enfin, je suis incapable d'esquisser le moindre geste.

Yaëlle me jette un rapide coup d'œil avant de me souffler :

— Reprends-toi, Cali. Ella a besoin de notre soutien !

J'acquiesce d'un mouvement de tête, puis Yaëlle frappe à la porte.

Un faible « Entrez ! » nous parvient. La chaman entre la première dans la pièce. Je me glisse à sa suite avant de refermer derrière moi.

Ella est assise dans un grand fauteuil, près du lit où est allongé Lycéos. Elle le couve du regard, espérant qu'il ouvre les yeux. Mais son mari est presque inerte ; seuls les petits gémissements de douleur qu'il pousse parfois prouvent qu'il est encore en vie…

— Ella… appelle doucement Yaëlle pour attirer l'attention de la jeune femme.

Celle-ci tourne la tête dans notre direction, mais elle ne semble pas vraiment nous voir… Son regard est voilé de larmes. Elle est si triste, si anéantie, et pourtant une certaine sérénité l'entoure. C'est alors que je remarque qu'Ismahan dort tranquillement, posée contre l'épaule de sa mère, son petit visage enfoui dans le cou d'Ella. Ismahan est étrangère à tout ce qui se passe autour d'elle.

Son contact semble apaiser quelque peu les tourments d'Ella, mais je peux lire sur le visage de ma jeune amie les signes d'une douleur sourde qui lui déchire l'âme. Je connais ce mal par cœur, car j'ai ressenti exactement la même chose lorsque Jonas m'a été arraché. Regarder mourir celui ou celle qu'on aime est l'une des choses que personne ne devrait jamais avoir à vivre. C'est malheureusement loin d'être le cas… Et même si, avec le temps, la douleur devient moins forte, on n'oublie jamais. On ne peut pas… Alors, pour continuer d'avancer, on apprend à vivre avec notre immense peine.

Après quelques secondes, Ella semble reprendre ses esprits. Lorsqu'elle remarque enfin notre présence, elle se lève de son fauteuil puis dépose délicatement Ismahan dans son berceau.

Ensuite, elle nous fait signe de la suivre dans le petit bureau juste à côté de la chambre.

Ses yeux sont cernés, son visage est défait…

Je ressens subitement un véritable élan de compassion pour elle.

— Je suis vraiment désolée… lui dis-je en la prenant tendrement dans mes bras.

Mais au lieu de me rendre mon étreinte, Ella me repousse violemment.

— Je ne t'ai pas fait venir pour ça, Cali ! s'écrie-t-elle. Garde ta pitié pour plus tard ! Il y a peut-être un moyen de sauver Lycéos… m'annonce-t-elle de but en blanc.

Je reste sans voix pendant plusieurs secondes, échangeant un regard incrédule avec Yaëlle. Visiblement, celle-ci ne sait pas plus que moi quoi penser de la réaction d'Ella. Je la surprends plusieurs fois à regarder notre amie comme si elle croyait que le chagrin lui avait fait perdre l'esprit.

— Ne me regardez pas comme si j'étais folle. Je suis une Magicienne, je sais faire autre chose que sortir un lapin d'un chapeau. Vous n'avez pas le monopole de la connaissance des créatures magiques ou des potions !

— Nous n'avons jamais prétendu une telle chose ! proteste Yaëlle.

— Non, bien sûr que non ! rugit Ella. Vous vous contentez simplement d'agir comme si vous possédiez la science infuse ! Vos connaissances vous disent que le venin d'un scorpion de feu est mortel, alors vous ne cherchez pas plus loin et vous condamnez Lycéos !

— Ella… souffle Yaëlle, estomaquée que notre compagne puisse nous dire une telle chose, car cela ne lui ressemble absolument pas.

— C'est la stricte vérité ! hurle Ella, furibonde et déboussolée. Si c'était Lucy qui était à la place de Lycéos, tu serais en train de remuer ciel et terre pour la sauver, lance-t-elle à Yaëlle en la fixant droit dans les yeux.

— Arrête, Ella, tu vas trop loin, dis-je de mon ton le plus autoritaire dans l'espoir qu'elle se taise enfin.

La Magicienne semble avoir oublié les sacrifices que Yaëlle et moi avons faits jusqu'ici. Elle jette un regard furieux dans ma direction :

— Ne me fais pas la morale, Cali. S'il s'agissait de Jonas, tu…

— Je t'interdis de mêler Jonas à tout ça ! coupé-je abruptement.

Je sais que c'est la colère et la peine courant dans les veines d'Ella qui parlent, mais je ne peux pas en supporter davantage.

— Tout ce que tu dis là n'est pas vrai et tu le sais ! ajouté-je d'un ton sec. Nous aussi sommes très attachées à Lycéos ; il est l'un des nôtres ! S'il y a vraiment un moyen de le sauver, nous mettrons tout en œuvre pour y parvenir. Et ça aussi, tu le sais très bien !

Il est évident qu'Ella est à bout de nerfs et que l'angoisse la ronge. Le fait de laisser sortir un peu de la colère qu'elle ressent l'empêche de craquer, et Yaëlle et moi sommes toutes désignées pour encaisser les coups.

Pourtant, Ella me dévisage comme si elle réalisait enfin ce qui venait de se passer, comme si elle avait été absente de son corps et qu'elle venait seulement de le réintégrer.

— Il compte pour nous, c'est un membre de notre famille, murmuré-je en me radoucissant pour lui faire ainsi comprendre que nous sommes de son côté, que nous sommes là pour elle… et pour Lycéos.

— Je… je suis… désolée, bredouille Ella avant d'éclater en sanglots. Je ne voulais pas… ajoute-t-elle en se laissant lourdement tomber sur le sol. J'ai tellement peur de le perdre…

Yaëlle s'apprête à rejoindre Ella lorsqu'un vase fuse droit sur elle avant de finir sa course contre le mur. Elle rebrousse chemin et vient reprendre sa place près de moi.

— Qu'est-ce qui se passe ? me demande-t-elle après que plusieurs livres, quelques objets de décoration et une étagère ont rejoint le vase qui gît en miettes sur le sol.

— Je crois que c'est Ella qui provoque ce phénomène. Elle n'a jamais vraiment réussi à contrôler son don de télékinésie. Alors, lorsqu'elle se laisse envahir par ses émotions, ce sont elles qui prennent entièrement le dessus.

— Il faut qu'elle se ressaisisse, sinon elle va réduire ce bureau en morceaux…

— Et nous avec… marmonné-je en évitant de justesse un coupe-papier qui va se planter à quelques centimètres derrière moi, en plein dans l'un des livres tombés au sol.

À cet instant précis, Ella n'est rien d'autre qu'une boule de nerfs à l'état pur, et les sanglots qui la secouent sont loin d'arranger les choses. La chaise qui se trouve dans un coin de la pièce commence tout à coup à trembler dangereusement au rythme des épaules de la Magicienne.

Yaëlle avance doucement vers Ella ; elle se laisse glisser sur le sol.

— Mais qu'est-ce que tu fabriques, Yaëlle ? m'écrié-je.

— Je ne suis pas sûre qu'elle arrive à se calmer toute seule, observe mon amie tandis qu'Ella pleure et s'agite de plus belle. Elle a besoin d'aide ! Calme-toi, chuchote-t-elle en s'approchant prudemment de la jeune femme.

— Lycéos… sanglote Ella.

Lorsque la femme prononce le prénom de son mari, la chaise se déplace rapidement dans la pièce, les quatre pieds frottant vivement sur le marbre du sol. Le bruit qui résonne est passablement irritant et me fait grincer des dents. Cette fois, je n'ai pas le temps d'éviter l'objet qui me percute de plein fouet, me projetant à l'autre bout du bureau. Je suis un peu secouée, mais rien de grave. Je me relève presque immédiatement pour signifier à Yaëlle que je vais bien. J'avance d'un pas chancelant car mes jambes tremblent un peu. Mais à part ça, je n'ai pas la moindre égratignure.

Lorsque le chaman me voit me relever, elle pousse un soupir de soulagement avant de reporter son attention sur Ella, qui n'est plus qu'à quelques centimètres d'elle.

— Je ne… je ne peux pas perdre Lycéos, je ne suis pas assez forte pour supporter une telle chose, marmonne la jeune femme dans un hoquet nerveux.

— Tu ne le perdras pas, d'accord ? dit Yaëlle qui passe un bras autour des épaules d'Ella pour tenter de l'apaiser un peu.

Je foudroie Yaëlle du regard quand je vois qu'elle s'apprête à rouvrir la bouche. Elle ne va pas oser, elle ne va pas lui dire que…

— Tout ira bien, Ella, murmure-t-elle à la Magicienne en lui caressant doucement les cheveux.

Elle a osé ! Comment a-t-elle pu faire une telle promesse ? Tout ne va pas bien, et tout n'ira certainement pas bien !

— Je n'en suis pas si sûre… proteste faiblement notre amie qui sanglote toujours.

Lorsque Ella hoquette, une légère vibration se fait ressentir et un petit bruit qui ressemble étrangement à un tintement de clochette résonne à mes oreilles. Je réalise subitement que le haut mur de miroirs derrière nous vacille dangereusement… Si les glaces tombent de leur support, si elles explosent toutes, mes compagnes et moi serons blessées par les éclats de verre.

Yaëlle lance aussi des regards anxieux en direction des miroirs. Elle a compris le danger pour nous si le mur vient à s'effondrer.

Elle resserre son bras autour des épaules d'Ella pour tenter d'attirer son attention.

— Parle-nous de ce moyen de sauver Lycéos, l'encourage-t-elle tandis que je surveille nerveusement les glaces qui continuent de trembler et de vibrer au rythme des sanglots de notre amie.

Je vois bien qu'Ella fait de son mieux pour cesser de pleurer. Peu à peu, ses sanglots sont moins violents, mais le mur de miroirs ne cesse pourtant pas de trembloter. Je sursaute quand l'un des miroirs se détache et heurte violemment le sol avant de se briser. Le reste du mur ne va pas tarder à se défaire si Ella ne reprend pas le contrôle de ses émotions très rapidement.

— Cali et moi sommes prêtes à t'aider, souffle Yaëlle, mais tu dois nous dire ce qui pourrait sauver Lycéos. Fais un effort, je t'en prie, ajoute-t-elle en passant sa main sous le menton d'Ella, forçant celle-ci à la fixer dans les yeux.

— Selon une légende qui existe depuis longtemps chez les sorciers, il y a des œufs d'or qui renferment dans leur coquille les éléments vitaux qui peuvent guérir n'importe quel mal, nous explique Ella entre deux reniflements. L'œuf ne peut servir qu'une seule fois. Il suffit de briser sa coquille et de donner son contenu au malade pour qu'il fasse effet.

— Où est-ce que l'on peut se procurer l'un de ces œufs ?

Ella s'essuie hâtivement le visage du revers de la main pour chasser les derniers pleurs qui s'écoulent encore sur son visage. Même si les traces de ses larmes sont visibles, une soudaine détermination brûle dans son regard. La scène des longs sanglots semble toucher à sa fin.

Et lorsque je regarde autour de nous, je constate avec soulagement que plus rien ne tremble dans la pièce. Ella est enfin parvenue à prendre le dessus.

— Ce sont les gargouilles magiques qui les fabriquent, dit-elle en se redressant lentement.

— D'accord… émet Yaëlle d'une voix incertaine avant de se relever à son tour. Mais depuis quand les gargouilles pondent-elles des œufs ? Et depuis quand ceux-ci sont-ils en or ? Ils devraient être en pierre, non ? Et où peut-on trouver une gargouille magique ?

Je lance un regard désapprobateur à mon amie. Est-ce qu'elle le fait exprès ? Ella vient tout juste de retrouver un semblant de calme et Yaëlle ne trouve rien de mieux que de chercher à la déstabiliser. Mais Ella reste très calme et répond simplement aux questions que lui a posées Yaëlle.

— Les gargouilles ne pondent pas ces œufs…

— Je me disais aussi…

— Elles les vomissent !

— C'est tout simplement dégoûtant ! s'exclame Yaëlle.

— C'est sûr que j'ai connu plus glorieux pour récupérer des vestiges ! approuvé-je.

Mais Ella ignore nos commentaires et poursuit ses explications :

— La gargouille remet l'œuf comme une récompense… Pour l'obtenir, il suffit de résoudre une énigme, car les gargouilles aiment les jeux d'esprit. C'est la raison pour laquelle j'ai demandé à Calista de venir. Je n'ai jamais connu personne qui soit meilleur qu'elle pour les casse-tête, les énigmes, les charades…

— Je suis peut-être un super génie des devinettes, mais cela ne nous aidera pas à trouver une gargouille magique.

— C'est toujours la même histoire ! grogne Yaëlle. Mais qu'est-ce qu'ils ont tous avec leurs énigmes à la fin ? Un bon vieux combat à l'épée, ça ne les tente pas ? Pourquoi faut-il toujours qu'ils la ramènent avec leurs jeux d'esprit ? Et en plus, cette fois, il va falloir patauger dans le vomi pour récupérer un œuf. Beurk !

— Tu n'auras pas besoin de faire ça, Yaëlle. C'est moi qui accompagnerai Cali.

— Ne dis pas de bêtises ! proteste Yaëlle. Je partirai avec Calista.

— Je crois qu'il est en effet plus sage que tu restes ici, Ella, dis-je d'une voix douce mais ferme.

— Mais s'il arrive quelque chose à Yaëlle, qui administrera l'antidote à Lycéos ? s'inquiète Ella.

— Je ne suis pas irremplaçable, dit Yaëlle. D'autres chamans pourront très bien soigner Lycéos une fois l'œuf rapporté à la Cité.

— Mais tu es la meilleure d'entre tous les Soigneurs. Ce n'est pas pour rien que le Conseil t'a octroyé un laboratoire privé dans le centre-ville.

— Lycéos n'a qu'une épouse et c'est toi ! Toi seule es irremplaçable à ses yeux. Et puis, tu ne peux pas laisser Ismahan seule. Elle aussi a besoin de toi.

Ella semble hésiter quant à la décision à prendre. Mais la raison et nos arguments finissent par l'emporter. Ismahan et Lycéos ont besoin qu'elle reste auprès d'eux.

Yaëlle et moi nous chargerons donc de cette mission. Ella nous livre alors les dernières informations qu'elle a en sa possession :

— Tout ce que je sais sur les gargouilles magiques, c'est qu'elles aiment la pierre, l'humidité, la pénombre et le froid.

Yaëlle et moi murmurons d'une même voix :

— Les Rocheuses…

— Est-ce que tu crois vraiment que ce serait si facile ? me demande la chaman.

— Je n'en ai pas la moindre idée, réponds-je. Mais ça vaut tout de même le coup de tenter notre chance.

— C'est à se demander si toutes les créatures magiques du coin ne se sont pas donné rendez-vous dans cet endroit !

s'exclame Yaëlle. Il vaudrait peut-être mieux s'assurer que tous les locataires démoniaques des Rocheuses auront vidé les lieux avant que le Cercle s'y installe.

N'ayant rien d'autre à ajouter, Yaëlle, Ella et moi nous dirigeons vers la porte. Lorsque nous sortons du petit bureau où règne le chaos, nous constatons que dans la pièce principale rien n'a bougé. Lycéos est toujours inconscient et Ismahan dort sagement dans son berceau.

— Prends bien soin d'eux jusqu'à notre retour, murmure Yaëlle avant de serrer Ella dans ses bras.

Les yeux de notre amie sont encore rouges d'avoir tant pleuré. Mais le pâle sourire que je vois naître sur son visage est tout de même réconfortant.

— Merci... dit-elle. Je sais que vous ferez de votre mieux. Et je vous promets que dorénavant je me montrerai plus forte ! J'espère seulement que vous pourrez me pardonner toutes les horribles choses que je vous ai dites tout à l'heure.

— Il n'y a rien à pardonner, et si cette gargouille est bien là-bas, nous ne reviendrons pas sans cet œuf en or ! s'engage solennellement la chaman en relâchant doucement son étreinte sur notre amie.

Je sens le doux regard d'Ella se poser sur moi, mais je ne peux pas lui faire de promesse... Non, je ne peux pas encore une fois faire de faux serment. La promesse que j'ai faite à Lucy il y a plus de dix ans et que je n'ai pu tenir me culpabilise chaque jour un peu plus.

Je me contente de prendre silencieusement Ella dans mes bras.

Avant de quitter la pièce, je jette un dernier coup d'œil à Ismahan et à Lycéos.

La porte claque derrière Yaëlle et moi. J'espère sincèrement que nous reviendrons à temps pour sauver notre ami et sa famille.

— De quoi est-ce qu'on peut bien avoir besoin à ton avis pour affronter une gargouille magique ? s'inquiète Yaëlle lorsque nous passons la porte de mon bureau.

— Nous avons besoin de notre logique et de notre capacité de réflexion ! Tu as entendu Ella : il suffit de résoudre l'énigme que nous proposera cette créature et l'œuf sera à nous.

— Tu crois vraiment que l'une de ces gargouilles vit dans les Rocheuses ?

— Il faut l'espérer, sinon Lycéos est perdu… dis-je d'une voix blanche. D'ailleurs, tu n'aurais pas dû promettre à Ella que tout ira bien. Si nous échouons, cela n'en sera que plus douloureux pour elle…

— Que voulais-tu que je fasse, Cali ? Tu as bien vu dans quel état elle était. Je lui ai dit ce qu'elle avait besoin d'entendre. Il n'y a aucun mal à ça !

— Parfois, il vaut mieux se taire au lieu de dire n'importe quoi ! Tu aurais simplement pu lui promettre que nous serons toujours là pour elle quoi qu'il arrive ! Ça, c'est une promesse que nous pouvons tenir ! Imagine une seconde qu'on ne trouve pas cette satanée gargouille ou qu'on ne parvienne pas à répondre à l'énigme ?

— Ça n'arrivera pas ! Si l'une de ces créatures se trouve dans les Rocheuses, nous la trouverons ! Quand à cette stupide énigme… C'est précisément pour ça que tu viens avec moi. Tu l'as dit toi-même : tu es une sorte de super génie des mystères de la logique. Et tu…

— Je ne suis pas infaillible, Yaëlle ! la coupé-je, soudainement agacée.

— Je le sais très bien. Mais je sais aussi que si nous trouvons cette gargouille, tu représenteras alors la meilleure chance de survie de Lycéos.

J'observe mon amie en silence. J'angoisse sous le poids de la lourde responsabilité qui pèse sur mes épaules.

Sans un mot, je me dirige vers le mur du fond pour y poser ma main et faire s'ouvrir ainsi la cloison en deux.

Il ne me faut pas plus de quelques secondes pour trouver ce que je cherche.

— Le voilà ! m'exclamé-je en brandissant fièrement le petit pot à l'onguent écarlate.

Yaëlle lève les yeux au ciel avant de pousser un profond soupir :

— Ne me dis pas qu'il va encore falloir nous faire pousser des ailes ? dit-elle après avoir reconnu l'onguent en question. Mais je suis étonnée qu'il te reste encore de cette chose, ajoute-t-elle en désignant le pot.

— J'utilise rarement ce produit. D'ailleurs, je ne m'en suis pas resservie depuis…

Mon amie n'a pas besoin que j'en dise plus : elle sait très bien ce qui est arrivé ce jour-là… Je me secoue ; ce n'est pas le moment de me laisser distraire par mes états d'âme. Si je n'ai rien pu faire pour sauver Jonas, aujourd'hui c'est une tout autre histoire. J'ai une petite chance de pouvoir aider Lycéos. Aussi infime soit-elle, je dois la saisir.

— Donc, il nous faut des ailes... lance Yaëlle.

— Oui, des ailes ! marmonné-je en sortant de mes pensées. Nous n'arriverons jamais à temps si nous partons à pied ou à cheval, sans parler du fait qu'il faudrait emmener un Sourcier avec nous. Ce ne serait pas prudent de mêler quelqu'un d'autre à cette histoire. Nous avons enfin la chance après toutes ces années d'avoir quelques Sourciers à nos côtés dans le Cercle ; il ne faut donc pas les exposer au danger inutilement. Et puis avoir des ailes une fois tous les dix ans ne va pas te tuer. Et je suis certaine que tu maîtrises encore très bien l'imitation du caillou volant !

Je vois un petit rictus balayer le visage de Yaëlle à l'évocation de ce souvenir.

— Je ne peux sûrement pas faire pire que la dernière fois de toute façon ! approuve-t-elle. Mais j'ai tout de même dix années de plus...

Je lui rends rapidement son sourire.

— Il est temps d'y aller, dis-je en montrant le plafond du doigt.

Sans un mot, Yaëlle et moi nous dirigeons d'un pas rapide sur le toit de la bibliothèque.

— Le soleil est en train de se coucher. Est-ce qu'il...

— Non, nous ne pouvons pas attendre la pénombre cette fois, car le temps presse, dis-je en tendant à ma compagne le petit pot.

— Tu n'as pas peur que quelqu'un nous voie ? s'inquiète Yaëlle.

— Il faudra rapidement prendre de l'altitude et voler au-dessus des nuages jusqu'à la tombée de la nuit. Nous n'avons pas le choix...

Approuvant d'un vif hochement de tête, la chaman s'applique le gel rougeâtre sous les omoplates. Lorsqu'elle a terminé, je l'imite. En quelques secondes, et après quelques torsades de douleur pour Yaëlle, nos ailes sont de retour.

— C'est drôle, les tiennes n'ont pas changé, observe-t-elle en fixant mes ailes puis les siennes.

— Mes ailes ont atteint leur capacité maximum il y a déjà longtemps. Tu te souviens : plus tu voles, plus tes ailes grandissent et embellissent. La preuve ! terminé-je en désignant les siennes.

— Oui, je vois ! s'écrie Yaëlle. Au moins, elles sont plus grandes que la dernière fois. La couleur n'est pas géniale, mais ça s'améliore, glousse-t-elle en agitant ses ailes grisonnantes.

— Il est grand temps d'y aller. Tu penses que tu...

— Aucun problème, m'assure-t-elle avant de battre des ailes et de se soulever quelque peu du sol. Caillou volant prêt au décollage ! plaisante-t-elle avant de marcher jusqu'à la corniche et de se jeter dans le vide.

Malgré moi, je retiens mon souffle. Et mon cœur manque un battement lorsque je m'approche et que je la vois chuter...

Mais je respire de nouveau très vite lorsqu'elle remonte à toute allure dans ma direction, avant de disparaître dans les nuages.

Soulagée, je prends mon envol pour rejoindre mon amie.

Direction : les Rocheuses.

▼

Yaëlle n'était plus une novice. Elle avait prestement trouvé ses points de repère, et le vol jusqu'aux Rocheuses avait été bien plus rapide cette fois-ci. Il nous avait fallu moins d'une heure pour atteindre notre destination.

— Et maintenant ? demande la chaman après que nous avons atterri devant la grotte qui abrite à présent l'une de nos petites réserves d'armes et de pilules alimentaires. Où est-ce qu'on déniche cette fichue gargouille ? Tu as vu la taille des Rocheuses ? Nous n'avons pas le temps de fouiller chaque recoin pour trouver une telle créature ! Peut-être que si on se séparait, on pourrait...

— Pas question de nous séparer ! Nous serions trop vulnérables. Mais tu as raison, nous n'avons pas le temps d'explorer chaque fissure de cet endroit. Il faut être...

— ...logique dans nos recherches ! finit mon amie pour moi.

Yaëlle et moi avons parfois cette drôle de connexion grâce à laquelle l'une peut compléter la phrase de l'autre.

Je reprends pour ne pas perdre le fil de mes idées :

— Ella a dit que les gargouilles magiques aiment la pierre...

— Ça ne nous aide pas beaucoup ; regarde autour de toi ! lance la chaman en désignant toutes les roches qui nous entourent.

Je ne peux retenir une grimace de contrariété.

— Peut-être qu'on aurait dû faire appel au sort de localisation cette fois encore ? avance Yaëlle, visiblement à court d'idées.

— Ça m'a traversé l'esprit une fraction de seconde. Mais étant donné qu'on ne sait pas à quoi ressemble la gargouille que nous cherchons…

— Elle est sans doute petite, moche et en pierre comme la majorité de ses congénères !

— Peut-être, oui. Mais ça n'aurait pas changé grand-chose puisque ce sortilège est fait pour trouver des objets et non pas des créatures magiques, même si elles sont faites de pierre. Ça n'aurait eu aucun autre effet que celui de nous faire perdre notre temps en affrontant de nouveau Chimère.

— Une bonne petite vision de ton troisième œil serait la bienvenue en ce moment ! Tu ne captes rien ? Ni son ni image ? me demande-t-elle en passant sa main devant mon œil.

Je repousse vivement sa main.

— Tu sais très bien que ça ne fonctionne pas comme ça ! Et si j'avais *capté* quelque chose, il y a déjà longtemps que je te l'aurais dit, tu ne penses pas ?

Yaëlle pousse un profond soupir avant de parler.

— Oui, je le sais… Alors il ne nous reste plus qu'à trouver un endroit humide où règnent pénombre et froid, puisque c'est ce qui semble plaire à cette bestiole si on en croit Ella.

— Le sous-sol ! crié-je tout à coup comme si je venais d'avoir une révélation. S'il y a une gargouille ici, c'est dans les souterrains que nous aurons les meilleures chances de la trouver, car toutes les conditions que nous a indiquées Ella y sont réunies !

Yaëlle réfléchit une seconde à mon histoire de souterrain.

— Ça me semble une bonne idée. Il y a juste un léger problème…

— Lequel ?

— Comment est-ce que tu as l'intention de descendre dans les entrailles de cette montagne ? En creusant, peut-être ? lance-t-elle d'un ton ironique.

Pour toute réponse, je me contente de lui adresser mon plus beau sourire, ce qui a pour effet immédiat de lui faire perdre le sien…

— Tu te moques de moi ? Je n'étais pas sérieuse ! proteste mon amie qui a compris ce que signifie mon rictus.

— Mais moi oui ! m'exclamé-je. Allez, viens ! ordonné-je en entraînant Yaëlle dans l'ancienne grotte des goules.

Elle me suit sans opposer la moindre résistance.

Je sors alors de sous ma cape une petite lanterne à la lumière verdâtre qui éclaire le chemin devant nous.

— Mais c'est un véritable fourre-tout, cette cape ! remarque Yaëlle, amusée.

— Pourquoi est-ce que tu crois que je la porte aussi souvent ? Ce n'est pas seulement parce qu'elle me fait une jolie silhouette. Ça, c'est en prime !

— Tu ne cesseras jamais de m'étonner, dit-elle en secouant lentement la tête tout en marchant prudemment à mes côtés.

— Tu ne croyais tout de même pas que j'allais une nouvelle fois partir explorer des endroits obscurs sans être certaine d'avoir un peu de lumière sous la main ? Je ne suis pas un chat, je ne vois pas dans le noir.

Je l'entends étouffer un petit gloussement avant qu'elle ne me demande, curieuse :

— Et qu'est-ce que tu nous caches encore là-dessous ?

— Une femme a bien le droit d'avoir ses petits secrets, dis-je d'un air mystérieux.

Après encore quelques minutes de marche, nous arrivons au fond de la galerie.

— Que sommes-nous venues faire ici ? m'interroge mon amie en regardant partout autour d'elle. Je pensais que tu voulais qu'on se rende au sous-sol ?

— C'est ce que nous allons faire.

— Alors pourquoi est-ce que nous n'avons pas volé jusqu'au pied des Rocheuses ? Cela aurait été plus simple, non ?

— Les Rocheuses sont bordées de pierres tranchantes et le vent est en train de se lever. Il risquerait de nous faire basculer dans le précipice. Je pense que creuser de l'intérieur est plus prudent.

— Comment est-ce que tu veux qu'on creuse à même la pierre ? marmonne-t-elle.

Puis elle fronce tout à coup les sourcils :

— Oh non, par pitié, ne me dis pas que tu as pris avec toi une potion qui va nous changer en taupes et que nous allons nous mettre à creuser des tunnels partout dans le sol ? Une paire d'ailes tous les dix ans, c'est bien suffisant pour moi ! Tu sais que je ne suis pas une grande adepte de la magie.

— Tu as de ces idées, toi, parfois ! Nous transformer en taupes ! Je ne suis même pas sûre qu'une telle potion existe.

Yaëlle semble vexée. Je change donc rapidement de sujet pour ne pas l'irriter davantage.

— Tu te souviens du trou dans le mur de la bibliothèque ? m'enquis-je.

— Oui... répond-elle d'un ton soupçonneux.

— C'est moi qui ai fait ça, annoncé-je fièrement.

— Je m'en doutais, car ce trou n'était pas là avant ton arrivée. D'ailleurs, tu n'avais pas parlé de le reboucher ?

— Ce n'est pas le sujet ! la coupé-je promptement.

— Alors, quel est le sujet ? réplique-t-elle, exaspérée.

— Ce que tu peux être lente à comprendre des fois ! Ce trou, je l'ai fait simplement en fixant les briques, et le mur a explosé à cet endroit précis. Je n'ai qu'à refaire la même chose sur l'une des parois de la grotte et nous serons dans les souterrains en un clin d'œil !

Je ris doucement, contente de ma solution et de mon jeu de mots...

Mais Yaëlle, elle, reste sans réaction.

Ce n'est franchement pas ce à quoi je m'attendais de sa part, elle qui est toujours si expansive d'habitude. Je ne pensais pas qu'elle se mettrait à bondir dans tous les coins, mais de là à ne pas bouger d'un pouce… Un peu plus d'entrain aurait été le bienvenue.

Comme si elle avait compris mon trouble devant son manque de réaction, elle pose sur moi un regard des plus sérieux :

— Est-ce que tu as fait exploser d'autres murs depuis ?

— Pas vraiment, non, avoué-je après quelques secondes.

— Donc, ce n'est pas certain que cela va fonctionner de nouveau…

— Mais peut-être que ça marchera ! m'empressé-je de la rassurer.

La chaman fait une petite grimace.

— Si tu ne t'es jamais entraînée à le refaire, j'en doute.

— Ne me tente pas trop, car je pourrais bien avoir envie de m'exercer sur toi, craché-je, froissée que mon amie doute de moi et de mes capacités.

— Je ne voulais pas être blessante, déclare-t-elle sur un ton radouci.

— Eh bien, c'est raté.

— Si tu penses pouvoir y arriver, vas-y. De toute façon, ce serait idiot de ne pas essayer. Après tout, nous n'avons rien à perdre.

Je ne me fais pas prier davantage. Je me plante devant l'une des cloisons de la grotte.

Mais après plusieurs minutes passées à fixer intensément la paroi, je dois me rendre à l'évidence. Yaëlle avait raison. Cela ne fonctionne pas le moins du monde !

— Bon sang ! pesté-je entre mes dents. Je ne comprends pas ce qui se passe. J'ai pourtant réussi à faire un trou dans le mur de la bibliothèque, alors pourquoi ça ne marche plus ?

— C'était il y a plus de vingt ans, Cali. Il y a parfois des choses dans la vie qu'on n'arrive à réaliser qu'une seule fois. Peut-être que c'est le cas pour cette explosion, ou bien qu'il s'agissait d'un coup de chance, d'un cadeau des dieux. Même si tu penses que c'est toi qui l'as fait, tu y es peut-être pour rien !

— Très bien, j'ai compris : ça ne marche plus. Alors que proposes-tu ?

— Tu n'aurais pas une pelle et une pioche par hasard là-dessous ? dit-elle en secouant vivement un pan de ma cape.

— Non, désolée, j'ai oublié le kit du parfait petit mineur.

En lui lançant cette boutade, je me souviens alors d'une vieille formule que j'ai lue dans un livre.

— Je connais une formule pour invoquer des nains mineurs. Peut-être qu'ils…

Yaëlle s'exclame :

— Laisse tomber les nains mineurs ! Regarde, on dirait qu'il y a quelque chose là ! ajoute-t-elle en désignant un énorme rocher dans l'angle de la caverne avant de s'y diriger sans même s'assurer que je lui emboîte le pas.

— Ce n'est qu'un gros caillou, je ne vois pas ce que tu lui trouves de spécial, répliqué-je, contrariée que mon plan ait avorté avant que je n'aie pu le mettre en branle entièrement.

— On laisse rarement des cailloux de cette taille chez soi. C'est étonnant que nous ne l'ayons pas remarqué avant. Si les goules l'ont laissé là, c'est sûrement parce qu'il sert à dissimuler quelque chose. Peut-être l'entrée d'un tunnel...

— Oui, bien sûr, l'entrée d'un tunnel qui nous conduirait comme par magie au cœur des Rocheuses !

Mais Yaëlle ne m'a pas écoutée. Elle s'agite déjà autour du rocher qu'elle tente visiblement de faire bouger. Après plusieurs essais, elle parvient enfin à faire rouler l'énorme pierre, ce qui met au jour un gigantesque trou dans la paroi.

— Magie ! hurle-t-elle, fière de son petit effet.

Je reste bouche bée, partagée entre l'envie de rire devant le visage satisfait et espiègle de mon amie et le mécontentement d'être passée à ses yeux pour une idiote.

— Regarde, tu n'auras pas besoin de faire exploser quoi que ce soit, ou qui que ce soit, dit Yaëlle en m'adressant un sourire. On dirait qu'il y a un passage juste ici.

— Est-ce que tu crois que ce sont les goules qui l'ont creusé ?

— Pourquoi pas ? Après tout, les relations de bon voisinage, c'est important.

— Tu penses que les voisins pourraient être des gargouilles ?

— Il n'y a qu'une façon de le savoir, dit Yaëlle en ramassant une épée dans la caverne, vestige des goules qui avaient vécu ici, avant d'ouvrir la marche.

▼

Tandis que Yaëlle et moi descendons prudemment le chemin en pente ardu et sinueux qui nous conduit dans les sous-sols, un petit grognement attire notre attention.

— Je me demande bien ce que cela peut être, murmure la chaman quelque peu inquiète.

— Tu sais que l'on peut tomber sur à peu près tout et n'importe quoi dans les entrailles d'une montagne.

— J'aimerais surtout qu'on tombe sur notre gargouille plutôt que sur *n'importe quoi*, souffle Yaëlle en resserrant le manche de son épée entre ses doigts.

Quand nous arrivons dans une grande salle souterraine, différents chemins s'offrent à nous. Je m'apprête à demander à Yaëlle quel chemin nous devrions emprunter lorsqu'une silhouette bondit devant nous.

— Génial, il ne nous manquait plus qu'un lutin ! soupire mon amie, dépitée devant la tentative de la petite créature qui nous fait face pour nous impressionner.

— Je ne suis pas un lutin mais un gnome, dit l'étranger en tentant d'afficher un air menaçant.

Je dois me retenir pour ne pas me moquer de ce pauvre gnome.

Je l'observe plus attentivement tandis qu'il s'agite sous notre nez. De petite taille, il ressemble à un vieil homme ridé et voûté. Il s'approche de nous en hurlant, comme s'il pensait vraiment nous effrayer.

— Mon trésor ! Vous n'aurez pas mon trésor !

— Nous ne sommes pas ici pour ça, dit Yaëlle en le soulevant du sol.

— Mais qu'est-ce que tu fais, Yaëlle ? lancé-je. Repose-le tout de suite !

— Je n'ai pas l'intention d'errer ici jusqu'à la fin des temps. Je vais simplement lui demander s'il sait si une gargouille vit ici.

— Vous êtes là pour cette vieille folle de gargouille ? demande le gnome, étonné.

— Oui, nous voudrions la voir, dis-je, heureuse de voir que nous sommes sur la bonne voie.

— Allez, gobelin, ne te fais pas prier, indique-nous où elle vit, insiste Yaëlle en le secouant doucement.

— Je ne suis pas un gobelin, je suis un gnome ! hurle le petit homme, rouge de colère.

— Tu m'as appelé, le gnome ? s'informe alors une voix fluette derrière moi.

Une curieuse créature me contourne pour me faire face. À peine plus haute que le gnome, elle a un long nez, de longs bras mal coordonnés, le tout vissé sur un minuscule corps vert et décharné. Elle ressemble à un étrange gobelin à l'air idiot.

— Non, je ne t'ai pas appelé, stupide gobelin ! lance le gnome d'un ton rageur, virant à l'écarlate.

— Ah bon... dit le gobelin dans un lent mouvement d'épaules avant de faire demi-tour.

— Attend, triple buse ! Tu ne vois pas que j'ai besoin d'aide ?

— Je suis certain que ces deux charmantes créatures ailées se feront un plaisir de t'aider...

— Ce que tu peux être stupide, même pour un gobelin ! crie le petit homme qui gigote toujours, suspendu dans le vide.

— Nous ne voulons faire de mal à personne, expliqué-je. Nous désirons seulement savoir comment trouver la gargouille.

— Oh, eh bien, rien de plus simple...

— Mais est-ce que tu vas la fermer, stupide créature ? Tu ne vois pas que c'est une ruse ? Elles en ont après mon trésor et rien d'autre ! s'époumone le gnome que retient toujours Yaëlle, qui prend visiblement plaisir à agacer notre nouvel *ami*.

— Mais elles veulent peut-être vraiment rendre visite à Gargouille.

— Oh oui, comme par hasard, elles demandent à voir la gargouille qui se trouve juste à côté de la salle où est enfermé mon trésor ! crache le gnome avant de plaquer ses deux mains sur sa bouche quand il se rend compte qu'il vient de se trahir.

— Ce que tu peux être parano, même pour un gnome ! lance le gobelin.

Puis il nous explique :

— Si vous voulez voir Gargouille, il vous suffit de descendre le long de ce tunnel, dit-il en indiquant l'un des chemins. Puis vous devez prendre à gauche, ensuite à droite, et encore une fois à droite.

— Crétin, l'interrompt le gnome, tu sais bien que c'est gauche, droite, gauche. Si elles prennent à droite, elles vont atterrir droit chez le troll.

— Non, j'ai raison, c'est à droite !

— À gauche !

— Mettez-vous d'accord, intervient Yaëlle.

— Les gobelins sont des menteurs ! proteste l'un.

— Non, les gnomes sont des menteurs ! renchérit le second.

— Au moins, ils sont d'accord sur le fait que l'un d'eux est un menteur, observé-je avant de m'adresser au gobelin. Quelle est la direction que m'indiquerait le gnome ?

— À droite, répond-il sans hésiter.

Je le remercie puis me tourne vers ma compagne.

— Yaëlle, repose notre petit ami, nous partons, annoncé-je d'un ton décidé.

— Je ne suis pas petit ! hurle le gnome.

Ses cris se perdent au loin alors que ma camarade et moi nous enfonçons dans le tunnel.

— Est-ce que tu es sûre du chemin à emprunter ? m'interroge Yaëlle après quelques mètres.

— Oui. Le gobelin étant un menteur, en lui demandant ce que me répondrait le gnome, il allait forcément transformer la vérité. Il nous suffit donc de prendre la direction opposée. D'ailleurs, le gnome nous avait bien dit de prendre à gauche.

Yaëlle me fixe, le regard vide et la bouche légèrement entrouverte, avant de lancer :

— Si tu le dis…

Je lui adresse un rapide sourire.

— Il va falloir que tu me fasses confiance.

Elle approuve d'un hochement de tête avant que nous ne bifurquions à gauche à la première intersection. Nous continuons d'avancer silencieusement jusqu'à la seconde intersection. Lorsque nous nous apprêtons à nous engouffrer sur le chemin de droite, Yaëlle me tire en arrière en m'agrippant vivement par la manche et souffle hâtivement la bougie. Je suis sur le point de lui demander ce qui lui prend lorsque la réponse surgit devant moi sous la forme d'un énorme minotaure.

— Bon sang, mais ils sont encore combien ici ? me chuchote Yaëlle dans le creux de l'oreille avant de s'intéresser de plus près à ce que transporte le minotaure. Mais qu'est-ce qu'il fabrique avec cet énorme rocher ? m'interroge-t-elle lorsque le fabuleux monstre passe tout près de nous dans le tunnel sans nous apercevoir.

— Pas la moindre idée, et je n'ai aucune envie de le savoir ! Nous ferions mieux de filer avant de nous attirer des ennuis. Nous sommes venues ici pour la gargouille et rien d'autre, lui réponds-je dans un murmure.

— Les créatures qui vivent ici sont vraiment étranges, constate Yaëlle en jetant un dernier coup d'œil au minotaure qui disparaît dans l'obscurité de la grotte.

Je la saisis alors vivement par la main avant de l'entraîner précipitamment sur le chemin opposé. Je rallume la bougie une fois que nous sommes suffisamment loin.

Nous nous apprêtons à nous engouffrer dans la troisième intersection lorsque je sens que Yaëlle marque un léger mouvement d'hésitation.

— Je suis sûre qu'il s'agit du bon chemin, lui dis-je pour la rassurer. Il ne faut pas reculer maintenant, nous sommes tout près du but, et Lycéos a besoin de nous.

À ces mots, Yaëlle s'engage sur le chemin de gauche. Nous atteignons rapidement un cul-de-sac. J'éteins la lanterne puisque, étrangement, la pièce est inondée de lumière. Je la range dans la doublure de ma cape. Un immense mur nous fait face dans lequel est imbriquée une haute et large plaque de marbre ; une série de chiffres est gravée à même la tablette. Une petite et hideuse statuette de pierre surplombe le tout.

— Je crois que nous avons trouvé ce que nous sommes venues chercher, indiqué-je à Yaëlle en désignant du doigt la statue de la gargouille.

— Elle ne me semble pas très vigoureuse pour une gargouille magique. Je pensais qu'elle serait *vivante*. Comment veux-tu qu'on lui fasse vomir un œuf d'or si elle ne nous pose pas sa maudite énigme ?

— Quelque chose me dit que c'est *ça*, la fameuse énigme dont nous a parlé Ella. J'imagine que si nous arrivons à la résoudre, l'œuf tombera de la bouche de la statue.

— Très bien, alors as-tu une idée de ce qu'il faut faire ? s'inquiète Yaëlle en jetant un œil sur la grande plaque de marbre. Parce que, pour moi, tous ces chiffres n'ont pas le moindre sens.

— Donne-moi une seconde, que j'y réfléchisse, déclaré-je en m'approchant du mur.

À première vue, cela ne me paraissait pas trop compliqué :

1 = 2
2 = 4
6 = 3
42 = 12
=

Je relis plusieurs fois la série de chiffres avant que Yaëlle ne me dise, l'air grave :

— Je crois qu'il faut trouver les deux chiffres manquants sur la plaque.

Je tourne la tête vers mon amie. Est-elle vraiment sérieuse ? Mais le sourire satisfait qui naît sur son visage me confirme qu'elle ne se moque pas de moi. Je ne peux retenir un petit rire avant de la chahuter :

— Ah, tu crois ? Heureusement que tu es là, sinon ça ne m'aurait jamais traversé l'esprit.

— Oh, ça va, soupire-t-elle en levant les yeux au plafond avant de se rendre compte que je la taquine.

Je me concentre alors de nouveau pour étudier la suite numérique. Je marmonne pour moi-même : « Un est égal à deux, ce qui est faux, tout comme six ne peut être égal à trois. Il n'y a vraiment rien de logique dans cette suite. »

Alors que je réfléchis toujours, Yaëlle me demande tout à coup :

— Alors, une idée ?

— J'ai déjà trouvé le résultat, je fais juste semblant de chercher encore un peu, histoire de faire durer le plaisir, répliqué-je, atterrée qu'après des années Yaëlle n'eut toujours pas perdu cette fichue habitude de m'interrompre pendant mes réflexions.

— Oh ! lance-t-elle en s'apercevant qu'une fois encore elle a perdu une occasion de se taire. De toute façon, même si tu avais trouvé la solution, comment est-ce que tu ferais pour l'inscrire sur le marbre ? Tu as peut-être un marteau et un burin cachés sous ta cape ? me réplique-t-elle pour me clouer le bec à son tour.

Mon amie a raison. Un nouveau problème se dresse devant nous alors que je n'ai même pas encore résolu le premier.

— Et si on se répartissait la tâche ? JE cherche la solution mathématique pendant que TU cherches la solution pratique.

Yaëlle part alors en quête d'une façon de graver la réponse tandis que je me concentre à nouveau sur l'énigme qui peut sauver Lycéos.

Après quelques instants, je vois Yaëlle réapparaître, un sourire extatique sur le visage.

— J'ai rempli ma part du marché : si toi tu n'as pas apporté de marteau et de burin, quelqu'un d'autre l'a fait avant nous, dit-elle en me tendant les deux objets. Alors, et toi, où en es-tu ?

— Je n'en suis nulle part, dis-je en grinçant des dents, alors que Yaëlle se met à lire les inscriptions à voix haute.

— Un, deux, six, quarante-deux…

— Mais bien sûr, c'est ça, il s'agit de deux suites logiques distinctes ! C'est pour ça que je ne trouvais pas.

— Tu as trouvé les deux nombres manquants ?

— Absolument ! clamé-je.

Puis je commence la gravure tout en expliquant à la chaman mon résultat :

— La première colonne de chiffres est une première suite logique. On obtient le deuxième chiffre en multipliant le premier par celui qui le suit. Donc, 1 fois 2 égale 2, 2 fois 3 égale 6, 6 fois 7 égale 42 et donc 42 fois 43 égale 1 806, dis-je en soufflant sur le nombre que je viens d'inscrire.

1 = 2
2 = 4
6 = 3
42 = 12
1 806 =

— Ella avait raison, tu es vraiment un super génie des énigmes, dit Yaëlle, visiblement impressionnée.

— Il n'y a rien de très énigmatique là-dedans, c'est surtout mathématique !

— En tout cas, je n'aurais jamais trouvé. Mais si je suis ton raisonnement, cela ne fonctionne pas pour la deuxième colonne.

— Parce que cette suite-là est liée à la première. Il y a un symbole égal entre les deux chiffres de chaque ligne. Je ne le comprenais pas et c'est ce qui m'a induite en erreur car il est clair que un ne peut être égal à deux, sauf si…

— Sauf si ?

— Sauf si tu comptes le nombre de lettres qui composent le chiffre un…

— Deux ! s'écrie Yaëlle, ravie d'avoir compris. « Un » s'écrit avec deux lettres, d'où le un égale deux. Ce qui explique…

— Que mille huit cent six est égal à seize !

— Énigme résolue ! crions-nous en chœur.

— Félicitations, mais il vous faut à présent payer votre dette, nous assène une voix rauque juste au-dessus de nous.

Yaëlle et moi levons la tête pour nous apercevoir sans surprise que la gargouille qui orne le haut de la plaque de marbre s'est réveillée et nous fixe de ses grands yeux mornes et froids.

— Quelle dette ? s'informe Yaëlle d'un ton méfiant.

— Tenter votre chance pour résoudre l'énigme n'était pas gratuit.

— Mais qu'est-ce qu'elle raconte ? me demande mon amie, tout aussi surprise que moi.

— Vous n'avez sans doute pas lu les avertissements en bas de la plaque de marbre, déclare la gargouille en désignant du doigt un tout petit encadré situé presque au ras du sol. Il faut toujours lire les petits caractères…

— Encore faut-il réussir à les voir ! proteste Yaëlle en observant l'endroit indiqué.

— Il semblerait qu'Ella ait oublié de nous parler de ce détail… murmuré-je à l'intention de ma compagne.

— Et que te doit-on au juste ? s'enquiert Yaëlle auprès de la créature.

— Toi, absolument rien ! Seule celle qui a gravé la solution de l'énigme m'est redevable. Autrement dit : toi ! ricane la gargouille en me pointant de l'un de ses longs doigts crochus et difformes.

— Et je te suis redevable de quoi, exactement ?

— De ta vie ! jubile le monstre en me dévisageant, avant de s'allonger et de pencher son hideux visage de démon vers moi.

— Comme c'est original ! soupire la chaman. Est-ce qu'un jour quelqu'un pourrait répondre autre chose que « ta vie » sur un ton aussi grave et sinistre ?

— Ce ne sera pas moi en tout cas ! assure la gargouille.

— Et puis pourquoi est-ce qu'on te paierait quoi que ce soit alors que nous n'avons même pas reçu notre récompense ? s'insurge Yaëlle. Il était question d'un œuf d'or, me semble-t-il, non ? ajoute-t-elle finement.

— En effet, approuve la gargouille.

— J'ai résolu l'énigme, il est donc juste que je sois récompensée ! réclamé-je.

— Tu ne l'as pas volé, l'œuf d'or te revient de droit, acquiesce la gargouille.

Elle commence à contracter violemment son abdomen d'où s'échappent d'étranges petits gargouillis.

— Oh ! bon sang, elle ne va pas réellement vomir l'œuf d'or, rassure-moi ! me dit Yaëlle dans un hoquet nauséeux. Je crois que je vais être malade !

Un rot sonore s'échappe de la bouche de la gargouille. Peu après, une pluie de paillettes d'or tombe jusqu'à nous. Machinalement, je lève les mains pour les toucher ; une douce caresse glisse le long de mes doigts. Yaëlle me tire alors de ma rêverie en me décochant un petit coup de coude avant de pointer la gueule de la gargouille.

— L'œuf arrive. On a intérêt à ne pas le laisser tomber si on veut sauver Lycéos !

D'un même pas rapide, nous avançons sous la gueule de la statue et attendons le bon moment pour nous saisir de l'œuf. La gargouille expulse celui-ci dans un dernier mouvement brutal. Yaëlle et moi nous précipitons à toutes jambes à l'autre bout de la pièce pour le rattraper. Je vois avec horreur que l'œuf est sur le point de s'écraser contre le mur en face de la gargouille quand Yaëlle déploie ses ailes et réussit à le rattraper au vol.

Je pousse un profond soupir de soulagement lorsque j'entends le cri victorieux de mon amie résonner dans la pièce.

Yaëlle se retourne, triomphante. Portée par l'adrénaline, elle crie alors à l'intention de la gargouille :

— Pauvre idiote ! Maintenant que nous avons l'œuf, comment comptes-tu nous obliger à payer ? Tu envisages de descendre de ton perchoir pour nous botter les fesses ?

La gargouille affiche un air amusé.

— Pourquoi veux-tu que je me fatigue à descendre, alors que vous ne pourrez pas sortir sans payer ? Je te ferai remarquer que la seule issue a été condamnée.

Horrifiées, Yaëlle et moi constatons alors que nous sommes prises au piège…

— Comment allons-nous pouvoir sortir d'ici ? me chuchote mon amie à l'oreille alors qu'elle se pose près de moi.

— Je viens de vous le dire, répète la gargouille, il vous suffit de payer votre dette et la survivante sera libre. Il n'y a aucun autre moyen de sortir d'ici !

— Il y a toujours un moyen ! hurle Yaëlle, furieuse.

— Eh bien, pas cette fois ! triomphe la créature. Il vous faudra payer ou alors vous mourrez toutes les deux.

— Je dois honorer ma dette, soupiré-je, résignée. Apporte l'œuf à Lycéos, c'est tout ce qui compte.

— Tu ne peux pas faire ça, Cali ! proteste la chaman.

— Elle le doit, affirme la gargouille tandis que ses bras et ses longs doigts filiformes s'allongent encore et encore jusqu'à moi.

Yaëlle est pétrifiée d'horreur. Moi-même je n'en mène pas large tandis que ma vie est sur le point de s'achever.

Les doigts de la gargouille transpercent alors ma chair. Je peux sentir ses mains vibrer et se mouvoir dans ma poitrine. Étrangement, ce n'est pas le moins du monde douloureux.

— Ton énergie vitale va me permettre de vivre encore de nombreuses années, ricane la gargouille en plongeant plus profondément dans ma poitrine.

Lorsque ses doigts entrent en contact avec mon cœur, une sensation électrique me parcourt de part en part. Je peux sentir la vie s'échapper peu à peu de mon corps. Un courant électrique traverse chacun de mes membres, et j'ai tout à coup l'impression d'être foudroyée. Le démon de pierre comprime encore ses doigts autour de mon cœur.

— Encore ! Quelle grande puissance vitale tu possèdes ! rugit la gargouille en transe.

C'est alors que le démon a un hoquet de surprise avant de subitement exploser.

Yaëlle et moi sommes assaillies par d'innombrables petites roches, et nous nous jetons au sol, recouvertes de nos ailes pour nous protéger.

Je vois un éclair blanc quitter les restes de la gargouille. Au contact du plafond de pierre qui nous surplombe, il explose en une myriade de petits arcs électriques, dont l'un vient frapper Yaëlle.

Je vérifie immédiatement qu'elle est saine et sauve.

— Wow, ça secoue ! rit-elle en se retournant sur le dos.

— Je suis heureuse de voir que tu trouves tout ça très drôle ! ris-je aussi, soulagée, en voyant que mon amie n'a rien.

Elle pose sur moi un étrange regard.

— Qu'est-ce qui ne va pas ? La dernière fois que tu m'as regardée comme ça, j'avais le visage entièrement vert.

— Disons que là il serait plutôt… ridé…

— Comment ça, « ridé » ?

— Je crois que ta rencontre avec la gargouille t'a laissé un souvenir. Tu as vieilli d'au moins quinze ans.

— Je crois comprendre ce qui s'est passé. Les cyclopes vivent beaucoup plus longtemps que les humains, donc la gargouille a dû faire face à un trop-plein d'énergie vitale qui lui a été fatal. En ce qui me concerne, cela aurait pu être pire, car j'aurais pu en mourir. Je ne m'en sors pas si mal, et ce n'est pas quelques rides qui vont me gêner, expliqué-je à Yaëlle.

— Nous avons vraiment été chanceuses ! s'exclame mon amie, soulagée. Si cela avait été moi qui avais résolu l'énigme, je serais sûrement morte à l'heure qu'il est.

— Heureusement pour toi, je suis le super génie des énigmes !

— Je crois qu'il est grand temps d'y aller, car Lycéos nous attend, dit Yaëlle en me confiant le précieux œuf d'or que je glisse précautionneusement dans ma cape.

Une fois de retour à la Cité, n'ayant pas le temps d'attendre que nos ailes disparaissent, nous les recouvrons d'une cape avant de nous précipiter au chevet de Lycéos. Nous remettons le précieux œuf d'or à Ella, visiblement surprise par ma nouvelle apparence. Sans plus attendre, cette dernière brise la coquille et en déverse le contenu, un épais liquide argenté, dans la bouche de son mari.

Il ne faut pas plus de quelques secondes avant que les effets de l'œuf se manifestent sur notre ami.

— La révolte... murmure Lycéos en ouvrant tout juste les yeux, ce qui nous arrache à toutes les trois un petit rire.

— Nous n'attendions plus que toi, lui murmure tendrement Ella pour l'empêcher de s'agiter. Tout est prêt ou presque ; il reste seulement quelques détails à revoir.

— Ne te préoccupe pas de ça, Lycéos, ce n'est ni le moment ni l'endroit, dis-je en serrant doucement la main de mon ami. Tout ce qui compte, pour l'instant, c'est que tu te remettes sur pied. Nous avons besoin de toi.

Notre attention est alors attirée par un remue-ménage qui vient du couloir. Yaëlle et moi sortons de la pièce pour voir de quoi il s'agit, offrant ainsi un moment de tranquillité à nos deux jeunes amis.

Un des Citadins passe en courant devant nous, affolé. Il hurle :

— Les Justiciers ont été empoisonnés !

Yaëlle et moi échangeons un regard incrédule.

Une seule question me vient à l'esprit : qui a pu faire une telle chose ?

Un étrange mélange de sentiments monte alors en moi… Je ne sais pas si je dois être terrifiée, abasourdie ou me réjouir de ce cruel événement, annonciateur du début d'une ère nouvelle…

Les Justiciers ont été empoisonnés…

CHAPITRE TREIZE
La révolte

Depuis l'empoisonnement des Justiciers, les choses avaient changé à la Cité. Malheureusement, la situation ne s'était en rien améliorée. Sous quelques aspects, elle avait même empiré…

Neuf ans d'un règne quasi tyrannique pendant lesquels la suspicion avait été le mot d'ordre venaient de s'écouler. Les esprits de certains, notamment ceux des membres du Conseil, commençaient tout juste à s'apaiser.

Les Surplus, les Citadins et bon nombre d'Utiles avaient été surveillés et épiés pendant de longs mois après le *drame* qui avait frappé les membres du Conseil. Ces derniers n'avaient plus confiance en personne ou presque.

L'empoisonnement des Justiciers avait fait beaucoup de victimes parmi leurs membres. Huit d'entre eux avaient perdu la vie ; parmi les morts se trouvait le père de Gaak.

Comme le prévoyait la loi du Conseil, le siège du défunt revenait de droit au fils aîné. Mais puisque Sébastian était décédé, Gaak hérita du siège de Justicier.

Profondément atteint quelques années plus tôt par la mort de son frère, et frappé par ce nouveau coup du sort, Gaak plongea encore plus dans l'amertume et la rancœur, ne croyant et ne restant attaché qu'à une seule chose : la Cité.

Lorsqu'il avait pris place dans le Conseil, il s'était immédiatement imposé comme l'un des leaders, nourri par le ressentiment et la colère, qualifiant de haute trahison l'acte qui avait coûté la vie à bon nombre de Justiciers. Il s'était ainsi rapidement trouvé des alliés parmi les membres du Conseil qui avaient survécu à cette tragédie, renforçant ainsi son influence.

L'une des premières mesures prises par le *nouveau* Conseil fut de renforcer la sécurité à l'intérieur de la tour Législère. Une sorte de paranoïa s'était emparée de certains membres et les moindres agissements des Utiles vivant dans la tour avaient été surveillés.

Le Conseil, qui n'avait jamais été des plus tendres ni des plus compatissants, était devenu encore plus strict et davantage obsédé par le contrôle. Certains des nouveaux membres, comme Gaak, avaient œuvré longtemps après l'assassinat des Justiciers pour que la peur et l'angoisse prennent le pas sur le calme et la raison. Et ils étaient parvenus en partie à leurs fins...

Ils n'avaient eu de cesse d'apeurer les autres Utiles en leur disant : « S'ils s'en sont pris à nous, ils s'en prendront aussi à vous ! »

Il n'en avait pas fallu davantage pour qu'un grand nombre d'Utiles ressentent une profonde insécurité, soutenant ainsi sans faille le nouveau Conseil qui n'avait qu'une seule obsession : le pouvoir.

Pouvoir que les membres du Conseil prirent peu à peu sous le couvert de protéger les habitants de la ville.

En plus d'avoir renforcé la sécurité dans la tour, des patrouilles de Citadins défilaient à présent tous les quarts d'heure dans la ville, de jour comme de nuit. Un couvre-feu, même pour les Utiles, avait été instauré. Et à présent, tous les plats des Justiciers étaient goûtés devant eux par les Surplus qui avaient préparé leur repas puisque c'était ainsi que les Justiciers avaient été empoisonnés neuf ans plus tôt. Personne, pas même les membres du Cercle de la Liberté, n'aurait jamais pensé qu'un Surplus pourrait faire preuve d'autant d'audace en s'en prenant directement aux dirigeants de la Cité...

Cela avait pris quelques jours aux Justiciers pour trouver le Surplus à l'origine du drame. Mais lorsqu'ils avaient réussi à mettre la main sur lui, la véritable question s'était alors posée : où ce Surplus s'était-il procuré le poison ? Le coupable avait obligatoirement bénéficié d'une aide extérieure...

Le doute avait alors germé dans l'esprit des membres du Conseil : est-ce qu'un Citadin, ou un Utile, pouvait être derrière tout cela ?

Non, c'était impensable, inimaginable, tout simplement impossible !

Après plusieurs jours de torture, le Surplus craqua et avoua qu'un Soigneur lui avait remis le poison, lui ordonnant de le mettre dans la nourriture destinée aux membres du Conseil.

Yaëlle fut immédiatement suspectée puisqu'elle n'était pas présente ce jour-là et qu'elle faisait partie des cinq survivants. Heureusement pour la chaman, les soupçons ne pesèrent pas longtemps sur elle. Le Conseil avait réuni tous les Soigneurs et avait ensuite demandé au Surplus empoisonneur de dénoncer son acolyte, ce que ce dernier fit, espérant ainsi qu'on épargne sa vie. Mais les Justiciers lui refusèrent le pardon et il fut exécuté sans appel.

Le Soigneur, un dénommé Liam, fut à son tour interrogé.

Après des jours sans boire ni manger, le jeune homme avoua. Il avait agi seul pour faire connaître son profond désaccord avec le Conseil, criant à qui voulait l'entendre que les Surplus étaient eux aussi des êtres humains et que les Justiciers n'avaient pas le droit de les réduire à l'état d'esclaves au service des Utiles.

Bien que son discours fût des plus passionnés, bon nombre des membres du Conseil ne furent pas entièrement convaincus que le jeune homme n'avait pas de complices...

Pour en avoir le cœur net, le Conseil donna l'ordre aux Citadins qui retenaient Liam d'utiliser tous les moyens susceptibles de faire parler le coupable.

Le Soigneur fut suspendu dans le vide par les poignets, enchaîné à une poutrelle comme un animal. L'un de ses deux geôliers lui donna alors coup après coup dans l'estomac, puis le frappa au visage à plusieurs reprises.

Pliant sous la douleur, privé de sommeil depuis des jours, Liam ne put s'empêcher de révéler tout ce qu'il savait... Même s'il ne savait pas grand-chose, cela suffit à faire tout basculer...

Il révéla aux Citadins l'existence du Cercle de la Liberté qu'il avait rejoint depuis peu. Il expliqua simplement qu'il avait tenté d'empoisonner les Justiciers pour impressionner les membres du Cercle de la Liberté, leur prouvant ainsi sa loyauté pour la cause, ce qui lui permettrait, du moins l'espérait-il du haut de ses dix-sept ans, de rencontrer *le grand chef,* celui qui dirigeait ce mouvement de rébellion contre les Justiciers. Liam avait imaginé que, fier et impressionné par son initiative, le Cercle lui accorderait ainsi de hautes responsabilités dans cette lutte contre le système en place depuis des décennies.

Liam ne voulait pas simplement faire partie de l'histoire, il voulait être de ceux qui l'écrivent...

Il avait été poussé par la fougue de sa jeunesse et par son impatience à vouloir changer les choses à la Cité.

Le jeune homme avait agi sous le coup de l'impulsion. Il comprit trop tard que la première idée qui passe par la tête n'est pas forcément la meilleure. Il n'avait voulu mettre personne en danger ; pourtant, c'était bel et bien ce qu'il avait fait !

Même s'il avait révélé l'existence du Cercle sous la douleur des coups, dans l'espoir que son bourreau lui laisse un peu de répit, il n'en trahit aucun membre.

Peut-être que Liam n'avait plus rien avoué, pris de remords par peur de mettre les autres en danger, ou tout simplement était-il mort sous les coups avant d'avoir eu la possibilité d'en dire plus. Nul ne le saura jamais… Mais cela ne changeait que peu de choses, car le Conseil connaissait désormais l'existence de ce qu'il considéra comme une sérieuse menace.

Yaëlle, qui avait toujours été les yeux et les oreilles du Cercle de la Liberté au sein du Conseil, avait immédiatement prévenu Calista de ce qui était arrivé. Pour la première fois depuis toutes ces années, quelqu'un avait parlé… quelqu'un avait dévoilé l'existence du Cercle.

Les arrestations, les contrôles de laissez-passer pour tous, les dénonciations entre Utiles, mais également entre Surplus, tout cela pour un semblant de récompense promise par le Conseil, étaient alors devenus le quotidien de la Cité.

Le doute et la suspicion régnaient partout.

Parfois, de véritables membres du Cercle étaient arrêtés. Certains d'entre eux donnaient de nouvelles informations au Conseil ; d'autres n'ouvraient pas la bouche ou se contentaient simplement de démentir les accusations.

Calista, Ella, Lycéos et Yaëlle avaient eux aussi été interrogés, mais aucun d'entre eux n'avait perdu son sang-froid et tous avaient été relâchés. Même si le doute dévorait Gaak sur leur implication dans toute cette histoire, il n'avait pas de quoi le prouver... du moins pour l'instant! Il était intimement convaincu que ses anciens amis n'étaient pas étrangers à tout cela. Il les connaissait... Oui, il savait... Il n'avait plus qu'à attendre que l'un d'eux fasse une erreur...

Gaak avait réussi à trouver une épouse, Aloïse, qui tenait sincèrement à son mari. Elle lui avait donné deux enfants : un fils aîné, Casey, et une adorable fillette aux yeux rieurs prénommée Catherine.

Calista et Yaëlle avaient longtemps secrètement espéré que la présence de Casey et de Catherine adoucirait le caractère de Gaak. Mais au contraire, celui-ci était devenu plus froid et distant que jamais.

Le jour où Gaak avait épousé Aloïse, la cyclope avait osé croire que le jeune homme pourrait enfin trouver la paix. Mais lorsqu'elle avait assisté à l'union des deux Utiles, elle avait été frappée par le regard dur et sans âme de son ancien élève. Certes, Gaak éprouvait un certain attachement pour sa femme, mais il était évident pour Calista que Gaak était toujours très amoureux d'Ella, et ce, même si celle-ci en avait choisi un autre. C'était d'ailleurs quelques semaines après la naissance d'Ismahan que Gaak avait décidé de se marier avec Aloïse.

Toute cette douleur, tous ces échecs et ces déceptions avaient anesthésié entièrement le cœur de Gaak. La seule étincelle qui brillait encore parfois dans ses yeux était celle de la vengeance, étincelle qui s'enflammait lorsque son regard croisait celui de ses anciens amis. Il était pourtant condamné à vivre chaque jour près d'Ella qui avait elle aussi rejoint les rangs du Conseil.

Calista et les siens ne pouvaient donc plus agir de façon anonyme puisque toute la Cité connaissait dorénavant l'existence du Cercle. La cyclope avait pris la pénible décision de dissoudre l'assemblée. Mais après réflexion, elle n'en avait pas eu le courage, refusant de perdre Jonas une seconde fois. Ses amis et elle avaient donc choisi de garder le Cercle *endormi*, le temps que la chasse aux traîtres s'arrête. Calista espérait ainsi mettre le plus grand nombre des membres à l'abri du Conseil.

Chacun avait donc mené sa vie de son côté, faisant de son mieux pour prouver son allégeance au Conseil et à la Cité. Même si Calista devait se rendre régulièrement dans le camp des Surplus, elle avait dû réduire ses visites auprès de Lucy. Elle n'avait donc plus eu la chance de revoir Solan. Ne vivant pas à la tour Légistère, Calista n'avait pas eu davantage l'occasion de le revoir après qu'il eut réussi son test de passage et fut allé vivre avec sa grand-mère. Étant destiné à devenir un futur chaman, sa formation avait été entièrement confiée à Yaëlle qui était l'un des chamans les plus respectés de la Cité.

▼

Pendant neuf longues années, la vie de tous avait véritablement changé.

Mais la Cité et le Conseil n'étaient pas les seuls à avoir été *transformés*. À la suite de son affrontement avec la gargouille, Calista avait vieilli prématurément. Toutefois, Yaëlle était celle qui avait subi le plus grand changement…

Quelques jours après son retour à la Cité, Yaëlle avait fait un rêve des plus curieux. La chaman avait été grandement troublée par ce qu'elle avait ressenti cette nuit-là. Et ce qui s'était révélé étrange, c'était que son rêve s'était réalisé le jour suivant. Puis, à plusieurs reprises, ses rêves avaient continué de s'avérer exacts.

Cela avait de plus en plus angoissé Yaëlle, qui s'était décidée à en parler à Calista.

Dès que son amie avait eu fini de lui raconter ce qui lui arrivait, la cyclope n'avait pas eu le moindre doute. Lors de l'explosion de la gargouille, l'éclair perdu qui avait frappé Yaëlle avait transmis à celle-ci une infime partie du don du troisième œil de Calista.

— Il faut voir le bon côté des choses, avait annoncé sa vieille amie. Au moins, le phénomène ne te déclenche pas d'affreuses migraines ni d'étourdissements. Tes *visions* arrivent pendant ton sommeil. Le pire qu'il te soit arrivé pour le moment est de te réveiller en sursaut. Cela aurait pu être bien pire, beaucoup plus douloureux, crois-moi… Et d'après ce que tu me dis, les visions sont de moins en moins fréquentes. Peut-être que, dans peu de temps, tu n'en auras plus ?

— Je ne sais pas… C'est vrai qu'elles sont moins nombreuses maintenant, mais elles sont de plus en plus précises.

— Il faut attendre. Seul l'avenir nous dira si ce don sera permanent ou non.

Neuf ans plus tard, Yaëlle avait encore parfois des visions. C'est ce qui expliquait ce soir-là sa présence dans la bibliothèque de Calista.

— Tu es sûre de toi, Yaëlle ? demanda la cyclope, un air angoissé peint sur le visage.

— Certaine… Après tout, le phénomène est provoqué par une partie de ton troisième œil. Et comme tu le dis, le troisième œil a toujours raison.

Les deux amies échangèrent alors un regard lourd de sous-entendus.

Yaëlle était arrivée dans le bureau de la cyclope à bout de souffle. Tandis qu'elle tentait de reprendre sa respiration, elle avait commencé à raconter à Calista l'horrible rêve qu'elle venait de faire.

Les Citadins avaient arrêté l'un des membres du Cercle de la Liberté recruté par Lycéos. Après avoir été torturé, le pauvre homme avait dénoncé Lycéos ainsi que tous les autres membres qu'il connaissait, dont Yaëlle...

Lorsque la chaman avait terminé de raconter son rêve, Calista était restée sans voix.

— Il y a un moyen de prévenir cela, avait-elle murmuré en retrouvant ses esprits.

— Lequel ?

— Il semblerait que l'heure de la révolte ait sonné...

Plongées dans l'obscurité, Calista et Yaëlle étaient sorties prudemment par le passage dans le mur de la bibliothèque, puis s'étaient empressées d'escalader le mur d'enceinte pour retomber dans une petite ruelle sombre de la Cité.

Malgré son âge avancé, la cyclope se déplaçait encore avec une grande agilité.

Évitant les patrouilles de Citadins, les deux amies s'étaient introduites dans la tour Légistère. Elles se trouvaient à présent auprès d'Ella et de Lycéos, qui avaient été fort surpris en découvrant les deux femmes à leur porte.

— Il est l'heure, avait dit Calista d'un ton grave.

Ella et Lycéos n'avaient pas eu besoin de plus d'explications pour comprendre de quoi il s'agissait.

— Pourquoi tant de précipitation ? interrogea tout de même Ella, légèrement inquiète.

— D'après le troisième œil, les choses vont mal tourner pour nous si nous attendons encore, énonça Calista. C'est le moment de tenter notre chance ; ensuite, il sera trop tard. Pour nous, c'est ce soir ou jamais…

— Où est Ismahan ? demanda Yaëlle.

— Dans sa chambre ; elle vient de s'endormir, chuchota Ella. Elle était vraiment très nerveuse pour demain…

— Demain ? répéta Yaëlle en fronçant les sourcils.

— Ismahan doit passer son test de passage demain matin…

— Ça n'a plus d'importance, l'interrompit Lycéos. Demain, les choses auront changé.

— Pourtant, je suis certaine qu'Ismahan a un don… dit Ella.

— La question n'est pas là ! s'écria Lycéos. Peut-être qu'elle en possède un, mais il n'y a rien de sûr ! Je descends d'une famille de la lignée Naturelle, mais tes parents, Ella, sont des Surplus. Regarde ce qui est arrivé à Lucy et à beaucoup d'autres ! Je ne veux pas que notre fille finisse ainsi. Si la révolte éclate ce soir, c'est peut-être pour une bonne raison. Peut-être qu'Ismahan ne doit pas passer ce test… Peut-être qu'après ce soir la vie lui offrira d'autres choix, d'autres perspectives que d'être simplement une Utile ou une Surplus.

— Avec des peut-être, nous pourrions refaire le monde, déclara Ella.

Calista saisit doucement sa jeune amie par les épaules, puis elle lui expliqua :

— C'est pour un *peut-être*, pour avoir encore un espoir, que nous nous sommes battus toutes ces années. Il ne faut pas renoncer ; chacun doit désormais jouer son rôle. Nous sommes allés trop loin, nous avons sacrifié trop de choses, trop de gens, pour reculer maintenant. Notre nouvelle vie commence ce soir, Ella, assura-t-elle en relâchant sa prise.

— Tu as raison… renifla la jeune femme en essuyant une larme du revers de la main.

Les quatre amis restèrent un court instant à se scruter les uns les autres, chacun prenant la mesure de ce qu'il s'apprêtait à accomplir cette nuit.

— Tout le monde est prêt ? s'enquit Calista. Chacun de vous sait ce qu'il doit faire ?

Tous approuvèrent d'un hochement de tête. Même si le réseau était resté en dormance pendant neuf longues années, le plan de bataille, lui, avait été mis au point depuis bien longtemps. La mèche avait été installée ; il ne restait plus qu'à l'allumer.

— Si jamais nous n'arrivons pas à prendre le dessus, ne jouez pas les héros ! recommanda la cyclope. Appliquez le plan de secours.

— Les Rocheuses, murmurèrent Yaëlle, Ella et Lycéos d'un même souffle.

— Nous y serons en sécurité si l'affrontement tourne mal, assura Calista. C'est pour cela que nous avons choisi cet endroit.

— Comment les autres vont-ils se diriger vers les Rocheuses ? s'inquiéta Lycéos.

— Je les guiderai, annonça Yaëlle. Je n'ai pas besoin d'une carte, car je sais lire les étoiles. Mais il faut me promettre que vous ferez sortir Lucy du camp et qu'elle partira avec l'un d'entre vous. Solan partira avec moi, mais je ne peux pas laisser ma fille se faire…

— Je m'en occuperai moi-même, promit Calista d'une voix décidée.

— Très bien, dit Yaëlle. Est-ce qu'Ismahan part avec moi ?

— Non, elle partira avec Lycéos qui conduira un second groupe jusqu'aux Rocheuses, dit Calista. Je conduirai un autre groupe tandis qu'Ella se ralliera aux membres du Conseil pour les envoyer dans la mauvaise direction lorsqu'ils enverront les Citadins à notre poursuite.

— Quoi ? bafouilla Lycéos.

— C'est réglé depuis longtemps, intervint Ella. Si les choses se gâtent, Ismahan partira avec toi, et moi je resterai ici.

— Non, certainement pas ! protesta Lycéos avec fougue. Quand as-tu pris cette décision ?

— J'en ai longuement parlé avec Cali. Nous pensons que…

— C'est avec moi que tu aurais dû en parler, pas avec Calista ! Il s'agit de notre famille, de notre fille ! Tu ne crois pas que j'avais mon mot à dire ? Donc, si tu restes, je reste aussi !

— Non, pas question ! Nous ne pouvons pas rester ici tous les deux. Si les choses tournent mal, l'un de nous doit prendre soin de notre fille. Ismahan ne peut pas demeurer à la Cité.

— Je ne peux pas te laisser ici... Je...

— Cela suffit, Lycéos ! Ce n'est pas le moment de discuter.

— Ella a raison, lança Yaëlle.

— Toi, ne te mêle pas de ça ! rugit Lycéos. C'est entre ma femme et moi que ça se passe !

— Cela fait déjà bien longtemps que les décisions que nous prenons ne concernent plus seulement notre famille, Lycéos, exposa Ella. Rappelle-toi ce que Yaëlle nous a dit un jour : « En ne voulant sacrifier personne, on finit par sacrifier tout le monde ! » Je ne veux pas que des vies soient brisées inutilement. De plus, si nous avons fait tout ça, c'est pour donner une chance à notre fille d'avoir une vie meilleure. Si notre action échoue, il faut assurer nos arrières. Et qui, mieux que moi qui siège au Conseil, peut y parvenir ? Ne t'en fais pas, nous ne serons pas séparés pour toujours. C'est seulement au cas où...

— Ouais, seulement *au cas où,* reprit Lycéos qui attira sa femme tout contre lui, comprenant parfaitement le sous-entendu qu'il y avait derrière ces mots.

Calista toussota doucement pour attirer l'attention de ses amis.

— Yaëlle et moi allons nous occuper de donner le signal et de réveiller Ismahan. Nous lui préparerons un sac de voyage, pour qu'elle soit prête à partir au cas...

— Au cas où... lancèrent d'une même voix Lycéos et Ella, avec un sourire ironique.

Yaëlle et Calista avaient passé de longues semaines à planifier un plan de secours advenant que les Citadins auraient le dessus sur elles et leurs amis. Cela expliquait leurs nombreux allers et retours entre la Cité et les Rocheuses pour mettre armes et vivres à l'abri.

Le plan initial n'était pas seulement de faire évader les Surplus, mais aussi de renverser le Conseil en prenant la tour Légistère d'assaut.

Les deux amies comptaient sur l'effet de surprise pour prendre l'avantage ; seulement, elles savaient pertinemment que le Cercle était en sous-effectif face aux Citadins. Cependant, Calista n'avait eu de cesse de raconter l'histoire des mille soldats spartiates, thébains et thespiens qui avaient tenu tête à trois cent mille hommes perses venus envahir la Grèce.

— Nous connaissons déjà cette histoire, avait lancé Yaëlle un jour. Toutefois, il faut être réaliste : leur résistance a été certes héroïque, mais désespérée !

— Désespérée, peut-être, mais pas inutile ! l'avait reprise la cyclope. Grâce au courage et aux sacrifices des soldats, les autres Grecs ont pu se préparer à résister. La Grèce est restée un pays libre et l'histoire des combattants est entrée dans la légende.

— Alors nous allons nous aussi entrer dans la légende ? l'avait gentiment taquinée son amie.

— Nous, nous ferons la légende… avait-elle répliqué, le sourire aux lèvres.

— C'est bien joli tout ça, mais tes *super* soldats ont trépassé les uns après les autres. Il est hors de question que je reste là à tous vous regarder mourir si les choses tournent mal…

C'est ainsi qu'était venue l'idée du plan de repli dans les Rocheuses. Après de longues discussions, Calista et Yaëlle étaient finalement tombées d'accord.

En cas d'échec et d'un repli de leur part, les membres du Cercle avaient bien l'intention de tenter une seconde offensive. Mais pour ce faire, certains d'entre eux devaient rester entre les murs de la Cité pour jouer les taupes et informer les autres des moindres agissements du Conseil…

— C'est ainsi que l'on remporte une guerre, avait dit Calista, en prévoyant le moindre geste de son adversaire, en ayant un coup d'avance sur lui. Il faut même aller jusqu'à anticiper une seconde bataille alors que la première n'a même pas encore eu lieu.

Il avait donc fallu choisir entre ceux qui resteraient et ceux qui prendraient la fuite… La chose n'avait pas été simple à décider. Mais les volontaires, dont Ella faisait partie, avaient pris toute la mesure et l'importance de ce sacrifice.

Cependant, pour l'instant, l'objectif principal du Cercle était de sauver le plus grand nombre de Surplus possible. À l'intérieur du camp, Lucy avait été une précieuse alliée qui avait orchestré d'une main de maître le soulèvement des Surplus.

À présent, tout le monde était prêt.

— Bonne chance à tous…

Personne n'osa ajouter un mot.

Après que Yaëlle et Calista eurent quitté la pièce, Lycéos afficha une mine des plus abattues lorsque son regard croisa celui de sa femme.

— Je ne fais pas cela de gaieté de cœur, ni même parce que j'aime la Cité, dit Ella d'un ton grave et résolu. Je le fais simplement parce que j'aime notre fille plus que tout.

Elle affichait cet air déterminé que lui connaissait si bien Lycéos, celui qui disait que rien ni personne ne pourrait la faire changer d'avis.

— Je te promets de dire souvent à Ismahan combien tu tiens à elle et qu'un jour nous serons de nouveau réunis tous les trois, dit-il sur un ton confiant.

— Non, surtout pas ! Elle doit croire que la Cité compte plus à mes yeux que vous deux, elle doit croire que je vous ai abandonnés. C'est la seule façon de la tenir loin d'ici, c'est le meilleur moyen de la protéger.

— Mais ce n'est pas vrai...

— Nous le savons tous les deux, et c'est tout ce qui importe.

— Ce n'est pas juste... dit-il, peiné.

— Le changement a un prix et, cette fois, c'est à nous de payer, chuchota Ella avant de se glisser dans les bras de son mari tandis que les cloches résonnaient au loin.

C'était le signal... Cette fois, la révolte allait bel et bien avoir lieu.

D'une manière ou d'une autre, dans quelques heures, tout serait terminé...

Lorsque Lucy avait entendu le signal, elle s'était levée d'un bond et avait hurlé à pleine voix : « Il est temps, mes amis ! » alertant ainsi tous les compagnons qui se trouvaient dans le même baraquement qu'elle.

— Est-ce que tu es sûre de toi ? lui demanda son mari Connor.

— Certaine ! lança la jeune femme avec un petit mouvement de tête.

Ils échangèrent un rapide sourire avant que Lucy dise :

— Il faut aller prévenir les autres. Ensuite, nous savons tous ce que nous avons à faire.

Des cris de joie et d'impatience s'élevèrent alors dans le baraquement. Les Surplus ne craignaient plus d'ameuter les Citadins qu'ils s'apprêtaient à affronter.

Se précipitant tous en direction de la porte, Lucy et Connor sur leurs talons, les Surplus attirèrent sur eux l'attention des premiers gardes qui s'étonnèrent de ce soudain mouvement.

Les Surplus les plus téméraires et les plus hargneux se jetèrent alors sur les Citadins même si ces derniers étaient armés, donnant ainsi le ton et l'exemple à tous leurs compagnons.

Connor se précipita à toutes jambes en direction du petit hangar où les pelles, les pioches et les faux qui servaient aux récoltes étaient entreposées. Après plusieurs violents coups d'épaule et de pied, la modeste serrure qui le séparait de ces armes de fortune céda.

Il commença alors la distribution aux Surplus qui se trouvaient près de lui, espérant que ces outils pourraient les aider à repousser les Citadins qui commençaient à arriver en tous les sens, arme au poing. Yaëlle et Calista avaient promis d'envoyer des renforts. Lucy et les siens n'avaient simplement qu'à tenir jusqu'à leur arrivée.

Les Surplus étaient tout juste armés que des combats s'engagèrent ici et là. Connor avait quitté Lucy des yeux seulement quelques minutes, mais dans cette foule irritée et en colère, il ne parvenait pas à la retrouver. Heureusement, après quelques instants, il lui sembla reconnaître la voix de sa femme qui disait :

— Ne leur laissez rien, ne leur faites pas cadeau de votre travail. Brûlez tout !

L'ordre ne fut pas sitôt donné que certains Surplus escaladèrent les grillages et s'éraflèrent la peau sur les barbelés pour s'emparer des flambeaux qui éclairaient le chemin de ronde des Citadins. Munis de leur nouvelle prise, ils commencèrent à tout brûler sur leur passage : les baraquements, les récoltes et même les Citadins qui s'attaquaient aux femmes et aux enfants.

Une odeur de brûlé emplit rapidement l'air, se mêlant à celle du sang qui coulait.

Partout, pleurs, hurlements de douleur et cris de rage résonnaient dans le noir de la nuit déchiré par les flammes qui rampaient jusqu'au cœur de la Cité...

Pendant ce temps, Calista – suivie de plusieurs membres du Cercle – était allée chercher les armes cachées un peu partout dans la Cité pour les apporter au camp des Surplus.

Mais avant son départ, la cyclope avait croisé Yaëlle. Affolée, celle-ci lui avait fait part de l'incendie qui avait débuté dans le camp.

— Je m'occupe de Lucy, avait murmuré la cyclope avant de conduire son groupe d'un pas décidé, son sabre à la main.

Quelque peu rassurée, Yaëlle, rejointe par son groupe, était partie à l'assaut de la tour Légistère pour affronter le Conseil.

Après avoir neutralisé les Citadins qui montaient la garde devant la tour, Yaëlle et les siens n'avaient pas eu le moindre mal à se rendre jusqu'à la grande salle du Conseil. Là, ils avaient dû combattre la cinquantaine de gardes qui protégeaient les membres du Conseil qui s'étaient tous réfugiés là, s'y croyant en sécurité.

Yaëlle et les Utiles qui l'accompagnaient étaient finalement parvenus à franchir la barrière qui les séparait encore du Conseil.

En entrant dans la salle, Yaëlle fut accueillie par le regard froid et sans vie de Gaak :

— Toi ! lança-t-il avec véhémence.

— Oui, moi ! Et tu peux t'estimer heureux de ma visite car certains t'auraient coupé la tête à peine entrés ici. Mais je ne suis pas un monstre...

— Non, tu te contentes d'être son amie ! coupa-t-il. C'est elle, n'est-ce pas ? C'est elle qui est responsable de tout ça !

Pour toute réponse, Gaak n'eut qu'une arbalète pointée sur son ventre.

— Attachez-les sur leur siège, nous nous occuperons d'eux plus tard, ordonna la chaman à ses compagnons d'armes.

— Je préfère encore mourir tout de suite plutôt que de vivre dans un monde où ces immondes Surplus se mêleraient aux Utiles ! tonna l'un des plus vieux Justiciers.

— Cela peut toujours s'arranger, répliqua l'un des Utiles qui accompagnaient Yaëlle avant de transpercer l'homme de son épée.

— Non ! hurla Yaëlle. Mais tu es fou, qu'est-ce qui te prend ? Nous sommes tous tombés d'accord pour épargner la vie des membres du Conseil et leur donner une chance de se racheter, rappela-t-elle alors que son acolyte retirait lentement sa lame de la poitrine du vieil homme mort qui gisait sur son siège.

— Ma mère est une Surplus, marmonna l'assaillant comme si cette simple phrase pouvait justifier son geste.

— Ma fille aussi est là-bas et cela me rend tout aussi furieuse que toi. Mais ce n'est pas pour cela qu'il faut trancher la gorge de tous. Nous valons mieux que ça, nous valons mieux qu'eux.

Lorsque la cyclope était arrivée aux abords du camp, accompagnée de ses acolytes, le combat entre Citadins et Surplus faisait rage.

Ne prenant pas le temps de réfléchir, Calista et les autres avaient enfoncé les portes du camp pour porter assistance à leurs alliés. Aussitôt qu'ils avaient pénétré sur les lieux, plusieurs Surplus avaient cherché à se précipiter dehors. Certains compagnons de la cyclope furent blessés à leur passage. Des centaines de personnes continuaient d'affluer vers les portes, conscientes qu'elles avaient une chance de fuir l'enfer du camp. Pour ce faire, elles n'hésitaient pas à abandonner ou à piétiner les plus faibles… La loi du chacun pour soi semblait s'imposer, au grand dam de Calista.

Affolée par le comportement de certains et la rage qui semblait envahir les autres, Calista eut une pensée pour Lucy, espérant que la jeune femme allait bien. Noyée dans cette foule, elle n'était pas certaine de pouvoir retrouver la fille de son amie. Pourtant, elle devait tenter sa chance. Elle avait promis à Yaëlle de lui ramener son unique enfant…

Calista fut tirée de sa réflexion lorsqu'un Citadin se rua droit sur elle en hurlant : « Meurs, abomination ! »

La cyclope eut tout juste le temps de parer le premier assaut que lui porta son assaillant que ce dernier était visiblement déjà prêt à repasser à l'attaque. Un tel mépris brûlait dans ses yeux que Calista en fut réellement troublée. Elle n'avait jamais rencontré ce jeune homme de toute sa vie, et pourtant il semblait la haïr comme si elle lui avait infligé les pires horreurs.

— Comment oses-tu poser cet œil abject et difforme sur moi ? hurla-t-il tandis que la cyclope le fixait, déroutée.

La lame du jeune Citadin s'éleva dans les airs avant de fondre sur Calista et de lui entailler la joue. La cyclope évita de justesse l'épée. Mais celle-ci revint rapidement dans sa direction, plongeant cette fois droit vers son œil. Son assaillant manqua son but, mais il lui entailla l'autre joue au passage. Le jeune garde sourit, visiblement satisfait du résultat.

Calista profita de la seconde d'inattention de son opposant pour tenter de le désarmer d'un geste vif et précis, mais sa tentative fut vaine. Alors que les deux armes s'entrechoquaient et que les deux ennemis s'affrontaient vivement, la foule autour d'eux semblait s'agiter. Des cris de peur et de détresse se firent entendre. Des Utiles étaient arrivés de partout pour prêter main-forte aux Citadins qui avaient de plus en plus de mal à faire face aux attaques et au débordement des Surplus. Et visiblement, les nouveaux arrivants avaient l'intention de remettre de l'ordre. Femmes et enfants étaient empoignés avec force puis violemment frappés jusqu'à ce qu'ils restent allongés, immobiles, sur le sol.

La cyclope croisait toujours le fer avec son adversaire lorsqu'elle sentit une douleur aiguë à son épaule droite.

— Mais qu'est-ce que… marmonna-t-elle en portant sa main libre à son épaule touchée.

Tandis qu'elle jetait un rapide coup d'œil à sa blessure, le Citadin la désarma, avant de plonger à nouveau la lame de son épée dans la chair de sa victime. Ébranlée par la douleur, Calista tomba à genoux. Un ricanement cynique retentit tandis que la pointe ensanglantée de l'arme du jeune garçon venait se poser sur la gorge de la cyclope. Elle venait de se faire battre par un Citadin… par un enfant…

Elle était à la merci de la lame qui flirtait dangereusement avec sa carotide.

— Je me demande si je vais t'ouvrir le crâne ou te trancher la gorge, monstre ! cracha le Citadin avec dédain.

Un liquide chaud et gluant perla tout à coup sur le front de la cyclope.

Calista passa rapidement sa main sur son front : du sang… « On dirait que finalement il a décidé de m'ouvrir le crâne… » pensa-t-elle, médusée, avant de comprendre qu'il ne s'agissait pas de son sang mais de celui du garde en face d'elle qui venait de s'effondrer sur le sol, le corps transpercé par une pelle.

— Est-ce que ça va ? lui demanda une haute silhouette en se penchant sur elle.

— Oui, merci, dit-elle dans un sourire lorsqu'elle reconnut Lucy.

— Viens, il ne faut pas rester ici, souffla la jeune femme en l'aidant à se relever.

Calista était à la fois heureuse et sous le choc. Heureuse de constater que Lucy allait bien, mais choquée par ce que cette dernière venait de faire...

La cyclope n'était pas naïve, elle savait que cette nuit beaucoup de choses, beaucoup de gens allaient changer. Elle avait simplement espéré que les personnes auxquelles elle tenait seraient épargnées...

Ramassant son sabre, Calista emboîta le pas à la fille de Yaëlle, qui se frayait un chemin péniblement dans la foule, à coups de poing et de menaces.

À son tour, Calista dut frapper du plat de son arme quelques assaillants qui se dressèrent sur son passage, dont des Surplus qui tentèrent de s'en prendre à elle pour lui dérober le peu d'effets qu'elle portait.

— On dirait qu'ils ont...

— ...perdu la raison ? suggéra Lucy lorsqu'elle et Calista furent enfin sorties du camp et qu'elles purent s'abriter un instant au détour d'une ruelle sombre.

— Oui, ils ont tous perdu la raison, approuva la cyclope d'un mouvement de tête.

— Des années de mauvais traitements, d'humiliation et de frustration ne pouvaient pas conduire à autre chose.

— Je... j'avais espéré mieux.

Les maisons avaient été pillées. Partout où la cyclope regardait, les corps s'empilaient. Elle ne parvenait pas à distinguer les Surplus des Utiles ; tous n'étaient plus que des corps mutilés, inanimés, baignant dans leur sang.

La révolte était en train de tourner à l'émeute générale. Calista comprit qu'il était temps pour elle et les siens de déclarer forfait si on voulait éviter que tous les Surplus ne soient massacrés ou ne s'entretuent !

Une sorte de folie meurtrière s'était emparée de certains, qui voyaient là l'occasion de régler leurs comptes avec le camp adverse. Et peu leur importait que des innocents périssent.

Calista avait visiblement sous-estimé la rancœur qui habitait le cœur et l'âme des Surplus. Mais elle avait également mal évalué le dégoût et le mépris que ressentaient certains Utiles.

— Il est temps de sonner le repli... annonça-t-elle d'une voix morne.

— Les révoltes ne peuvent pas se faire sans verser de sang, Cali ; c'est triste mais c'est ainsi, rappela Lucy.

— Je le sais parfaitement. Mais la ligne entre révolte et vendetta vient visiblement d'être franchie, et rien d'autre que la mort et le chaos ne ressortiront de tout ça. Je dois... je dois faire quelque chose et protéger les plus faibles.

— Révolte, vendetta... Tout ça, c'est du pareil au même !

— Les révoltes sont faites pour ramener l'ordre et la justice. Les vendettas, elles, ne servent qu'à assouvir la vengeance.

— C'est bien ce que je disais : dans notre cas, c'est du pareil au même, cracha la jeune femme.

Calista resta sans voix. Elle n'avait jamais remarqué à quel point le cœur de Lucy s'était endurci.

— De toute façon, c'est trop tard, Cali, tu ne les arrêteras plus ! Tu peux bien faire résonner le signal du repli aussi longtemps que tu le voudras, ceux qui ont décidé de mettre la ville à feu et à sang ne te suivront pas.

— Et toi, est-ce que tu…

— Non, je ne viendrai pas avec toi.

La cyclope posa un regard affolé sur Lucy.

— Je n'ai pas l'intention d'ouvrir le ventre de chaque Citadin que je croiserai, rassure-toi, énonça la jeune femme. Mais je ne partirai pas d'ici avant d'avoir retrouvé Connor.

— J'ai promis à ta mère de te retrouver et de t'aider si…

— Dis à maman que tu m'as vue et que je vais bien. Rappelle-lui que je ne suis plus une enfant et que je n'ai plus besoin d'une gardienne. À en juger par ce que j'ai vu tout à l'heure, c'est plutôt toi qui semblais avoir besoin d'aide et non l'inverse !

— C'est vrai que tu as grandi, mais cela ne veut pas dire que tu fais forcément les bons choix…

— Peut-être, mais il s'agit de *mes* choix ! répliqua Lucy. Faisons donc toutes les deux ce que nous croyons être le meilleur. Fais attention à toi, dit-elle avant d'étreindre rapidement Calista qui ne s'attendait pas à un tel geste.

Puis elle ajouta :

— Prenez soin de Solan pour moi, en attendant que je puisse le faire moi-même.

La jeune femme quitta la ruelle en courant, plantant là Calista. Celle-ci resta médusée. Elle ne s'était jamais avérée une très bonne juge de la nature humaine, mais les êtres humains arrivaient encore à la surprendre, et pas toujours dans le bon sens ! Les combats, les règlements de compte et les pillages qui s'improvisaient un peu partout montraient clairement que les intérêts personnels de chacun avaient pris le pas sur l'intérêt collectif.

Tout le monde semblait avoir oublié le but de la révolte. Il ne restait plus personne… plus personne sauf elle pour sauver les plus faibles, les *innocents*, ceux qui croyaient plus en une deuxième chance qu'en la vengeance. Oui, ceux-là la suivraient…

La cyclope était sur le point de sonner le ralliement aux portes de la ville lorsqu'elle vit flotter un long drap blanc sur le haut de la tour Légistère, signe que Yaëlle et ses compagnons avaient maîtrisé le Conseil des Justiciers. Une lueur d'espoir resurgit en elle. Le chaos allait enfin se dissiper et les choses rentreraient dans l'ordre.

Calista déboula en courant de sa ruelle, hurlant que le Conseil avait été maîtrisé. Mais elle avait beau s'époumoner, personne ne semblait l'entendre… personne ne semblait vouloir l'écouter…

L'hystérie collective avait pris le dessus. Laissant libre cours à leur rage et à leur frustration, des groupes de Citadins s'étaient organisés pour prendre en chasse et traquer comme des animaux les femmes et les enfants des Surplus.

Tout n'était plus que cacophonie, brouhaha et désordre dans les rues de la Cité.

— Traîtres ! Renégats ! criaient les Citadins ainsi que certains Utiles avant de trancher la chair de leurs opposants.

— Meurtriers ! Monstres ! tonnaient en réponse les Surplus et leurs alliés qui rendaient à leurs oppresseurs les coups au centuple.

À bout de souffle, Calista courut jusqu'à la grosse horloge, qui ne fonctionnait plus depuis de nombreuses années. C'était le signal pour indiquer aux partisans du Cercle que l'heure avait sonné… Le côté ironique et poétique avait charmé la cyclope le premier jour où Jonas lui en avait parlé. C'était son idée et Calista avait tenu à respecter ce souhait. Lorsqu'elle l'avait fait sonner, voilà déjà plusieurs heures, son cœur s'était serré dans sa poitrine. Elle avait senti la présence de son mari à ses côtés…

À présent, il était de son devoir de la faire sonner à nouveau pour épargner des vies pendant que cela était encore possible.

Blessée et épuisée, Calista dut puiser dans ses dernières forces pour gravir la centaine de marches qui la conduirait au sommet de l'horloge. Elle dut s'arrêter à plusieurs reprises pour reprendre son souffle à l'intérieur de la tourelle qui devenait de plus en plus étroite au fur et à mesure qu'elle se rapprochait du sommet. S'appuyant contre le mur, la cyclope retira vivement sa main, car la paroi de la muraille était brûlante. Et plus elle approchait de la cloche de l'horloge, plus d'intenses bouffées de chaleur l'incommodaient, la faisant transpirer à grosses gouttes.

Péniblement, la cyclope reprit son ascension en toussotant légèrement. Lorsqu'elle arriva enfin sous le clocher qui abritait l'immense horloge et sa cloche en étain, un brasier l'accueillit.

La toiture de la tourelle était en feu. L'incendie qui avait démarré dans le camp des Surplus dévorait tout sur son passage.

La chaleur était intenable. L'alcôve s'était transformée en une véritable fournaise, à tel point que la magnifique cloche en étain avait commencé à fondre. Des filets d'étain et de cuivre glissaient partout le long de la cloche qui se déformait au fur et à mesure que les flammes se rapprochaient d'elle.

— Oh non, je ne vais certainement pas renoncer maintenant ! tonna la cyclope en se ruant vers l'horloge avant de saisir vivement la chaîne qui reliait le battant à la cloche pour faire retentir l'énorme bourdon.

Calista tira sur la chaîne d'un coup sec, mais celle-ci lui resta dans les mains.

Prise de court, elle n'avait pas le temps de réfléchir. La seule chose que lui hurlait son esprit était qu'elle devait à tout prix faire résonner cette maudite cloche. Ce fut ce qui motiva son geste…

Elle se positionna face à la cloche et posa ses mains dessus pour lui donner de l'élan. Un hurlement de douleur s'échappa de ses lèvres lorsque le cuivre et l'étain se mêlèrent à sa peau…

La cloche bougea enfin et son battant retentit dans toute la ville.

Le battant résonna encore et encore. Et malgré la douleur qui dévorait ses mains à vif, la cyclope ne cessa de faire basculer la cloche d'avant en arrière pour que chacun ait une chance d'entendre cet appel… son dernier appel…

Calista vit alors du haut de son poste d'observation un nouveau mouvement de foule se former vers les portes de la ville. Elle était trop loin pour distinguer nettement toutes les silhouettes qui s'agitaient, mais elle était certaine que ses amis étaient parmi elles.

À présent, c'était à ses compagnons de prendre le relais. Elle ne pouvait plus rien faire d'autre que de sonner cette cloche pour donner à tous encore un peu d'espoir…

La structure en bois sur laquelle était fixée l'énorme cloche menaçait de céder à tout moment. Mais Calista s'en moquait. Elle secouait la cloche comme si sa vie en dépendait.

Ce n'était pas vraiment sa vie qui en dépendait, mais celle de centaines de gens.

Les flammes autour d'elle ne cessaient de gagner du terrain. L'une des poutres qui soutenaient la toiture de la tourelle s'effondra sur le sol, causant un gigantesque trou dans le plancher de l'horloge. Une abondante fumée noire s'éleva de la cavité. Asphyxiée, Calista perdit connaissance avant de basculer dans le trou…

▼

Malgré les protestations et les cris de rage d'Ismahan, Lycéos l'avait entraînée, non sans mal, vers les portes de la Cité. La cloche avait retenti pour la seconde fois aujourd'hui. Dès qu'il l'avait entendue, il avait compris ce que cela signifiait : il venait de perdre Ella…

— Je ne partirai pas sans maman ! ne cessait de hurler Ismahan. Maman ! Maman !

— Ismahan, je t'en prie, avait supplié Lycéos alors qu'il traînait sa fille de force dans les rues de la ville.

— Non ! avait rugi l'enfant avant de lui lâcher la main et de se mettre à courir au milieu de la foule.

Ismahan n'avait pas eu l'occasion d'aller bien loin. Elle avait été rapidement rattrapée par son père, partagé entre la peur et la colère.

— Ne refais plus jamais une chose pareille ! cria-t-il en la secouant fortement. Tu dois venir avec moi. Maman… Ella ne viendra pas avec nous, d'accord ?

— Mais qu'est-ce que tu racontes ? demanda la fillette, apeurée.

— Désormais, il n'y a plus que toi et moi, car maman refuse de nous suivre. Ce sont des histoires de grandes personnes, ma chérie. Il faut seulement que tu aies confiance en moi.

Tout allait si vite… Les gens se bousculaient, hurlaient, enjambaient et piétinaient les corps étendus un peu partout. Une odeur de sang flottait dans l'air, soulevant l'estomac d'Ismahan qui luttait courageusement pour ne pas pleurer et vomir.

Alors que la fillette était sur le point de suivre son père sans faire d'histoires, un groupe d'hommes et de femmes vêtus de longues toges noires et rouges surgirent au bout de l'allée.

— Maman ! clama Ismahan en reconnaissant les membres du Conseil menés par Gaak.

Lorsque l'enfant avait aperçu sa mère, elle s'était mise à courir dans sa direction.

— À mort les renégats ! martelaient en chœur les Justiciers.

Mais ces mots n'avaient pas le moindre sens pour Ismahan qui, arrivée près de sa mère, lui ouvrit les bras. Mais Ella passa à sa hauteur sans lui accorder le moindre regard, criant de plus belle :

— Nous tuerons ces traîtres jusqu'au dernier. Mort aux renégats, mort à la sous-race !

Ismahan était restée là, figée, à observer sa mère scander ces phrases plus horribles les unes que les autres. Cette femme en colère, cette femme froide et distante qui vociférait, cette femme n'était pas sa mère !

— Ismahan, nous devons partir, dit son père qui venait de la rattraper.

La fillette aurait aimé pouvoir suivre son père, mais elle était pétrifiée par les horreurs qu'elle venait de voir.

Lycéos n'eut d'autre choix que de porter sa fille pour la conduire loin de cet enfer qu'il avait en partie créé.

L'aurore n'était plus très loin. Si les derniers fuyards voulaient encore profiter des bienfaits de la pénombre, ils devaient faire vite.

Ella ne pouvait s'empêcher de chercher sa famille des yeux tandis que les derniers combats prenaient peu à peu fin dans la Cité.

Lorsque la silhouette de son mari et de sa fille disparurent au loin, elle crut qu'elle venait de mourir. Son cœur était parti avec eux. Elle ne pourrait de nouveau respirer que le jour où elle les retrouverait.

— Tu as fait le bon choix ; ta place est ici, avec nous... avec moi, avait murmuré Gaak en lui posant doucement une main sur l'épaule. Nul ne peut détruire la Cité. Nous poursuivrons ces renégats jusqu'au dernier et nous les pendrons tous ! assura-t-il en resserrant sa prise sur l'épaule tandis que la cloche résonnait encore faiblement au loin.

Désormais, le Cercle de la Liberté était mort. Son âme avait péri cette nuit au milieu du chaos et de tout ce sang. Aux yeux de tous, aux yeux du Conseil, les membres du Cercle n'étaient plus que des hors-la-loi, des criminels, des fugitifs... des Renégats !

Oui, c'était indéniable, le Cercle était bel et bien mort... Mais de ses cendres avait surgi un ordre nouveau, une nouvelle famille. Une nouvelle alliance s'était formée, celle des Renégats ! Et dorénavant, la Cité devrait vivre avec eux car les Renégats étaient loin d'avoir dit leur dernier mot !

La guerre ne faisait que commencer. Et même si les Renégats avaient remporté une belle victoire aujourd'hui, beaucoup d'entre eux l'avaient payé de leur vie.

Ils venaient de déclarer la guerre au Conseil. Oui, c'était une véritable guerre. Cette nuit n'avait été que le prélude de la lutte acharnée qui les attendait. Des gens mourraient encore des deux côtés. L'issue finale changerait la vie des survivants à tout jamais...

Même si personne n'avait le cœur à la fête, même si personne ne pouvait vraiment se réjouir de ce qui s'était passé cette nuit, un doux parfum de liberté flottait pourtant déjà dans l'air. Il faisait naître chez les Renégats un sentiment qu'ils avaient perdu depuis longtemps : l'espoir.

Ils ne venaient pas seulement de gagner leur liberté, ils venaient de changer leur destin... Et Ella le savait. C'était d'ailleurs ce qui lui donnerait la force de tenir et de rester à la Cité.

Son corps était peut-être ici, mais son cœur, lui, était ailleurs... Son cœur était celui d'une rebelle, d'une Renégate...

Chapitre quatorze
Générations

Je suis allongée sur le sol et je ne parviens pas à bouger le moindre muscle. J'ai l'impression que tous mes os ont éclaté en mille morceaux. Je suis comme désarticulée. Et lorsque les flammes commencent à danser trop près de moi, tous mes efforts pour leur échapper sont vains. Cette fois, je ne peux plus rien faire, je sais que c'est la fin.

Je sens que mon corps est soulevé de terre et déplacé, j'entends que l'on murmure autour de moi. On s'inquiète. Je ne sais pas qui me tient aussi fermement ni où on m'emmène, mais je me sens en sécurité. Le pas rapide de mon sauveur résonne sur les pavés de la ville.

J'entends le grincement d'une porte. Les bruits et les odeurs me sont familiers : je suis à la maison, je suis à la bibliothèque.

Je suis encore vivante, à mon grand étonnement.

Je scrute avec plaisir les murs de ma chambre.

Une voix me murmure :

— Bon retour parmi nous !

C'est avec joie et soulagement que je découvre Ella assise à mon chevet.

Elle m'explique alors que je dois mon salut au hasard.

— J'ai entendu deux Utiles dire que la tour de la vieille horloge s'était effondrée en raison des flammes. J'ai été assaillie d'un doute et j'ai voulu vérifier que tu avais pu quitter les lieux avant. J'ai failli ne pas te voir, car tu étais ensevelie sous les décombres, dit-elle dans un pâle sourire.

Je ne peux retenir une grimace de douleur lorsque je fais un mouvement.

— Ne bouge pas, me recommande Ella. Tu auras mal pendant quelques jours, mais lorsque les choses se seront un peu calmées, je t'enverrai un Soigneur. En attendant, j'ai essayé de faire de mon mieux, m'indique-t-elle en désignant mes bandages.

— Comment se passent les choses au Conseil et dans la ville ?

— Il y a beaucoup d'agitation. Et Gaak est déjà en train de prendre la tête du Conseil et d'organiser la capture des derniers Surplus qui n'ont pas réussi à franchir les portes de la ville. Et tu peux compter sur lui pour que cela soit réglé d'ici demain. Mais, à première vue, beaucoup de gens ont pu quitter la Cité.

— Tout cela n'aura donc pas été vain, murmuré-je.

— L'autre point positif est que Gaak a maintenant entièrement confiance en moi. Il ne se doute de rien… Au son de la cloche, Yaëlle et son groupe se sont enfuis et j'ai eu alors la possibilité d'aller jouer mon rôle en faisant croire aux membres du Conseil que je venais les libérer. Gaak a pris cela pour un serment d'allégeance.

— Il semblerait que tu sois devenue l'un de nos plus précieux atouts. Il ne faut donc pas te compromettre en restant ici avec moi. Même si Gaak n'a pas de preuves, il doit se douter que je suis impliquée dans toute cette affaire.

— Tu as raison, soupire Ella, résignée. Nous avons bien trop sacrifié de nous-mêmes pour faire un faux pas maintenant. Nous devons soutenir ceux qui sont à l'extérieur.

La révolte d'aujourd'hui n'avait été qu'une étape dans la conquête de notre liberté.

▼

Je me sens vieille… Peut-être le suis-je réellement !

Quatre ans viennent de s'écouler, quatre années pendant lesquelles je suis morte à petit feu de culpabilité et de rage. J'ai perdu la dague d'Aphrodite pendant la révolte. J'ai perdu ce pour quoi Yaëlle et moi avions affronté les goules. J'ai perdu ce qui m'a coûté ma famille et l'amour de ma vie.

Je me sens seule… Peut-être le suis-je réellement !

Tous mes amis ont quitté la Cité la nuit de la révolte. Seules Ella et moi sommes encore là. Mais nous nous voyons rarement car Gaak se méfie de moi. Les semaines qui ont suivi le soulèvement, il a fait le ménage et rétabli l'ordre dans la Cité, punissant les Surplus qui avaient osé bafouer les règles de sa chère métropole. Les plus chanceux ont été sévèrement battus et les fortes têtes, pendues pour l'exemple.

C'est à cette occasion que nous avons perdu Lucy et Connor, eux qui avaient bravement mené les Surplus à la révolte. Gaak m'avait obligée à assister à la pendaison pour *maintenir le registre*. C'était un avertissement à couvert de ce qu'il me réservait au moindre faux pas. Il nous avait fallu, à Ella et à moi, beaucoup de détermination et d'opiniâtreté pour ne pas nous enfuir dans l'heure.

Tout a changé, et pourtant, rien n'a changé…

▼

Un an plus tard…

C'est avec soulagement et surprise que je vois un beau matin Yaëlle passer par le trou du mur de la bibliothèque comme si elle l'avait fait la veille.

Je crois d'abord à une hallucination. Il est tout simplement impossible qu'elle soit là, plantée au milieu de mon bureau, en pleine nuit, tout comme avant. La solitude me pèse…

— Tu pourrais faire un effort, car le comité d'accueil laisse à désirer ! me dit l'apparition, un sourire ironique sur le visage.

Je réalise alors que mon amie est vraiment là. Je bondis de ma chaise et l'attrape à bout de bras.

— Mais que fais-tu ici ?

— Il n'en faudrait pas davantage pour que je ne me sente pas la bienvenue, réplique-t-elle. Tu me croirais si je te disais que je passais dans le coin ?

— Est-ce que Solan va bien ? m'informé-je en premier lieu, affolée.

— Ne t'en fais pas pour lui, il va parfaitement bien, me rassure-t-elle. Il se repose en ce moment même à la tour Légistère, ajoute-t-elle comme s'il n'y avait rien de plus naturel au monde.

— Vas-tu me dire ce que tu fabriques ici ? tonné-je. Tu n'es pas en sécurité à la Cité.

— Je suis revenue pour y rester. Le Conseil m'a accordé son pardon. La seule condition est que je réside à la tour Légistère et que je réserve mes meilleurs soins et potions aux membres du Conseil. Ils sont même d'accord pour me rendre mon ancien laboratoire.

— Mais comment peuvent-ils t'accorder à nouveau leur confiance ?

— Ils ne me font pas confiance. À la moindre incartade, Solan en paiera le prix… Mais tu comprends, ils ont besoin de Soigneurs. Avec Solan et moi, cela fait deux Soigneurs de plus pour la Cité.

— Mais pourquoi prendre un tel risque ? m'exclamé-je. Ne me dis pas que tu abandonnes !

— Bien sûr que non ! Mais je dois me trouver là où se trouve la dague d'Aphrodite pour le réveil de la gorgone.

— La dague… euh… la dague…

Yaëlle esquisse un sourire sournois avant de clamer en croisant les bras sur sa poitrine :

— Tu l'as perdue, pas vrai ?

J'hésite une seconde mais, penaude, je couine d'une toute petite voix :

— Oui, mais ce n'est pas ma faute !

Puis je réalise ce que les paroles de Yaëlle impliquent :

— Mais comment le sais-tu ?

L'air satisfait qui s'affiche sur le visage de la chaman est sans équivoque : elle a retrouvé la dague ! Mais comment a-t-elle fait ?

— Heureusement que ta tête est attachée sur tes épaules car tu serais bien capable de la perdre aussi !

— J'ai été… blessée. Et lorsque je me suis réveillée, la dague n'était plus dans la doublure de ma cape.

— Je me suis doutée qu'il s'était passé quelque chose lorsque je l'ai vue accrochée à la ceinture de Gaak.

Elle me raconte alors la sortie dans le désert au cours de laquelle elle a aperçu Gaak, à la tête d'un groupe de Citadins patrouillant sans relâche à la recherche des Renégats.

— La vie des Renégats n'est pas toujours facile, dit Yaëlle, mais au moins nous sommes libres. Et Lycéos fait preuve d'un véritable talent de leader. Ismahan tient vraiment de lui. Mais chaque fois que je la regarde, je ne peux m'empêcher d'avoir une pensée pour Ella, avoue mon amie, émue.

Je la vois secouer la tête et se ressaisir pour ne pas se laisser submerger par ses sentiments.

— Il est donc plus facile pour moi de garder un œil sur la dague en me rapprochant du Conseil. Je ne peux pas prendre le risque de la perdre de vue, car je sens que le réveil de la gorgone est pour bientôt.

Elle m'adresse alors un petit sourire avant de me demander :

— Et pour vous, comment se passent les choses ici ?

Je réalise alors que je dois lui annoncer la disparition de Lucy. Et c'est la mort dans l'âme que je m'apprête à lui raconter cette partie de l'histoire. Plus les mots sortent de ma bouche, plus je vois Yaëlle se refermer au monde extérieur. Je peux ressentir sa peine et sa souffrance. Tout comme moi, elle considère que nous avons assez donné.

Pourtant, un dernier élan me pousse à croire que nous avons réussi à initier un mouvement que la nouvelle génération conclura.

Je sais que Solan et Ismahan seront à la hauteur de nos espoirs…

▼

Moi qui croyais que mon cœur était mort depuis longtemps, eh bien, je m'étais trompée. Sinon il ne serait pas en train de me déchirer la poitrine de cette manière…

Yaëlle est morte. Je viens de perdre ma meilleure amie. Elle faisait partie du premier Cercle, des premiers Renégats et, à présent, il ne reste plus rien d'elle qu'un petit tas de cendres.

Survivre à une révolte et vivre durement pendant de nombreuses années dans le désert n'avaient pas eu raison de la chaman. Mais un soir, elle avait traversé la route sans regarder et une charrette l'avait percutée de plein fouet. Je n'ai pas la moindre idée de ce qu'elle faisait dans la rue à cette heure-là alors que le nouveau couvre-feu nous l'interdit. Mais elle avait sûrement une excellente raison d'être là.

Je ne pouvais malheureusement plus rien faire pour mon amie, mais j'étais bien décidée à ne pas laisser Solan entre les griffes de Gaak. Le seul problème était que le jeune homme était introuvable. Depuis son retour à la Cité, je n'avais eu aucun contact avec le petit-fils de Yaëlle pour sa sécurité. J'ignorais donc totalement ce qu'il savait de la gorgone endormie.

Mais le cher et tendre souvenir de ma camarade disparue et de son petit-fils n'avait pas tardé à se rappeler à moi…

▼

J'entends du bruit dans la bibliothèque alors que je suis en train de travailler à mon bureau. Je me munis de mes fidèles sabres, qui ne sont jamais très loin, et de ma petite lanterne, bien utile pour arpenter les allées. Il ne me faut que quelques instants pour reconnaître le bruit d'une vieille étagère qui a sûrement cédé sous le poids des livres.

Je remonte hâtivement le corridor avant d'assister à un bien étrange spectacle. Des visiteurs nocturnes se sont introduits dans ma bibliothèque. Il fait sombre, pourtant il me semble deviner la silhouette d'un jeune homme et de ce qu'il me semble être… une gorgone. Je ne peux m'empêcher de penser immédiatement à la gorgone dont Yaëlle n'a eu de cesse de me parler pendant toutes ces années. Se pourrait-il qu'il s'agisse d'elle ?

Je décide d'en avoir le cœur net :

— Alors, les enfants, on s'offre une petite promenade nocturne ? demandé-je d'une voix dominée par l'émotion. C'est gentil de venir me rendre visite à cette heure-ci.

Je m'approche de mes visiteurs jusqu'à leur faire face. Tous deux m'examinent des pieds à la tête, intrigués par le masque qui recouvre désormais constamment, ou presque, mon visage.

Le jeune homme, que je soupçonne être Solan, me toise alors de haut en bas en soufflant de soulagement :

— Bon sang, vous nous avez fait peur !

Stupéfaite par son audace, je ne peux m'empêcher de rétorquer :

— C'est vous qui entrez ici par effraction et c'est moi qui vous fais peur ? C'est un comble ! ajouté-je en éclatant de rire.

Je les interroge alors sur leur présence dans ma bibliothèque. Mais le jeune homme ne se laisse pas impressionner, car il me renvoie en pleine figure :

— Et vous, que faites-vous ici ?

Son air effronté m'amuse et je décide de jouer le jeu. Je lui explique donc qui je suis et ce que je fais à la bibliothèque, avant de lui redemander ce qu'ils font ici en pleine nuit.

— Je... nous... bafouille la gorgone qui cherche visiblement de l'aide auprès du petit rat qui trottait il y a encore peu sur mes étagères.

La sentir aussi troublée et gênée me fait sourire intérieurement. Si elle le voulait vraiment, cette gamine pourrait me transformer en pierre et, pourtant, c'est elle qui est impressionnée par ma présence.

Cela fait de longues semaines que je n'ai pas eu de visite ; la solitude commençait à me peser. J'ai enfin la chance de me changer les idées. Je décide de me jouer des deux jeunes :

— Par les dieux ! hurlé-je tout à coup en me précipitant vers l'étagère renversée. Finalement, je me moque de la raison de votre présence. Vous n'êtes que... que d'affreux petits monstres ! Cela vous amuse de rentrer ici pour tout saccager ?

La gorgone s'empourpre et justifie tant bien que mal l'incident :

— Non, non, ce n'est pas ce que vous croyez ! Nous ne sommes pas responsables.

Je la chahute encore un peu avant que le jeune homme ne vienne à sa rescousse.

— Elle vient de vous dire que nous n'y sommes pour rien.

Le ton autoritaire qu'il vient d'utiliser me rappelle tout de suite Yaëlle. J'ai alors l'intime conviction que c'est bien Solan que j'ai en face de moi.

Pour m'en assurer, je le provoque encore un peu :

— Si ta petite amie le dit, c'est forcément la vérité, c'est ça ?

Je sais qu'il serait bien plus simple de lui demander son prénom, mais cela serait aussi beaucoup moins amusant. Je n'ai que peu d'occasions de me distraire et j'entends bien profiter de celle-ci.

Solan proteste énergiquement, démentant autant qu'il le peut que la gorgone qui l'accompagne est sa petite amie. Pourtant, la façon dont il la couve du regard ne laisse planer aucun doute pour moi.

Le ton monte rapidement entre mon interlocuteur et moi. Dans ses mouvements et ses expressions, je retrouve les petits tics irritants de ma meilleure amie. Je sens que la partie touche à sa fin lorsque la gorgone intervient, proposant de remettre de l'ordre. Mais c'est sans compter sur le caractère fougueux et impétueux de Solan qui lance cette phrase malheureuse que je prends au mot :

— Je préfère encore me battre en duel à mort contre cette vieille chouette, plutôt que de lui donner raison. Nous ne ramasserons pas ces satanés livres, c'est clair ?!

Amusée par la tournure que prend la situation, je redouble de rires lorsque Solan me lance :

— Je suis mort de trouille ! Grand-maman va sortir son balai pour m'en donner un coup. Je tremble de peur !

Et c'est ainsi que le garçon et moi, nous retrouvons en plein duel au sabre !

Après quelques minutes de bataille, je dois admettre que le petit-fils de Yaëlle me donne du fil à retordre même si je fais pourtant de mon mieux pour lui donner le change. Le combat que j'ai sciemment provoqué tourne à mon désavantage car je ne suis plus aussi vive qu'il y a quelques années, et Solan profite d'une faille dans ma parade pour essayer de m'atteindre au visage. Il me manque de peu, mais sa lame sectionne tout de même la lanière de cuir qui retient mon masque. Ce dernier glisse le long de mon visage pour terminer sa course à mes pieds. Mes visiteurs semblent surpris de découvrir mon apparence.

Ce bref moment de surprise passé, Solan réengage le combat. Mais il n'a pas le temps de souffler que la gorgone hurle :

— Arrête, ne blesse pas Calista ! Arrête tout de suite !

Mais le jeune homme est tellement pris par l'affrontement qu'il ne semble pas entendre son amie qui l'implore de cesser le duel. La gorgone réussit alors à capter toute son attention lorsqu'elle lui envoie un livre en plein visage. Il se retourne, furieux, et une dispute éclate entre elle et lui. Je reste là à les observer, médusée.

Sa jeune amie, prénommée Théodora, tente désespérément de lui faire part de quelque chose alors que cette tête de mule s'obstine à vouloir m'affronter. Je décide donc de me ranger du côté de la gorgone et d'en finir avec ce duel. Il ne me faut pas plus d'une minute pour désarmer mon adversaire et l'envoyer au tapis. J'aurais pu y aller plus doucement, mais une petite leçon pour son ego s'imposait.

Je vois alors Théodora se précipiter auprès de Solan. Le sens général de leur conversation m'échappe totalement tandis que je cherche le sabre de Jonas qui a disparu sous l'une des étagères. Alors que je parviens à remettre la main dessus, j'entends Théodora dire sèchement :

— Je te dis que c'est *elle* notre indice, Solan.

C'est le moment de vérifier mon intuition.

— Tu t'appelles Solan ? Tu es le petit-fils de Yaëlle, n'est-ce pas ?

Après confirmation, j'emmène Théodora et Solan se reposer et se restaurer avant d'en venir au cœur même du sujet. Je sais ce qu'ils sont venus chercher…

▼

— Maintenant que je sais que tu es le petit-fils de Yaëlle, il faut que tu saches qu'après la mort de ta grand-mère je t'ai cherché partout. Mais tu avais déjà disparu…

Il m'explique qu'il a quitté la Cité pour aller répandre les cendres de sa grand-mère avant de partir à la recherche de Théo, car Yaëlle avait eu la vision du réveil de la gorgone.

Nous avons alors une longue conversation sur Yaëlle et la raison de son retour à la Cité : la dague d'Aphrodite. Puis j'envoie mes visiteurs se reposer, car je sais que le lendemain sera une longue journée pour eux.

Après une bonne nuit de sommeil, et maintenant qu'ils savent que la dague d'Aphrodite se trouve dans le bureau de Gaak, je prends sur moi de leur offrir un petit cadeau qui, je l'espère, leur sera utile.

Je tends à Solan le sabre de Jonas, celui avec lequel il m'a affrontée la veille. Je dois insister pour que le jeune homme, gêné, accepte mon présent.

Je me tourne ensuite vers Théodora, à qui j'offre mon médaillon porte-bonheur. Je souhaite de tout cœur qu'il lui apportera chance et protection. Enfin, je donne à Aristote, l'incroyable petit rat parlant de la gorgone, un livre qui contient la description de la dague d'Aphrodite qui sera bien utile sous peu à mes nouveaux amis.

Après nous être fait nos adieux, je regarde avec nostalgie le trio s'éloigner. Je repense au temps où je voulais changer le monde. Mais à présent, je suis vieille et fatiguée ; tout cela n'est plus de mon âge. Mon rôle dans cette histoire est maintenant terminé.

Du moins, c'était ce que je pensais jusqu'à ce que je reçoive la visite d'Ismahan et de son pittoresque ami.

Quelques jours se sont écoulés depuis la visite de Solan et de Théodora quand une autre figure de mon passé vient me rendre visite : Ella.

Comme elle est presque entièrement dissimulée dans une longue cape noire, je ne la reconnais tout d'abord pas, alors qu'elle se faufile dans mon bureau. Il me faut un instant pour réaliser qu'il s'agit de mon amie.

L'air grave et contrarié qu'elle affiche me laisse présager qu'il ne s'agit pas d'une simple visite de courtoisie.

— Elle est ici, murmure-t-elle d'une voix nouée par les sanglots.

Ella n'a pas besoin de m'en dire davantage, car je comprends qu'elle parle de sa fille, Ismahan.

— Qu'est-elle venue faire ici ? demandé-je, désireuse de comprendre la situation.

— Je n'en ai pas la moindre idée. Mais quoi qu'elle veuille, donne-le-lui et fais-la repartir d'ici le plus vite possible. Si on la reconnaît, Gaak la forcera à subir le test de passage.

— Es-tu certaine qu'il s'agit d'Ismahan ?

— Je l'ai croisée dans la rue. Elle utilise un charme que je lui ai enseigné, le sort d'invisibilité, pour se dissimuler aux yeux de tous. Mais tu sais que ce charme ne fonctionne pas aux yeux des créatures mythiques ni aux miens. Et même si je ne l'ai pas vue depuis longtemps, une mère est toujours capable de reconnaître son enfant, crois-moi.

— Est-ce qu'elle t'a remarquée ?

Ella hoche la tête avant de murmurer :

— Le regard froid et troublé qu'elle m'a lancé ne laisse planer aucun doute à ce sujet. De plus, elle n'est pas seule ; elle est accompagnée par un satyre.

— Et qu'est-ce qui te fait croire que j'aurai l'honneur de recevoir la visite de ta fille et de son ami ?

— Je les ai entendus parler du passage dans le mur de la bibliothèque.

— Bon sang, il faut vraiment que je rebouche ce satané trou ! grommelé-je entre mes dents, ce qui arrache un petit rire amusé à Ella.

— Cela fait des années que je t'entends dire que tu veux reboucher ce trou. Si je ne me trompe pas, il doit être aussi vieux que toi ! me chahute-t-elle quelque peu, s'autorisant ainsi un court moment de plaisir. Si jamais tu as besoin de quoi que ce soit pour aider Ismahan et son compagnon, tu sais où me trouver, me dit-elle avant de réafficher un air froid et déterminé sur son visage tout en quittant la pièce.

▼

Je n'ai pas eu à attendre plus d'une petite heure pour voir débarquer entre mes murs Ismahan et son satyre. Ils semblent tout d'abord étonnés que je puisse les voir malgré le sort d'invisibilité. Mais très vite le satyre, prénommé Stanislas, se révèle très agréable et jovial, tandis qu'Ismahan laisse libre cours à sa mauvaise humeur.

Mes deux visiteurs ne tardent pas à solliciter mon aide, me faisant part de leur requête qui consiste à aider Stan à rentrer chez lui. Le jeune satyre semble persuadé qu'il ne fait pas partie de notre univers. Puisque la terre des hommes n'est pas mon monde non plus, je ne peux qu'abonder dans son sens. J'ai alors l'idée de consulter le parchemin des voyageurs égarés qui lui indiquera la route à emprunter pour le retour. Je ne peux malheureusement rien faire de plus pour lui.

Tandis que nous invoquons le parchemin, je constate que le sortilège d'invisibilité s'estompe peu à peu jusqu'à rendre Ismahan et Stanislas de nouveau entièrement visibles. Je m'inquiète alors de savoir comment ils comptent quitter la Cité. Ismahan n'a visiblement aucune réponse à m'apporter. Je n'ai donc pas le choix…

Je suis sur le point d'envoyer une missive à Ella pour lui demander son aide lorsque Ismahan m'interrompt violemment :

— C'est *elle* que vous appelez, n'est-ce pas ? me demande-t-elle, l'œil sombre.

— Oui, avoué-je en repliant nerveusement la petite feuille où j'ai noté mon message. Si je l'appelle, c'est parce qu'elle est votre seule chance de quitter la Cité rapidement et de vous éviter le cachot.

Ismahan et moi nous affrontons du regard un long moment, attendant que l'une de nous deux capitule.

Je peux alors constater ce que Yaëlle voulait dire le jour où elle m'a confié que cette gamine était aussi entêtée et charismatique que son père. Il semblerait que la nouvelle génération compte dans ses rangs de fortes têtes. Je décide de me radoucir quelque peu, consciente que je n'ai pas la moindre chance d'avoir le dessus sur elle si je continue de m'entêter aussi.

— Laisse-moi l'appeler, elle n'est pas aussi mauvaise que tu le crois…

— Qu'est-ce que vous en savez ? crache-t-elle avec mépris.

Je n'ai pas le moindre mal à comprendre sa colère. Après tout, elle est persuadée que sa mère l'a abandonnée. Je lui souris avec tendresse :

— Je le sais, voilà tout… Les enfants pensent toujours tout savoir, mais c'est loin d'être le cas.

Je la vois hésiter une brève seconde avant de soupirer et de me dire :

— Très bien… Appelez-la ! Mais que les choses soient claires : je n'ai aucune envie de lui parler et vous ne me forcerez pas à le faire !

Je hoche alors la tête pour marquer mon approbation, avant de laisser partir ma missive dans le labyrinthe de tubes situé juste au-dessus des étagères.

La réponse d'Ella ne se fait pas attendre. Elle m'informe qu'elle viendra récupérer elle-même les jeunes de l'autre côté du mur de la bibliothèque dans quelques minutes. J'en informe alors Ismahan et Stan. Celui-ci me remercie une dernière fois pour mon aide tandis qu'Ismahan s'engouffre dans le passage en me murmurant un vague au revoir.

Stan disparaît à son tour dans les entrailles du mur. Je me retrouve à nouveau seule dans cette grande bibliothèque.

Je remonte l'allée centrale jusqu'à mon bureau lorsqu'un bruit devenu plus que familier ces derniers jours se fait entendre : quelqu'un est en train de se glisser par la muraille pour arriver jusqu'à moi.

Amusée, je me demande qui vient me voir cette fois. Un centaure ? Ou bien un minotaure ?

Je fais donc demi-tour pour accueillir mon visiteur. Mais je reste bouche bée lorsque je découvre le visage de l'intrus : c'est Gaak…

— Je t'avais dit que je garderais un œil sur toi, et même les deux ! ricane-t-il avant de me frapper violemment au visage.

Chapitre quinze
Qui est le véritable monstre ?

La cyclope reprit conscience après plusieurs heures. Sa pommette droite la faisait atrocement souffrir. En touchant son visage, elle s'aperçut qu'il était légèrement enflé et que du sang séché maculait sa joue.

Elle essaya de se redresser avant de réaliser qu'elle était déjà assise. Ses bras étaient ligotés dans son dos et ses jambes avaient été attachées aux pattes de la chaise.

Elle jeta un rapide coup d'œil autour d'elle pour essayer d'identifier l'endroit où elle se trouvait. La pâleur des murs et le plafond en verre lui indiquèrent qu'elle se trouvait dans la salle des tests de passage de la tour Légistère.

— Tiens, la Belle au bois dormant est de nouveau parmi nous ! siffla Gaak.

Calista n'avait pas remarqué la présence de celui-ci pour la simple et bonne raison qu'il se tenait derrière elle.

— C'est gentil à toi de m'avoir conduite jusqu'ici, dit-elle. Mais au cas où tu l'aurais oublié, j'ai réussi mon test de passage il y a longtemps. Tu n'étais encore qu'un petit garçon, ajouta-t-elle, faussement détendue, lorsqu'elle sentit Gaak appuyer ses mains sur ses épaules.

— Tu viens de le dire toi-même : c'était il y a longtemps. Il faut que je m'assure que tu m'es toujours *utile*.

Cette menace à peine voilée fit pâlir Calista.

Gaak poursuivit :

— Il ne faudrait pas que des monstres ou des Renégats tentent d'infiltrer nos rangs.

— Les monstres n'ont pas toujours des grandes dents pointues et des griffes acérées, répliqua la cyclope. Ils ont parfois un visage d'ange, comme le tien. Mais c'est bien la seule chose d'angélique qui existe chez toi.

— Comment oses-tu ? Nous t'avons fait une place à la Cité, nous t'avons acceptée parmi nous.

— C'est faux et tu le sais très bien ! cracha-t-elle avec mépris. La plupart d'entre vous ne m'ont jamais acceptée. J'en ai pour preuve le masque que vous me faites porter depuis toutes ces années. Vous m'avez utilisée, voilà ce que vous avez fait ! Vous avez exploité mes connaissances, mais même après tout ce temps vous ne m'avez jamais véritablement considérée comme l'une des vôtres. Vous avez dissimulé le soi-disant monstre en moi sous ce masque ridicule.

— Soi-disant monstre ? lança Gaak avec véhémence. Les Citadins que j'ai mis en faction devant la bibliothèque ont vu passer en quelques jours une gorgone et un satyre, qui ont tous deux mystérieusement disparu. Alors, si tu n'étais pas un monstre comme eux, pourquoi seraient-ils venus te trouver ?

— Oui, nous sommes des monstres. Mais Théo, Stan et moi n'en avons que l'apparence ! Toi, tu es bien pire que nous, car tu en as l'âme…

— Ne joue pas à la plus futée avec moi. Ne me tourne pas en ridicule, Calista, car tu es loin de pouvoir te le permettre étant donné la situation !

— Rassure-toi. Tu n'as pas besoin de mon aide pour te ridiculiser, tu le fais très bien tout seul !

Envahi d'un soudain excès de rage, Gaak frappa la cyclope au visage.

— À présent, tu vas me dire ce que tes petits amis et toi êtes en train de manigancer.

— Je ne vois pas du tout de quoi tu parles, répondit Calista, un sourire moqueur fixé sur le visage.

— Il semblerait que tu aies quelques petits problèmes de mémoire. Mais ce n'est pas très grave, car je vais t'aider à les régler. Je sais que c'est toi qui es responsable de la révolte qui a ébranlé la Cité. Je suis certain que tu connais la cachette des Renégats, et tu vas tout me dire.

Mais Calista, impassible, n'ouvrit plus la bouche, même lorsque les coups commencèrent à pleuvoir sur elle.

— Je veux tout savoir et tu finiras bien par parler ! hurlait Gaak inlassablement en ruant sa victime de coups.

Après plusieurs heures de cet odieux traitement, le chef du Conseil jugea bon d'offrir un court répit à Calista pour l'empêcher de sombrer dans l'inconscience.

Avant qu'il ne quitte la pièce, il se retourna vers sa prisonnière.

— Tu as de la chance que je sois d'humeur clémente aujourd'hui, sinon je t'aurais déjà tuée. Mais ne t'en fais pas, nous avons du temps devant nous. Je n'en ai pas encore fini avec toi.

Calista tourna son visage tuméfié vers son tortionnaire. Elle cracha un filet de sang aux pieds de son ancien élève et lui lança :

— Et maintenant, de nous deux, qui est le véritable monstre ?

Ignorant la réplique de son ancien mentor, Gaak quitta la pièce.

▼

Lorsque la porte rouvrit cinq minutes plus tard, Calista ne put s'empêcher de trembler. Le répit avait été de courte durée. Mais la cyclope était bien déterminée à garder les lèvres scellées et à ne rien raconter à Gaak.

Il lui fallut quelques secondes avant de se rendre compte qu'on était en train de défaire les liens trop serrés qui lui rongeaient la peau et la retenaient à sa chaise.

La douce voix d'Ella résonna alors au creux de son oreille.

— Je suis sincèrement navrée pour tout ça. J'aurais dû l'en empêcher…

— Ça n'a pas d'importance ; je ne suis qu'une vieille femme. En attendant, il ne court pas après les Renégats, et c'est tout ce qui importe.

— Ne dis pas ça. Tu es l'âme de cette révolte, et nous ne pourrons rien accomplir sans toi. Il faut que tu t'enfuies pendant qu'il en est encore temps. Tu dois aller rejoindre les Renégats et dire à Lycéos que l'heure est venue de terminer ce que nous avons commencé…

Chapitre seize

Terminer ce que nous avons commencé…

Je tangue péniblement jusqu'à l'écurie où Ella m'a préparé une monture.

Sortir de la tour Législère n'avait pas été la chose la plus difficile à faire. Ella m'avait rapporté mon masque et je n'avais eu qu'à le glisser sur mon visage, redresser fièrement la tête et marcher dans les couloirs comme si ma présence en ces lieux était des plus naturelles. Personne ne m'avait accordé la moindre importance, car les traces de coups sur mon visage ne se voyaient pas. Il ne m'avait fallu que quelques minutes pour me rendre jusqu'à l'ascenseur et quitter cette tour maudite.

Je marche dans l'obscurité, rasant les murs, tentant de me fondre en eux, pour éviter les patrouilles des Citadins que je redoute.

C'est ma dernière chance de quitter cet endroit en vie. Mais pour cela, je dois me débrouiller seule.

J'ai longuement insisté pour que mon amie m'accompagne, afin qu'elle puisse elle aussi sauver sa vie et revoir Lycéos, mais elle a catégoriquement refusé. Elle a soutenu que sa place était ici et que, à présent que sa fille Ismahan connaissait son secret et savait qu'elle était aussi une Renégate, son rôle était plus important que jamais. Malgré mes craintes, j'avais approuvé de la tête en priant que Gaak ne découvre pas son vrai rôle dans toute cette histoire, car si c'était le cas, j'avais l'intime conviction qu'il n'hésiterait pas à la tuer.

C'est donc avec une légère angoisse et une sourde appréhension que je me hisse difficilement sur la selle de mon cheval. Ella a pensé à tout : je découvre, suspendu au pommeau de ma selle, de quoi boire et manger pendant mon périple.

J'étudie alors toutes les possibilités pour pouvoir sortir saine et sauve d'ici. La pensée de me servir de l'onguent pour me faire pousser des ailes me traverse l'esprit, mais je suis trop faible. J'ai alors l'idée farfelue de l'utiliser sur ma monture, mais ce n'est pas vraiment le moment de tester un moyen de créer un nouveau Pégase. Il me semble alors plus sage de simplement passer par les portes de la Cité et d'affronter les Citadins qui se dresseront sur mon chemin. Après tout, Ella a également pensé à me rapporter mon sabre.

Je talonne mon cheval, quitte l'écurie et me dirige vers les portes de la Cité. À cette heure-ci, les risques sont minimes car il n'y a que les Citadins en faction dans les rues ; le couvre-feu est tombé. Je dois faire vite, très vite, mais surtout le plus discrètement possible pour ne pas attirer tous les gardes de la ville sur moi. Mais une cyclope à cheval n'est pas ce qu'il y a de plus discret et je tombe nez à nez avec une faction de Citadins.

J'ai un haut-le-cœur en m'apercevant que ce sont encore des enfants. Le plus âgé d'entre eux semble avoir tout juste dix-sept ans. Cela me fait mal de penser que je vais devoir me battre contre eux, mais la pensée de Solan et d'Ismahan, qui ne sont guère plus âgés et qui ont dû, eux aussi, affronter de dures épreuves, me traverse l'esprit. Je tire donc mon sabre.

Le chef de l'unité, le plus âgé, me dit alors dans un souffle :

— Non... Nos habits sont ceux de Citadins, mais nos cœurs sont ceux de Renégats !

Cela est suffisant pour que je suspende mon geste. Je ne peux dissimuler ma surprise pendant qu'il poursuit :

— Nous étions encore des enfants il y a peu, et nous venons tous du camp des Surplus. Aucun d'entre nous n'a réussi à s'enfuir la nuit de la révolte, mais nous te sommes tous fidèles. Nous avons rallié les rangs des Citadins pour la seule et unique raison de servir notre cause.

Je reste sans voix devant le dévouement de ces jeunes gens à notre idéal.

— Nous sommes bien plus nombreux que tu ne le penses, m'annonce-t-il dans un sourire.

Ses propos sont confirmés par toute la troupe qui hoche la tête.

Réconfortée, je souris en retour. Tout n'est pas si désespéré ; je ne suis pas si seule, finalement.

— Que fais-tu ici ? m'interroge le chef.

— Je dois quitter la Cité pour aller chercher les Renégats, dis-je. Il est temps de donner un nouveau souffle à cette révolte, ajouté-je en ôtant mon masque, offrant ainsi à la vue des gardes mon visage parsemé de bleus et d'égratignures.

Ils restent un instant sans voix, prenant conscience du message que Gaak a tenté de me faire passer. Le chef s'avance alors vers moi. Il pose sa main sur mon bras avec sollicitude avant de m'annoncer d'un ton déterminé :

— Nous allons t'escorter jusqu'aux portes de la Cité pour nous assurer que tu sortiras d'ici sans encombre.

Je suis d'abord tentée de refuser cette offre, envahie par la culpabilité de mettre la vie de ces partisans en danger. Mais je me ravise très vite quand une phrase de Yaëlle me revient en mémoire : « En ne voulant sacrifier personne, on finit par sacrifier tout le monde. »

J'accepte donc la proposition. Je replace mon masque sur mon visage et, encerclée par mon nouveau groupe d'alliés, je reprends mon chemin. Il ne nous faut que quelques minutes pour atteindre les portes. Lorsque nous nous présentons face aux Citadins qui gardent l'entrée de la Cité, mon cœur s'emballe et l'angoisse monte en moi. Si nous sommes démasqués, le sang risque de couler.

Mon compagnon me chuchote :

— Reste tranquille et laisse-moi faire.

Je le vois s'approcher d'un garde, à qui il ment effrontément avec un aplomb qui m'impressionne :

— Nous partons en mission spéciale. Cette sorcière est une traîtresse. Le Conseil la soupçonnait de faire partie des Renégats, dit-il en arrachant tout à coup mon masque pour donner plus de crédibilité à son récit. Et après une petite *explication*, elle a finalement troqué sa vie en échange de celle de ses compagnons.

— Elle nous a trahis, et maintenant elle trahit les Renégats ; elle n'est vraiment rien d'autre qu'un monstre ! lance le garde, fier de son trait d'humour.

— Notre Cité regorge de monstres… raille mon jeune ami. Mais ne t'en fais pas, nous allons bientôt remédier à ça !

Je vois alors les portes de la Cité s'ouvrir devant moi et les deux Citadins en faction s'écarter. Sans perdre un instant, notre petit groupe se remet en route. Lorsque nous passons près des gardes, je les entends murmurer à ceux qu'ils prennent pour leurs compagnons d'armes : « Bonne chance ! »

Les Citadins-Renégats qui m'accompagnent se contentent d'un simple hochement de tête. Ne voulant pas abuser de notre bonne étoile, nous sortons dans le désert. Lorsque les lourdes portes de la Cité se referment derrière nous, je pousse un profond soupir de soulagement et mes larmes se mettent à couler librement.

J'essuie mon visage. Je ne peux retenir un sourire lorsque mon regard se pose sur ce masque qui a si longtemps fait partie de moi… qui était devenu moi. Je resserre ma prise de chaque côté de mon masque jusqu'à ce que mes articulations blanchissent. Je le brise en deux morceaux d'un coup sec avant de le jeter nonchalamment devant les portes de la Cité.

Je me sens soulagée, je suis enfin libre…

Je n'ai eu aucun mal à trouver le village itinérant des Renégats. Avant mon départ, Ella m'avait conseillé de partir vers l'est, sur les indications de sa fille.

Après trois jours de recherche, durant lesquels mes acolytes m'ont fidèlement suivie, c'est avec soulagement que je vois pointer les premières tentes du campement de Lycéos.

Notre code pour nous permettre de nous repérer dans le désert semble des plus efficaces puisque nous sommes parvenus à destination. Au premier feu de camp abandonné, il nous a suffi de suivre l'orientation des bûches à moitié consumées pour nous garder dans la bonne direction, chacun des restes de feux formant un jeu de piste.

Mes jeunes compagnons, toujours revêtus de l'uniforme des Citadins, sont accueillis par des Renégats armés jusqu'aux dents qui entendent bien leur trouer la peau. J'interviens alors :

— Rangez-moi ça, ils sont des nôtres.

Mais ma petite tirade ne semble pas les convaincre jusqu'à ce que la voix de Solan s'élève de derrière les rangs :

— Si Calista dit qu'ils sont des nôtres, c'est que c'est vrai.

D'abord surprise de trouver le jeune chaman ici, je suis heureuse qu'il prenne mon parti. Je n'ai pas fait tout ce chemin pour me battre contre les miens. Son intervention a raison des Renégats qui rangent leurs armes.

— À présent que les choses sont claires, occupez-vous de nos invités ; je suis certain qu'ils meurent d'envie de changer de vêtements, dit Solan pour détendre l'atmosphère.

D'abord méfiants, mes amis finissent tout de même par emboîter le pas à leurs aînés qui les conduisent dans le campement sous les regards curieux du reste du clan.

Je me retrouve alors seule avec Solan qui arbore un sourire victorieux :

— Nous avons trouvé Aphrodite !

— Tu veux dire que… que l'amour est revenu ? interrogé-je, pleine d'espoir.

— Disons plutôt que nous sommes à nouveau libres d'aimer.

Je suis sur le point de lui demander si le pouvoir de l'amour va se faire ressentir sur nous tout de suite lorsqu'il anticipe ma question en affirmant :

— Aphrodite est libre, certes, mais c'est à nous de faire le reste.

— Ne perdons pas nos bonnes habitudes ! réponds-je, cynique.

— Oui mais, cette fois, contrairement à votre première révolte, l'amour est revenu. Ce sentiment fera toute la différence entre l'émeute qui avait éclaté et la révolution que nous allons mener.

Après avoir retrouvé Théodora, je découvre que Casey et Catherine, les enfants de Gaak, ont rallié nos rangs. Je suis partagée entre l'ironie de la situation et la tristesse à l'idée de la déception que ressentira leur père. Je sais bien qu'il a choisi un autre chemin que le nôtre, mais je ne peux m'empêcher de me souvenir de l'enfant qu'il était et auquel je me suis attachée.

Ma nostalgie une fois mise de côté, Lycéos et moi amorçons notre plan de bataille.

Ismahan et Stan ne sont pas encore rentrés au campement. Les Renégats qui sont trop faibles ou malades pour nous suivre au combat resteront sur place pour les accueillir à leur retour.

Lycéos et moi décidons donc de partir à l'assaut de la Cité en deux groupes. Lycéos, Solan et Théodora se présenteront aux portes de la ville tandis que je prendrai la tête de l'autre équipe qui passera par la voie des airs. Nous comptons sur cet élément de surprise pour prendre l'avantage. Albin, le chef des Citadins-Renégats qui m'ont sauvée, nous informe qu'à l'intérieur de la Cité nous serons soutenus par ses nombreux amis Utiles, Citadins et Surplus. Nous pouvons donc compter sur un troisième groupe déjà infiltré.

Il me reste donc très peu de temps pour apprendre à voler à mes compagnons. Je ne veux pas prendre le commandement d'une armée de cailloux volants !

▼

Après des heures et des heures d'entraînement sans relâche, les résultats commencent à se faire sentir. Certains s'avèrent plus doués que d'autres, mais tout le monde fait indéniablement preuve d'une immense volonté.

Cependant, à quelques heures de notre attaque, je découvre l'un des mes plus jeunes cailloux volants qui pleure près de sa tente. Je m'approche de lui doucement avant de lui demander ce qui ne va pas. Il me répond entre deux sanglots :

— Je ne suis pas comme toi… je ne suis pas un héros.

Je ne m'étais jamais rendu compte que les gens me considéraient comme une héroïne, parce que j'ai toujours suivi mon cœur.

— Les gens ont besoin d'avoir des héros, expliqué-je. Cela les rassure de penser qu'au milieu du chaos et de l'horreur il y a quelqu'un de plus fort et capable de réaliser un miracle, qui surmontera l'impossible pour eux afin de régler leurs problèmes. Mais je ne suis pas une héroïne. Je fais seulement ce qui me semble juste, jour après jour… Et ce qui est juste, c'est de terminer ce que nous avons commencé.

Mes paroles paraissent faire leur effet : mon petit caillou sèche courageusement ses larmes.

Après m'être assurée qu'il se sent mieux, je me retire dans ma tente pour profiter des quelques heures de repos qu'il me reste.

Je me couche. Amusée, je me demande si les héros ont besoin eux aussi de sommeil.

▼

La journée avant l'affrontement, nous revoyons une dernière fois notre plan avant de profiter des quelques instants d'accalmie avant longtemps. Nous attendons tous, impatients et fébriles, que la nuit devienne notre alliée.

Lycéos et moi passons d'agréables moments à nous remémorer nos souvenirs heureux. Solan découvre avec bonheur beaucoup d'histoires sur sa famille. Peu à peu, le soleil décline à l'horizon, marquant le signal du départ pour nous. Mon groupe passe alors à l'action : notre première mission est de parachuter tous les combattants devant les portes de la Cité.

Après un vol rapide, nous découvrons avec horreur que nous n'aurons pas l'effet de surprise à notre avantage. En effet, les Citadins sont partout dans la ville, armés jusqu'aux dents. Peut-être que ma fuite hors de la Cité a mis la puce à l'oreille de Gaak. J'espère de tout cœur qu'Ella va bien.

Nous sommes accueillis par des jets de pierre qui déséquilibrent un grand nombre des novices qui m'accompagnent. Malgré mes instructions, certains d'entre eux n'arrivent pas à reprendre le contrôle de leurs ailes et s'écrasent avec leur voyageur.

Lycéos réagit aussitôt. Il mène son groupe vers les portes. Les Renégats les chargent pour les faire céder.

Je survole le camp des Surplus. Un grand nombre d'entre eux ont déjà pris les armes. Je fonce dans leur direction. Je les libère du camp et leur permet ainsi d'envahir les rues de la Cité. Mon cœur se serre devant cette impression de déjà-vu, mais j'espère que cette fois-ci sera la dernière. J'ai bon espoir lorsque je vois les Surplus tenir tête aux Citadins qui gardent la porte principale.

Lycéos pousse et frappe de son côté tandis que de l'intérieur les Surplus attaquent les Citadins, empêchant ces derniers de retenir plus longuement la porte. Mes amis pénètrent enfin dans la Cité...

Les portes de la ville viennent de tomber. Comme il y a presque une décennie, des opposants s'affrontent dans tous les coins de la ville. Je suis sur le point de prendre part au combat lorsque je pense à Ella. Je décide de m'assurer que mon amie va bien. Je me dirige à tire-d'aile vers la salle du Conseil, persuadée de trouver tous les Justiciers terrés là-bas pour assurer leur survie.

J'atterris sur le balcon adjacent à la grande salle. À ma grande surprise, la pièce est presque vide. Il n'y a là que Gaak et Ella, en train de s'affronter du regard. Je ne peux pas entendre ce qu'ils se disent, mais les mouvements et la teinte rosée des joues de Gaak m'indiquent que ce dernier est furieux.

Quand je m'introduis dans la pièce, j'entends soupirer Gaak :

— Que veux-tu que ça me fasse, si tu crois que ces Renégats me font peur ? Tu te trompes, cela n'est qu'une révolte de plus.

— Ce n'est pas une révolte, cette fois, c'est la révolution, assure Ella avec son aplomb coutumier.

Gaak semble subitement prendre conscience de ce qui est en train de se passer, de qui il a réellement en face de lui.

— Tu... tu ne peux pas être l'une des leurs ! C'est impossible, tu n'es pas comme eux !

— Au risque de te décevoir, mon cher Gaak, je suis exactement comme eux, je suis une Renégate, lance Ella, acerbe.

Elle prend manifestement un malin plaisir à lui avouer enfin la vérité après toutes ces années de sacrifice.

— C'est impossible ! Je refuse que tu sois comme eux ! hurle Gaak en renversant une chaise sur son passage.

— Tu ne peux pas décider de qui je suis. Je suis une Renégate. Désolée si cela ne te convient pas et que la simple idée de m'avoir aimée un jour te révulse.

— S'il le faut, je t'obligerai à changer, car je t'aime toujours, réplique-t-il avant de saisir violemment Ella par la taille et d'écraser sa bouche sur la sienne.

Je me précipite pour aider mon amie. Mais il est évident qu'elle peut très bien se débrouiller sans moi. En un éclair, elle envoie Gaak voler à l'autre bout de la pièce en hurlant :

— Ne refais jamais ça si tu tiens à la vie.

Furibonde, Ella se retourne pour quitter la pièce. Elle semble surprise mais ravie de me trouver là :

— Tu n'aurais pas pu tomber mieux, dit-elle.

— Tu avais pourtant l'air d'avoir le contrôle de la situation ! me moqué-je en regardant Gaak se relever péniblement.

Dans un dernier espoir, je m'adresse à mon ancien élève :

— Je sais que tu as souffert, Gaak, mais nous avons tous souffert. Si tu veux rallier nos rangs, c'est ta dernière chance.

— Autant me tuer tout de suite si tu comptes me faire renoncer à mes convictions pour votre stupide idéalisme.

— Je t'ai déjà dit que je n'étais pas un monstre. Ce n'est pas moi qui te tuerai, c'est ta rage qui le fera.

— Moi, je t'aurais tuée, murmure-t-il avant de s'asseoir sur la chaise à côté de lui.

— Je sais que tu en serais capable.

Il semble que cette fois-ci tout soit fini ; je ne peux plus rien pour Gaak. Solan avait raison : ce n'est pas parce que l'amour a été libéré que nous avons tous l'envie d'aimer. Nous en avons tous la capacité, mais cela reste une histoire de choix. Et visiblement, Gaak a déjà fait le sien.

Saisissant Ella par la main, je l'entraîne avec moi jusque sur le balcon. Puis je glisse mes bras sous les siens avant de prendre mon envol.

J'ai le sentiment que je ne reverrai plus jamais Gaak…

Je viens de me poser au pied de la tour Légistère lorsque je vois une petite silhouette blonde passer non loin de moi d'un pas furibond. Il me semble bien reconnaître Catherine, la fille de Gaak. Je m'inquiète du fait qu'elle se déplace seule dans la ville à feu et à sang. Certaines maisons ont entièrement brûlé, et des corps mutilés et calcinés gisent sur le sol.

Je m'apprête à emboîter le pas à la fillette lorsqu'une horde de Citadins s'attaque à Ella et à moi. Je ne peux donc pas entreprendre ma filature.

Je suis la seule de nous deux à être armée, mais c'est sans compter sur le pouvoir télékinésique d'Ella qu'elle a développé au fil des années. Toutefois, nous avons beau nous démener, mon amie et moi, les Citadins sont bien trop nombreux pour nous.

Alors que je me débarrasse d'un de mes assaillants, je vois du coin de l'œil Lycéos nous rejoindre dans la bataille.

Les coups pleuvent. Je suis plusieurs fois atteinte, mais ce ne sont que des blessures superficielles.

Ella renverse, paralyse et fait voler nos adversaires dans tous les sens, mais ils semblent être toujours plus nombreux. En me retournant, je vois l'un d'entre eux tenter de pourfendre le crâne d'Ella par-derrière. Mais Lycéos opère une surveillance de tous les instants. Il se met en travers du chemin de l'attaquant. Une terrible lutte s'engage alors pour la vie d'Ella.

Je vois avec horreur une faille dans la garde de Lycéos. Malheureusement, je ne suis pas la seule à l'avoir remarquée puisque son adversaire en profite pour lui trancher une main. Son cri de douleur attire l'attention d'Ella qui, en voyant le sang couler sur le bras de son époux et sa main gisant à terre, semble se déconnecter de la réalité.

Je peux alors sentir le sol trembler sous mes pieds. Une lueur semble sortir directement du corps de la Magicienne. Une puissante vague d'énergie nous balaie tous. Aussi surprenant que cela puisse paraître, seuls nos adversaires décollent du sol avant d'aller s'écraser contre le mur le plus proche.

Je me précipite vers Lycéos pour lui donner les premiers soins. Il me dit, fidèle à lui-même :

— Ça faisait longtemps que je ne m'étais pas battu. Je suis content de voir que je n'ai pas perdu la main ! D'ailleurs, c'est aussi le cas de ma femme. Tu savais qu'elle faisait de telles choses, toi ?

Je ne peux m'empêcher de glousser à ses pitreries avant qu'Ella ne le prenne dans ses bras en le réprimandant :

— Tu crois vraiment que c'est le moment pour des jeux de mots ?

Je déchire le bas de ma cape pour pouvoir faire un bandage bien serré autour du poignet de mon ami.

— Il faut arrêter le saignement le plus rapidement possible, déclaré-je.

— Je m'en charge, dit Ella à qui je tends le pansement de fortune.

— Prends bien soin de Lycéos, Ella. Je crois qu'une certaine fillette va s'attirer des ennuis ; je dois la retrouver sans tarder.

Pour aller plus vite, je déploie mes ailes et survole la ville. J'aperçois Catherine dans l'ascenseur en verre qui grimpe le long de la tour Légistère. Soulagée, je réalise que Théodora l'accompagne.

Je me demande si je dois les rejoindre quand une rafale d'explosions attire mon attention dans les hauteurs de la ville. Faisant confiance à la gorgone pour prendre soin de Catherine, je me dirige vers le nuage de poussière soulevé par les explosions.

Je me pose au milieu des débris des maisons qui étaient autrefois les plus luxueuses de la Cité. Devant moi, un Citadin aux yeux apeurés fuit en courant à perdre haleine. Je cherche quel peut bien être le monstre responsable d'une telle crainte. Je reste bouche bée devant la réponse à ma question.

Un dragon des sables, portant sur l'œil un bandeau de pirate, court d'une démarche pataude, toute langue dehors, à la poursuite du Citadin. L'animal a plus l'air idiot que menaçant. C'est alors que j'aperçois, posé sur le crâne de la bête, la vraie cause de la fuite éperdue du Citadin.

Aristote, dressé sur ses deux pattes arrière, est vêtu d'une robe rose bonbon. Trépignant nerveusement sur sa monture, il tient un morceau de bois à la façon d'une épée. Il hurle :

— Mécréant ! Laissez-moi m'occuper de ce mécréant !

Je soupçonne le Citadin de croire qu'il a perdu la tête, poursuivi par un démon de l'enfer vêtu de rose.

Je vais de surprise en surprise. J'aperçois Ismahan et Stanislas, accompagnés d'une jeune fille blonde que je distingue mal, qui court en direction d'Aristote alors que les deux autres jeunes gens livrent une bataille contre une horde de Citadins pour sauver leur vie. Que font Stan et Ismahan ici ? Je les pensais partis loin de la Cité pour aider le satyre à rentrer chez lui. Sont-ils les responsables de ces explosions inexpliquées ?

Quand je m'approche du petit groupe, j'entends la fille d'Ella et de Lycéos râler :

— Mais qu'est-ce que tu fais là, Stan ?

— Modère ton enthousiasme, lance le satyre, sarcastique. À ce que je vois, je ne t'ai pas trop manqué !

— Pour ça, il aurait fallu que tu partes plus de deux jours ! réplique-t-elle.

Je vois Stan se coller contre le dos d'Ismahan. C'est impressionnant de les regarder se battre dos à dos. Ils se complètent parfaitement. Aucun de leurs assaillants ne pourrait parvenir à trouver une faille dans leur cuirasse.

— Si j'avais su que tu me réserverais un tel accueil, j'y aurais pensé à deux fois avant de quitter les miens pour venir me fourrer dans ce guêpier, dit-il en repoussant l'un de ses adversaires. Moi qui pensais te trouver mariée, cuisinant et tricotant au coin du feu, tu n'as pas pu t'empêcher de t'attirer des ennuis.

— Tu es parti seulement *deux* jours ! Sara, Edison et moi avons risqué nos vies pour te renvoyer chez toi, et toi, tu ne trouves rien de mieux à faire que de revenir dans notre monde. Et tu as vraiment choisi ton moment !

J'hésite à interrompre leur joyeuse chamaillerie qui me rappelle celles de Jonas et de Yaëlle. Repousser leurs assaillants ne semble pas leur demander le moindre effort : ils les balaient d'une main de fer.

— Je ne crois pas vraiment que ce soit le bon moment pour parler de ça ! reprend Stan. Mais disons qu'à mon retour chez moi j'ai eu droit à une sorte de boni plutôt sympa.

— Si on sort vivants de cette bataille, j'adorerais en savoir plus sur ton super boni.

Voyant qu'ils maîtrisent parfaitement bien la situation, je continue de remonter la rue en direction des explosions, pour voir si je peux venir en aide à quelqu'un.

Je suis à présent obligée de courir car mes ailes ont disparu. Du coup, je suis devenue une cible plus facile à atteindre.

J'arrive dans les dernières hauteurs de la ville qui abritent le nouvel arsenal de la Cité. C'est de là que se dégage une épaisse fumée : l'arsenal a été réduit en cendres.

— N'est-ce pas du beau travail, chef ? m'interpelle Solan, le visage recouvert de suie, fier de son œuvre.

— C'est le plus gros boum que j'ai jamais entendu ! s'exclame Casey qui sourit de toutes ses dents, qui paraissent d'une blancheur étincelante au milieu de son visage couvert de suie. Et c'est moi qui l'ai fait ! ajoute-t-il, l'air heureux.

Mes deux jeunes artificiers n'en finissent plus de se féliciter mutuellement de leur exploit. Je suis moi aussi très satisfaite d'eux car ni Lycéos ni moi n'avions pensé à détruire la réserve d'armes de nos adversaires.

— C'était effectivement une bonne idée, confirmé-je. Belle initiative, les garçons !

Après plusieurs heures de bataille, nous avons réussi à avoir le dessus. Le peu d'Utiles et de Citadins qui résistent encore sont maîtrisés. Le plus grand nombre d'entre eux se sont déjà rendus.

Chapitre dix-sept
Retrouvailles

Après que le chaos se fut peu à peu dissipé, chacun commença lentement à réaliser réellement ce qui s'était passé et l'impact que cela allait avoir sur sa vie.

Ayant laissé Solan et Casey à leurs faits d'armes, Calista redescendait la rue en direction de la tour Légistère lorsqu'elle recroisa le chemin d'Ismahan. Elle s'immobilisa comme si elle venait d'être frappée par la foudre.

Légèrement blessée, Ismahan s'appuyait contre la jeune fille blonde que la cyclope avait aperçue plus tôt. Calista aurait juré devant les dieux qu'elle connaissait l'inconnue depuis toujours.

— Ismahan ! cria-t-elle pour attirer l'attention de la jeune fille, qui lui adressa un sourire baigné de larmes lorsqu'elle reconnut son interlocutrice.

La Renégate saisit la main de sa petite compagne pour l'entraîner à sa suite, puis elle accéléra le pas autant qu'elle le pouvait.

Calista sut immédiatement qu'il s'agissait de Sara, dont elle avait entendu Ismahan prononcer le nom tout à l'heure. Le sang qui coulait dans ses veines reconnaissait celui de Sara : la jeune fille était du sang de la cyclope, elle faisait partie de sa famille. Le jour où Calista avait eu la vision de son petit-fils et de sa future petite-fille, elle avait été imprégnée d'un étrange sentiment, que Sara venait à l'instant de réveiller.

Ismahan, qui avait compris depuis longtemps que Sara et Calista étaient liées par beaucoup plus que leur don de troisième œil, prit une grande inspiration pour parler à la cyclope :

— Calista, je crois que Sara est…

— Sara est ma petite-fille, coupa Calista.

Un sourire radieux se dessina sur son visage tout juste avant qu'elle prenne Sara dans ses bras.

Si l'étreinte fut un peu raide et maladroite les premières secondes, cela ne dura pas. Lorsque la princesse s'était retrouvée dans les bras de l'étrangère, un sentiment de sécurité et de paix l'avait envahie. C'était une émotion qu'elle n'avait pas ressentie depuis la mort de son frère.

Calista relâcha légèrement sa petite-fille afin de pouvoir l'observer à loisir. Son cœur se serra lorsqu'elle reconnut en Sara les yeux de Brontès. Elle caressa doucement sa joue. La jeune fille n'émit pas le moindre signe de protestation… Au premier regard, elle avait su que Calista était de sa famille. Lorsque la cyclope lui avait souri, elle avait reconnu le doux et tendre sourire de son père et le bleu unique des yeux de Brontès ; ce bleu qu'elle aimait tant brillait lui aussi dans la prunelle embuée de larmes de Calista. Il ne pouvait pas y avoir la moindre erreur : cette cyclope était véritablement sa grand-mère.

— Par les dieux, Sara, ce que tu ressembles à mon petit Brontès ! s'exclama Calista.

— Tu lui ressembles aussi, répondit Sara d'une voix nouée par l'émotion. J'ai toujours su au fond de moi que nous avions une famille quelque part hors de l'Aquapole.

— Ton père ne t'a jamais parlé de moi ? demanda Calista, surprise et légèrement blessée.

Sara secoua la tête :

— Pas une seule fois.

— J'imagine qu'il a dû m'oublier… murmura la cyclope, en passant une autre fois sa paume sur le visage de sa petite-fille.

— Comment a-t-il pu t'oublier ?

— Il était encore petit lorsque nous avons été séparés. Et puis, j'imagine qu'il a dû avoir d'autres parents. Il a appelé une autre que moi « maman », et j'ai ainsi peu à peu perdu ma place dans sa mémoire. Mais ça n'a plus d'importance. Tu es là maintenant et nous allons tous pouvoir reformer une famille.

C'est alors qu'une voix grave et familière retentit :

— Hé, moi aussi, je veux un câlin ! lança Lycéos qui feignait de bouder.

Calista n'en revenait pas de la jovialité de son ami. Après tout, il venait de perdre sa main droite dans un combat. En plus, il portait de multiples plaies un peu partout sur le corps et le visage. Mais il semblait pourtant le plus heureux des hommes.

La cyclope accueillit son camarade à bras ouverts. Sans se faire prier, Lycéos se blottit contre elle, accueillant volontiers un peu d'affection et de réconfort de la part de celle qui avait été son mentor, son amie, sa famille.

Alors que les deux amis mettaient fin à leur étreinte sous le regard de Sara et d'Ismahan, ils entendirent celle-ci s'exclamer :

— Je ne savais pas que vous vous connaissiez.

— Il y a plein de choses que tu ignores encore ! répondit Lycéos en écrasant rapidement une larme au coin de son œil. Cali et moi sommes des amis de longue date… de très longue date !

— Nous avons encore tant de choses à vous raconter et à vous apprendre ! déclara Calista.

— Nous avons hâte d'entendre toute l'histoire, assura Sara, avide d'en connaître plus sur la vie de sa grand-mère.

Tandis qu'ils se mettaient tous en route vers la tour Légistère, ils tombèrent nez à nez avec Ella qui poussa un hurlement de joie lorsqu'elle aperçut sa famille saine et sauve. Elle se jeta au cou de son mari et partagea avec lui un ardent baiser.

À bout de souffle, Ella dut à contrecœur renoncer à ses embrassades avec Lycéos pour respirer. Son attention fut alors attirée par le gloussement gêné et amusé de sa fille qu'elle agrippa avec force avant de l'écraser sur son cœur. Lycéos engloutit sa femme et sa fille dans une longue étreinte.

— On dirait bien que, cette fois, nous sommes tous au complet, dit Calista en se joignant à l'étreinte générale sous le regard amusé de Sara.

— Vous m'étouffez ! riait Ismahan de bon cœur.

— Il va falloir t'y habituer, lui répliqua sa mère. J'ai huit longues années de câlins à rattraper, alors autant commencer tout de suite, ajouta-t-elle en resserrant son étreinte.

▼

Après avoir retrouvé leur fille, Lycéos et Ella s'étaient retirés pour partir à la recherche d'un Soigneur. Il fallait traiter le bras amputé du chef des Renégats afin de lui éviter une infection.

Les secours s'organisaient pour soigner les blessés. De plus, on constituait des tribunaux pour juger les meurtriers. Aidés par Stan, les Renégats avaient pris en charge l'administration de la ville.

Calista, restée en compagnie de Sara et d'Ismahan, admirait le premier lever de soleil sur sa nouvelle vie.

— Tout va rentrer dans l'ordre à présent, dit la cyclope avant d'entourer de ses bras les deux filles.

— Comment peux-tu en être aussi certaine, grand-mère ?

— Vous êtes la fin de l'histoire. J'en ai été le premier chapitre et vous en êtes le dernier.

— Alors c'est grâce à nous que tout le monde va vivre heureux et avoir beaucoup d'enfants ? ironisa Ismahan.

Calista ne put retenir un petit rire.

— Oui. Mais avant ça, vous devrez affronter de nombreux problèmes.

— Nous les attendons de pied ferme, ces problèmes, lança Sara dans un hochement de tête déterminé.

— Finalement, vous êtes peut-être le dernier chapitre de cette histoire, mais vous êtes assurément le premier d'une toute nouvelle aventure… dit Calista avant de déposer un baiser sur la tête de Sara et d'Ismahan.

— J'ai hâte de la découvrir, cette aventure ! chuchota Ismahan qui trépignait déjà d'impatience.

Chapitre dix-huit

Tout ira bien…

La bibliothèque est presque entièrement plongée dans l'obscurité. Lorsque le gamin assis sur le sol bâille fort, cela attire mon attention.

— Je crois bien qu'il est temps pour toi d'aller dormir, mon garçon, dis-je en me penchant sur lui pour ébouriffer tendrement ses belles boucles blondes.

— Encore une histoire ! proteste-t-il plus pour la forme que par réelle envie, car il étouffe ensuite un autre bâillement.

— Pas ce soir, mon grand.

— Alors demain ? demande-t-il en tournant ses grands yeux noirs vers moi.

— Nous verrons cela demain, dis-je. À chaque jour suffit son histoire !

— En tout cas, merci pour celle de ce soir. Moi, j'adore les histoires de monstres !

— Tu dois bien être le seul à aimer ce genre-là ! gloussé-je. Les gens préfèrent que le héros de l'histoire soit grand et beau.

— Eh bien, les gens sont stupides. Les vrais héros des récits d'aventures, ce sont les monstres.

— Tu es sûr de ça ? demandé-je, amusée qu'il ait un avis si tranché sur la question.

— Oh oui, alors ! Sans monstres, pas d'histoires ! C'est bien connu que dans chaque bonne histoire il y a un monstre. Et dans la tienne, il y en a tout un tas. C'est ce qui la rend si super ! Mais je la trouve tout de même un peu triste parfois, ton histoire…

— Des plus grandes tragédies naissent les plus belles victoires. Et de ces victoires naissent les plus grands héros.

— C'est drôle, parfois tu parles vraiment comme un livre, ricane l'enfant. Fais-le encore ! me demande-t-il amusé.

— Cette histoire nous prouve que, quels que soient ses travers, la flamme de l'humanité, c'est l'homme.

— Je n'ai rien compris à ce que tu viens de dire…

— Tu comprendras lorsque tu seras plus grand, assuré-je sur mon ton le plus maternel. Maintenant, dodo !

— Oh non, pas tout de suite, j'ai une question à te poser.

— Ça ne peut pas attendre demain ? soupiré-je.

— Non ! C'est vraiment super méga giga important, proteste l'enfant.

— Oh alors, si c'est si « super méga giga important », vas-y, je t'en prie.

— Pourquoi est-ce que tu t'es battue dans la bibliothèque avec Solan ? Tu ne te souvenais vraiment pas de lui ?

— J'avais bien un léger doute, mais…

Le garçon m'interrompt impatiemment.

— Mais les gorgones ne courent pas les rues, non ? Tu aurais pu deviner qu'il s'agissait de Solan et de Théodora. Ce n'est pas comme si tu ne connaissais pas la légende de la gorgone.

— Eh bien… pour être honnête, je m'ennuyais à mourir seule ici ! J'avais besoin de faire de l'exercice et de m'amuser un peu. J'avoue que lorsque j'ai vu l'air paniqué de Théo pour de pauvres livres répandus sur le sol et l'air contrarié de Solan, cela m'a amusée. Je n'ai pas pu résister à la tentation de les taquiner un peu… Ce n'est tout de même pas ma faute si ce jeune effronté avait le caractère borné de sa grand-mère. C'est lui qui a préféré se battre jusqu'à la mort plutôt que de ramasser les livres. Après tout, je n'ai fait que le prendre au mot !

L'enfant ne peut retenir un grand éclat de rire.

— Je comprends mieux pourquoi ils t'ont prise pour une folle au début ! s'écrie-t-il, me fixant de ses grands yeux noirs rieurs.

— Je ne suis pas folle, je suis simplement un peu excentrique, ça n'a rien à voir ! Et crois-moi, mon petit : quand tu auras vécu aussi longtemps que moi, toi aussi tu chercheras bien souvent à te distraire un peu.

— Quand je serai vieux comme toi, tu n'auras qu'à me raconter d'autres histoires pour me distraire, c'est tout !

— Et si je n'en connais pas d'autres ?

— Tu pourras me raconter celle-là encore et encore parce que, vu que je serai très vieux, j'aurai sûrement oublié que tu me l'as déjà racontée plus de cent fois, dit-il à demi sérieux.

Je ne peux retenir un petit rire.

— Au lieu de dire des bêtises plus grosses que toi, tu ferais mieux de rentrer à la maison. Tes parents vont s'inquiéter si tu n'arrives pas bientôt.

— Oui, tu as raison, dit-il en bondissant sur ses jambes juste devant mon nez.

— Tu salueras tes parents pour moi, dis-je en déposant un rapide baiser sur la joue du bambin.

— C'est promis, dit-il. Et encore merci pour l'histoire ! lance-t-il avant de s'éloigner en courant sous mon regard attendri. À demain, marraine !

Je ne peux m'empêcher de sourire lorsque je vois sortir de sous les boucles blondes de mon filleul une petite tête de serpent doré qui ondule légèrement avant de retourner se perdre dans l'abondante chevelure.

Je suis toujours sidérée de constater à quel point cet enfant est vraiment un parfait mélange de Théodora et de Solan. C'est fou ce que Thomass peut ressembler à ses parents. Je suis du regard la silhouette de mon filleul jusqu'à ce qu'elle disparaisse dans le trou du mur de la bibliothèque.

— La porte d'entrée n'est pas là seulement pour faire joli, lancé-je à l'intention de Thomass même s'il a déjà disparu. Il faudrait *vraiment* qu'un jour je rebouche ce satané trou, soupiré-je avant de m'adosser confortablement dans mon fauteuil.

Tapie dans la pénombre de la bibliothèque, je ne peux m'empêcher d'avoir une pensée émue pour chacun de mes compagnons de fortune. Huit longues années se sont écoulées depuis le jour où le régime des Justiciers s'est enfin effondré. Après, chacun a eu la chance de suivre librement son chemin et a pu accomplir sa propre quête.

J'ai retrouvé mon fils Brontès. Et même si nous ne pourrons jamais rattraper toutes les années perdues, un lien très fort s'est tout de même tissé entre nous.

Mais je ne suis pas la seule à avoir eu la chance de retrouver ma famille. Lycéos et Ella goûtent aussi aux joies de la leur, entre chacune de leurs expéditions visant à trouver d'autres villes sur terre.

Solan est devenu un chaman et a épousé Théodora, qui lui a donné un magnifique petit garçon prénommé Thomass, tout comme le père de la gorgone. Une façon pour elle de ne pas oublier le passé, sa famille... ses origines.

Aristote est mon bras droit à la bibliothèque. Il range, organise et classe le moindre ouvrage qui entre ici, non sans l'avoir préalablement dévoré...

Casey et Catherine siègent au nouveau Conseil de la Cité ; ils font partie de la nouvelle génération de Conseillers. Ouverts, posés et rationnels, ils ont conduit la ville vers de nouveaux horizons, appuyant sans relâche le travail de Sara et d'Ismahan qui sont devenues ambassadrices entre la Cité et l'Aquapole. Cela n'est pas toujours facile pour elles, mais elles sont arrivées à établir un subtil équilibre entre les deux villes, soutenues par le nouveau Conseil et par mon fils, le roi Brontès.

Stan est finalement rentré chez lui. Il vient régulièrement nous rendre visite grâce à la porte qu'il a ouverte entre nos deux mondes, qui était la récompense offerte à celui qui parviendrait à revenir du *bout du monde*. Il nous parle sans cesse de sa famille, de sa femme Sylène et de leurs deux petites filles.

Quant à Edison, il court inlassablement après son caillou.

Une page de notre histoire vient d'être tournée, mais il nous reste encore à écrire l'avenir… Mais que nous réserve-t-il donc ? Je n'en ai pas la moindre idée. Mais dans le fond, le véritable plaisir, c'est peut-être de ne jamais savoir comment se termine véritablement l'histoire et de la laisser s'écrire et réécrire encore et encore…

Une fois de plus, je songe à tout ce que nous avons perdu… à tout ce que nous avons sacrifié : notre jeunesse, notre vie, notre cœur…

Mais je pense également à tout ce que nous avons retrouvé : un amour plus fort que n'importe quelle épreuve ! Et une famille… De tels trésors valent bien les batailles que nous avons livrées pour les obtenir et celles que nous livrerons encore pour les conserver.

Désormais, et pour la première fois de ma vie, je sais avec certitude et en toute confiance que tout ira bien…

À cette pensée, un radieux sourire m'illumine. Oui, cette fois, je peux le dire : tout ira bien…

Remerciements

Je remercie mon éditeur Daniel Bertrand pour avoir aussi bien accompagné la progression de mes romans et m'avoir laissé le temps de donner naissance à toute cette petite famille de *Monstres*. Parce que certaines « naissances » ont été plus longues que d'autres, merci d'avoir été là.

Un grand merci à Sylvie d'avoir corrigé chaque ligne, chaque virgule, depuis le début de cette aventure. C'est un réel plaisir de travailler avec toi et de te compter parmi les membres de la *famille* de *Monstres*.

Avec tout mon amour, accompagné de mille mercis, à ma marmotte qui supporte mes sautes d'humeur, mes dix versions différentes de chaque chapitre, mes insomnies suivies de mes cures de sommeil. Merci d'être encore et toujours là pour moi, de prendre le temps de lire chaque page que j'écris et de toujours me soutenir. Merci de m'accompagner dans chacun de mes pas et de me pousser comme tu le fais. Tu es mon ange gardien…

À mes parents et à ma sœur : merci de toujours prendre soin de moi et de vous soucier de ce qui se passe dans ma vie. J'ai vraiment une chance immense de vous avoir *près* de moi, et ce, malgré l'océan qui nous sépare. Je vous aime. Petite sœur, va aussi loin que te porteront tes rêves…

Merci à ma grand-mère d'avoir laissé en moi une petite partie d'elle…

Merci, Ewan et Rafaël, de me prouver chaque jour que les petits *monstres* gentils existent.

Merci à Laura pour tous les encouragements et les pauses café de l'après-midi avec ton petit *monstre,* histoire de me changer des miens et de m'éviter ainsi la surchauffe cérébrale. Tu es une amie formidable !

Valérie et Dominike, mes deux petites *fans* toujours sur le coup, vous savez à quel point votre amitié compte pour moi ! Je suis heureuse de pouvoir partager mes histoires avec deux grandes dévoreuses de livres comme vous et de vous ouvrir ainsi un peu plus la porte de mon univers.

Merci à Anne-Elen (toujours sans H…) de continuer à prendre de mes nouvelles et de s'informer de mes monstres. Ne change jamais ta façon de lire entre les lignes, c'est beaucoup plus drôle comme ça !…

Une petite pensée pour « Oli-Loli »… Tu vois, c'était bien *la mer* même si tu es reparti avec plein de coups de soleil et un peu de peau en moins… La prochaine fois, on ira la voir en Californie !

Merci à tous les amis, Aline, Jonathan, Francesco, Julien, Simone, Marcos et les autres, de vous soucier de moi et de mon travail. Merci pour les *partys,* les encouragements et surtout pour votre patience.

Merci enfin à tous ceux et celles qui ont pris le temps de passer sur mon blogue ou ma page Facebook pour me laisser un message ou m'envoyer un petit courriel. Ce livre est pour vous.

Imprimé sur Rolland Enviro100, contenant
100% de fibres recyclées postconsommation,
certifié Éco-Logo, Procédé sans chlore, FSC
Recyclé et fabriqué à partir d'énergie biogaz.